CW00648422

Les quarante piliers

Cette collection, aucune école ne la fonde, seulement l'énigme de l'architecture invisible que nous appelons civilisation, habitacle à l'intérieur duquel se reproduit le questionnement humain sans trêve ni réponse.

La coupole de Sainte-Sophie à Constantinople – église devenue mosquée, puis musée – inspire la métaphore poétique des Quarante Piliers : « cinq fois huit arcades de fenêtres lumineuses par où passe l'éclat de l'aurore ».

Cette voûte est « comme un ciel resplendissant », dit Paul le Silentiaire décrivant l'œuvre de son maître, l'empereur romain-byzantin, bâtisseur de la Grande Église et du Corps du Droit Civil, Justinien Ier (VIe siècle), auquel l'Occident est d'abord redevable de sa capacité stratégique d'organiser.

Ayant pour horizon l'Anthropologie dogmatique, cette collection accueille des écrits anciens ou d'aujourd'hui. Dogmatique veut dire que toute civilisation, y compris donc l'occidentale, vit d'acclamations de ses images, d'interprétations, de discours aspirant au statut d'intouchables, dont les conséquences normatives tiennent à leur authentification selon les formes.

L'horizon rappellera au lecteur la structure oubliée : qu'il n'y a pas de pouvoir ni de légitimité ni de commerce social de la parole sans mises en scène, sans la théâtralisation du monde et l'emblème d'une Référence totémique. Et ce constat – pas de société humaine qui ne soit confrontée à l'enjeu de Raison – vaut pour la préhistoire comme pour l'ère ultramoderne.

Un vaste champ d'érudition est ici sollicité : la question du sujet et les montages de la filiation, l'enveloppe esthétique des civilisations et l'édification historique des Textes, la formation des espaces normatifs et les guerres de la représentation, la religion des sciences et l'homme automate de la Mondialité contemporaine.

Pierre Legendre

Les quatre piliers

PAUL CELAN
et
MARTIN HEIDEGGER

Hadrien France-Lanord

Paul Celan et Martin Heidegger

Le sens d'un dialogue

Fayard

Pour l'attribution de la propriété des pièces originales de la correspondance entre Paul Celan et Martin Heidegger publiées dans ce volume, on se reportera aux indications portées dans la partie « Documents » à la fin de l'ouvrage.

Note marginale

Affronter les confins
par
Pierre Legendre

Pourquoi ce livre d'un jeune philosophe, assidu au travail d'érudition, en tête de cette série « Matériaux » ?

Il est une manière d'inaugurer la diversité des ouvrages qui vont suivre, en rappelant ceci : la réflexion sur l'*anthropos*, sur l'animal doué de parole, touche immanquablement à l'expérience de l'extrême ; elle affronte, sans jamais l'atteindre, le savoir des confins, le pouvoir de séparer le jour d'avec la nuit – attribut divin comme il est dit de l'Aurore au livre 7 des *Métamorphoses* d'Ovide. Ainsi, poésie et philosophie appartiennent à l'art de la délimitation, traçant l'espace humain du dicible, au-delà duquel règne l'ineffable.

Qui a écrit, surmontant le tourment d'exister, « Dans les fleuves, au nord du futur, je lance le filet… », ou encore celui qui prophétisait « l'homme évidé » d'aujourd'hui, ceux-là sont des nôtres. Le poète Paul Celan et le penseur Martin Heidegger rejoignent tous ceux qui, de nos tractations avec le langage, ont enseigné que rien ne subsiste, hormis l'énigme à transmettre et cette résonance dont témoignent les lourdes procédures sociales d'un questionnement sans trêve ni réponse.

De cela nous vivons, imaginant que l'Univers, qui fonctionne sans s'adresser à qui que ce soit, est cependant compréhensible, en quelque sorte notre semblable, parce que nous entrons en relation d'interlocution avec lui. Il nous parle et nous lui parlons. Un tel prodige est dû à la pensé, mais la pensée ne serait pas si elle n'était soutenue par un étayage invisible, le grand chaos des pulsions, des images et de l'insu d'où émerge l'être poétique. Voilà précisément ce qui est devenu étranger à la civilisation contemporaine portée par l'idéal de la transparence : le sens de la nécessité esthétique pour vaincre l'opacité à l'intérieur de soi et découvrir ces « points de traversée » (« *Durchstich-punkte* ») évoqués dans un poème de Celan, qui rendent possible d'interroger le monde.

Affranchi de la doxa qui, au seul nom de Heidegger, déclenche les foudres de tel ou tel Saint-Office universitaire ou médiatique contre un auteur « à éviter » (la marque canonique du « *vitandus* » fonctionne efficacement dans notre Rome laïque parisienne !), le présent ouvrage offre au lecteur un dossier de première main, qui est aussi une réflexion argumentée sur la poésie et la philosophie.

Hadrien France-Lanord rassemble ici (et pour la première fois) tous les documents (la plupart inédits, en français comme en allemand) qui concernent les rapports de Paul Celan et de Martin Heidegger. Son objet : parvenir enfin à donner un aperçu fondé sur la nature et l'évolution de ces rapports.

Faut-il rappeler qu'avec ces deux auteurs, il sagit d'une part de celui qui est considéré comme le plus grand poète de langue allemande au XXe siècle après Rilke, et d'autre part du plus considérable philosophe de ce siècle traversé par d'innommables tragédies, et particulièrement quant à la civilisation européenne par la catastrophe hitlérienne ?

Ce livre étudie le sens du dialogue entre le poète et le penseur à partir des notes de lecture qui figurent dans les exemplaires de Heidegger que possédait Celan, et réciproquement à partir des notes qui figurent dans les exemplaires des recueils de Celan que possédait Heidegger. Mais c'est aussi les conditions difficiles, mais vivantes, de la rencontre, des rencontres entre les deux hommes, qui sont ici retracées et, si j'ose dire, mises en scène dans leur vérité.

Cet écrit dense, précis, méditatif, ouvre une perspective très neuve sur les relations profondes et complexes qui ont lié, pendant des années, Paul Celan et Martin Heidegger. Et au-delà des personnes et du concret des œuvres, cet écrit met sur la table, à ce qu'il me semble, deux questions aujourd'hui dispersées aux quatre vents mais solidaires, celle du statut du poème, celle de l'institution philosophique, dans les montages de l'herméneutique sociale produite par l'Occident.

à Ivo De Gennaro

Remerciements

Je tiens en premier lieu à remercier Monsieur Éric Celan pour l'aimable autorisation qu'il m'a donnée de consulter et de publier l'ensemble des documents concernant les rapports entre son père et Martin Heidegger conservés au *Deutsches Literaturarchiv* de Marbach.

Je remercie le Dr Hermann Heidegger de m'avoir autorisé à consulter les exemplaires de Paul Celan que possédait son père et à publier l'ensemble des documents relatifs aux rapports de son père avec le poète.

Je remercie les éditions Suhrkamp (Francfort-sur-le-Main) pour l'autorisation qu'elles m'ont donnée de citer et de publier des documents inédits de Paul Celan.

Les discussions avec Walter Georgi, ami du poète ainsi que du penseur et parfois passeur entre les deux hommes, me furent d'un très précieux concours. Je lui exprime ma plus vive gratitude pour la confiance qu'il m'a témoignée en m'accompagnant dans ce travail.

C'est au fil d'un dialogue mené avec Dominique Fourcade que cet ouvrage a trouvé sa forme définitive, et je souhaite que ces pages lui manifestent toute ma reconnaissance.

Pour leurs précieuses indications et leur disponibilité à toutes les étapes du travail, je remercie le Dr Jochen Meyer, conservateur du Département des manuscrits des Archives de Marbach, Nicolai Riedel, responsable du Département des bibliothèques, Friedrich-Wilhelm von Herrmann, assistant privé de Martin Heidegger, François Fédier, Philippe Arjakovsky et enfin mon épouse Géraldine Vaughan pour sa constante présence.

Viatique du lecteur

Note sur les références et les traductions

L'œuvre poétique de Paul Celan est presque entièrement accessible au lecteur français dans des éditions bilingues. C'est pourquoi nous n'avons pas jugé nécessaire de renvoyer systématiquement à l'édition allemande de référence : Paul Celan, *Gesammelte Werke in fünf Bänder*, hrsg. von Beda Allemann und Stefan Reichert unter Mitwirkung von Rolf Bücher, Frankfurt am Main, Suhrkamp, 1983 (abrégée en GW, suivi de la tomaison et de la page). Cette édition ne comportant aucun appareil critique, elle n'apporte rien d'essentiel par rapport au texte allemand reproduit dans les éditions françaises.

Concernant *Le Méridien*, en revanche, nous nous référons chaque fois à la belle édition diplomatique de Tübingen : *Der Meridian, Endfassung, Entwürfe, Materialien*, hg. von B. Böschenstein und H. Schmull, Tübinger Ausgabe, Frankfurt am Main, Suhrkamp, 1999 (abrégée en : *Der Meridian*, TCA). Cet ouvrage, qui présente également l'ensemble du travail préparatoire du poète, est à notre sens indispensable pour une étude détaillée du discours et de la poésie de Celan en général. Plusieurs recueils du poète ont paru dans cette même édition, dont *Lichtzwang* (bearbeitet von Heino Schmull unter Mitarbeit von Markus Heilmann und Christiane Wittkop, Frankfurt am Main, Suhrkamp, 2001), dans lequel figure le poème *Todtnauberg* accompagné de ses variantes.

Quant aux textes de Martin Heidegger, nous nous référons à l'édition intégrale (abrégée en GA suivi du numéro de volume et de la page) en cours de publication chez Vittorio Klostermann à

Francfort-sur-le-Main. Il reste encore presque une quarantaine de volumes à paraître, dont le tome XI dans lequel figurera le texte *Identität und Differenz* et le tome XIV qui comprendra *Zur Sache des Denkens*; nous citons par conséquent ces deux ouvrages dans leur édition courante, respectivement chez Günther Neske et chez Max Niemeyer. Concernant *Was heißt Denken?* récemment paru comme tome VIII de l'édition intégrale, nous nous référons encore à l'édition de ce cours chez Max Niemeyer.

En signe de reconnaissance pour le travail déjà accompli et afin de faciliter la tâche du lecteur, nous donnons également les références des traductions françaises existantes des deux auteurs, mais nous avons presque toujours retraduit les textes cités. Celan et Heidegger passent tous deux souvent pour "intraduisibles", ce qui ne nous semble juste qu'à la condition d'entendre le mot comme une injonction : celle d'avoir à tenter inlassablement de les retraduire, dans la mesure où plus un auteur est "intraduisible", plus il nous pousse à aller loin dans notre propre langue, de sorte que nous en redécouvrons chaque fois à neuf les possibilités pensantes.

Dans le cas de Celan comme dans celui de Heidegger, nous nous sommes tenu à l'écart de ce que Henri Meschonnic appelait, dans un texte fameux, la « littérarisation [1] ». Au risque de déconcerter, donc, c'est à la littéralité que nous nous sommes résolu, en essayant d'ouvrir le français à une écoute de ces deux voix si singulières au sein de leur propre langue.

Cette écoute n'est pas nécessairement immédiate, ni en français, ni même en allemand, et, dans le cas de Heidegger notamment, elle peut se heurter à certaines difficultés. C'est pour lever ces difficultés – et afin de ne pas alourdir le texte lui-même – que nous exposons de façon préalable quelques termes essentiels.

– *Aître* : cette traduction inaugurée il y a presque quinze ans par Gérard Guest pour traduire *das Wesen* permet d'écarter l'entente métaphysique du terme que l'on retrouve dans la traduction plus courante, mais insuffisante, par *essence.* Ce mot [2] n'a en outre pas

1. Henri Meschonnic, « On appelle cela traduire Celan », in : *Pour la poétique II. Épistémologie de l'écriture et de la traduction*, Paris, Gallimard, 1973, pp. 391-392.

2. Sur le sens d'*aître*, nous renvoyons aux explications détaillées que fournit Gérard Guest dans : « L'aîtrée de l'être. Avertissement du traducteur », in : *Les Cahiers philosophiques*, n° 41, Paris, CNDP, 1989, pp. 40-41.

pour seul mérite de consonner avec *être* (dont *Wesen* est tout proche, bien que significativement différent), mais aussi de donner à voir à la fois la dimension de séjour ou d'habitation et le *mouvement* de déploiement qui se dispense à partir de l'être même. Peu avant la fin de *La question en quête de l'aître de la technique*, Heidegger expose lui-même la façon dont il faut entendre le mot *Wesen*.

– *Allégie* : ce mot, formé sur le verbe *allégir* qui figure dans le Littré, traduit *die Lichtung* qui fut longtemps rendu par *éclaircie* ou *clairière*. Le mérite d'*allégie*, qui est de plus en plus répandu dans les traductions récentes, est d'être plus fidèle aussi bien à l'étymologie de *Lichtung* qu'au sens que Heidegger lui confère [1]. *Lichtung*, en effet, est apparenté à l'adjectif *leicht* [léger] et non à *licht* [clair, lumineux]. *Allégie* désigne ainsi le mouvement de désencombrement par lequel une dimension s'ouvre, au sein de laquelle, dans sa différenciation d'avec l'être, tout étant vient à apparaître.

– *Dé-struction* : traduit *Destruktion*. Le tiret vise à faire porter l'accent sur l'entente latine du mot, à partir du *struo, ere* (élever des matériaux les uns sur les autres, entasser) – d'où détruire : ôter cet amas pour dégager la vue et permettre le passage. C'est ainsi que Heidegger comprend la pratique de la dé-struction *phénoménologique*, où il ne s'agit ni de "détruire", ni encore moins de "déconstruire", mais de libérer un horizon à partir duquel ce qui est détruit peut enfin apparaître dans son originale primeur et sa grandeur propre.

Détruire la métaphysique par exemple, pour Heidegger, c'est apprendre à *lire*, à la lumière de la question de l'être même, les grands textes de l'histoire de la métaphysique avec une acuité sans précédent afin de dégager l'originalité de leur questionnement et d'interroger ainsi ce qui est digne de question en eux. La dé-struction est d'abord un rapport *vivifiant* à la tradition, qui doit frayer un passage pour un autre commencement de la pensée.

– *Eksistence* : traduit *Eksistenz* que Heidegger emploiera à la place de *Existenz* après *Être et temps*. *Ek* est la préposition grecque

1. Cf. notamment : Martin Heidegger, *Zur Sache des Denkens*, Tübingen, Max Niemeyer, 1988, pp. 71-72 ; *Questions IV*, trad. Jean Beaufret et François Fédier, Paris, Gallimard, 1976, pp. 127-128. Dans son ouvrage *Regarder voir* (Paris, Les Belles Lettres/Archimbaud, 1995, pp. 34-35), F. Fédier expose de manière précise le sens d'*allégie*.

qui désigne le mouvement de sortir hors de ; quant à -sistence, il provient du latin *sisto, sistere* qui est un redoublement du verbe *sto, stare* [tenir debout]. La forme du redoublement a ceci d'intéressant qu'elle indique, comme disent Ernout et Meillet dans le *Dictionnaire étymologique de la langue latine*, « le procès qui parvient à son terme ». La tenue de l'ek-sistence, en tant que *procès*, n'a donc rien d'une constance (ὑποκείμενον), mais fait signe vers ce qu'implique à chaque fois factivement toute existence – à savoir : ne pas cesser de tenir ouverte la dimension où quoi que ce soit peut avoir lieu. Dans *eksistence*, c'est le *ek* qui signe l'ouvertude radicale de cette dimension qui caractérise en son aître le *Dasein*.

À propos de la signification du mot *eksistence*, on se reportera avec profit au paragraphe qui commence par la question « Que signifie "existence" dans *Être et temps ?* » dans l'*Introduction à « Qu'est-ce que la métaphysique ?*[1] ».

– *Das Ereignis* : avec ce terme, que nous avons laissé le plus souvent non traduit, nous touchons à une des difficultés les plus redoutables ; Heidegger dit lui-même qu'il est aussi peu traduisible que le *tao* chinois ou le λόγος grec. Le mot, qui signifie en allemand courant *événement*, est souvent compris à partir de *eigen* (ce qui est propre à) alors qu'il est en réalité lié au moyen haut-allemand *öugen* : ouvrir la visibilité, montrer. Et c'est d'abord cette parenté avec *öugen* (*äugen* en haut-allemand moderne) qui doit permettre d'entendre, ensuite seulement, tout l'éventail de sens qu'il renferme, de sorte que *Ereignis* dit à peu près : l'éclair qui, dans sa soudaineté, et avant même tout événement, laisse apparaître tout ce qui vient à être dans sa singularité la plus propre. Pour nommer cette sidérante "venue", nous avons parfois risqué le pur singulier « avenance » ou, pour traduire la forme verbale (*ereignen*), « évenir » qu'emploie Charles Péguy.

– *Ouvertude* : cette solution adoptée par le traducteur de *Être et temps*, François Vezin, se plie à une exigence : celle de trouver un terme qui s'entende en français de la même façon que le néologisme allemand qu'il traduit : *Erschlossenheit*[2]. À cette époque,

1. Martin Heidegger, *Einleitung zu » Was ist Metaphysik ?«*, in *Wegmarken*, GA 9, 374 sq. ; *Questions I*, trad. Roger Munier, Paris, Gallimard, 1979, p. 34 sq.

2. François Vezin expose le sens de sa traduction dans une note à laquelle nous renvoyons (*Être et temps*, Paris, Gallimard, « Bibliothèque de philosophie », 1986, pp. 538 sq.). Il détaille également les raisons de son choix dans un texte intitulé

Heidegger pense encore qu'il est possible de forger de nouveaux mots pour nommer les choses nouvelles qu'il a à dire – il abandonnera très vite cette idée. *Ouvertude* – qui est donc aussi un néologisme – désigne, comme *solitude* ou *habitude* par exemple, un état, à ceci près que c'est un "état" éminemment "actif" : c'est en effet au *Dasein* qu'est chaque fois remise la responsabilité d'être ouvert de façon cooriginale à son propre être, aux autres, et au monde.

Nota Bene : chez Celan comme chez Heidegger, nous avons en règle générale traduit *Sprache* par "parole", et parfois par "langue" – indifféremment, pour cette raison que la distinction saussurienne entre la langue (collective) et la parole (individuelle) n'est opérante chez aucun des deux auteurs. Chez Celan, en particulier, la *Sprache*, dans la mesure où elle est toujours *ein Sprechen* [le parler d'*un seul*], est radicalement individuelle, mais s'adresse du même coup, et du fait même de cette individualité, aux autres.

« Ouverture, ouvertude » (in : *Genos*, « Heidegger », Cahier dirigé par Alexandre Schild et Christophe Calame, Lausanne, 1992, pp. 57-58).

Liminaire

Chemins, à demi – et les plus longs
Paul Celan [1]

Le but de notre propos est de nous interroger sur le dialogue entre Paul Celan et Martin Heidegger, ainsi que sur les rencontres de ces deux hommes et notamment sur celle de juillet 1967 qui fut l'objet, déjà, de nombreux commentaires dont certains, il faut le dire, sans aucun rapport avec les faits, ne firent qu'alimenter ce qui a pu malheureusement parfois devenir un sujet de polémique.

À l'aide des documents que l'on trouvera rassemblés à la fin du livre, nous nous sommes ainsi donné pour tâche première de clarifier les rapports qui existèrent entre ces deux grandes figures de la poésie et de la philosophie allemandes du XXe siècle.

Mais ces rapports ne pouvaient pas être considérés sans leur arrière-plan, c'est-à-dire séparément de leur véritable enjeu et de leur portée, à savoir ce que l'on peut nommer avec Heidegger : le voisinage de la poésie et de la pensée. *Nous avons donc aussi brièvement présenté certains aspects de la poésie de l'un et de la pensée de l'autre, afin d'esquisser le sens historial de leur dialogue. Dans cette perspective, nous nous sommes principalement appuyé sur la lecture que fit le poète de l'œuvre du penseur, en nous reportant le plus souvent possible aux*

1. *„Wege, halb – und die längsten.“ Schliere* [Strie], in : *Sprachgitter* [*Grille de parole*]. Sur le sens de ce « chemins à demi », cf. Ivo De Gennaro, *Logos – Heidegger liest Heraklit*, Berlin, Duncker & Humblot, 2001, pp. 49-50.

marques de lecture figurant dans les exemplaires de Heidegger que possédait Celan.

Cette exposition en vis-à-vis n'a pas pour intention d'atténuer la singularité de chacun des deux auteurs, ni de passer outre l'abîme [die Kluft] *qui sépare la poésie et la pensée. Elle veut bien plutôt être une invitation à méditer le sens de leur dialogue, ainsi qu'à nous interroger sur ce qui l'a rendu possible, voire inéluctable, et sur ce à partir de quoi il trouva sa limite. Et il faut être d'autant plus prudent que les rapports entre Celan et Heidegger semblent dissymétriques ; il est vrai qu'il y a beaucoup plus de traces apparentes de la pensée de Heidegger dans le travail poétique de Celan que l'inverse. Cela ne doit en aucun cas laisser croire à une sorte de "Celan heideggerien". Notre conviction, au contraire, est que Celan, grâce à son entente aussi singulière qu'inouïe de la langue allemande et grâce à la spécificité de son destin personnel et historique, fut un des lecteurs les plus libres de Heidegger, c'est-à-dire un des plus féconds et des plus originaux. Celan est un grand lecteur de Heidegger – précisément parce qu'il ne fut pas un épigone, mais parce que, avec toute la résonance poétique du mot,* il fut inspiré *par cette lecture, qui fut aussi une réelle explication de fond* [Auseinandersetzung].

Parmi les sources "textuelles" principales auxquelles puise le poète en les renouvelant, plusieurs d'entre elles sont depuis longtemps l'objet d'intenses recherches ; sur les rapports de Celan à la spiritualité juive et à la culture hassidique, sur sa place dans la tradition poétique allemande, ainsi que sur sa rencontre « à Brest, devant les cercles de flammes » avec Mandelstam, en effet, de nombreux articles ou ouvrages sont aisément accessibles.

Quant à cette autre source – Heidegger –, les travaux sont beaucoup plus disparates et souvent fort incomplets. Sans aucune prétention à l'exhaustivité, nous voudrions dans ces pages poser quelques jalons afin de poursuivre dans la voie du dialogue qui a été ouvert.

Dans l'aventure d'un tel dialogue, nous ne saurions poser autre chose que des jalons : ils indiquent et délimitent un chemin qui cherche une direction. Et pour s'orienter sur ce chemin, aucun décret n'est recevable, aucune thèse non plus, parce qu'il y va d'une aventure de la parole et dans la parole. C'est la parole elle-même l'aventure qui met en chemin.

Saint-Dizier, octobre 2002

L'espoir d'une rencontre

C'est à partir d'une urgence à peine pressentie qu'il est urgent, par quelques indications, d'attirer l'attention sur la pensée et la poésie.

Martin Heidegger (1944) [1]

Entre Paul Celan et Martin Heidegger, pense-t-on, la rencontre n'eut rien de la soudaine harmonie de cette autre rencontre, par exemple, que fut l'entretien entre René Char et Martin Heidegger, dont Jean Beaufret donne à voir l'immédiate intensité dans l'*Entretien sous le marronnier*. Lors de ce premier dîner, un soir d'été en 1955, René Char apprécia qu'un « homme de ce genre » – un philosophe – ne lui expliquât pas qui il était ni ce qu'il faisait ; après la mort de Heidegger, il devait confier à Jean Pénard qu'il voyait en lui, « de tous nos contemporains, celui qui a le mieux saisi l'indissoluble relation du langage, de l'homme et de l'être [2] ».

L'incessante méditation de Heidegger sur le déploiement de la parole avait en effet mené pour la première fois un philosophe à entreprendre un *dialogue* entre la poésie et la pensée, c'est-à-dire à ouvrir l'espace pour un voisinage dans lequel la philosophie ne s'imposait plus d'emblée comme prééminente.

1. Martin Heidegger, GA 50, 136 : „*Aus einer kaum geahnten Not ist es nötig, in einigen Hinweisen auf das Denken und das Dichten aufmerksam zu machen.*"

2. Cf. Jean Pénard, *Rencontres avec René Char*, Paris, José Corti, 1991, p. 126.

Quant à Celan, Char lui écrivit le 23 juillet 1954 : « Vous êtes un des très rares poètes dont je désirais la rencontre. » Les deux hommes se virent ensuite fréquemment entre 1954 et 1959, au moment même où Celan lit le plus intensément Heidegger, et il est très probable que l'intérêt commun pour le penseur allemand ait été à l'arrière-plan de cette amitié. Christoph Schwerin, alors lecteur aux éditions S. Fischer où Celan publiera *Le Méridien*, participa à rendre possible la rencontre des deux poètes et il confirme cet intérêt partagé : « La pensée de Heidegger exerça une grande fascination sur Celan. Dès ma première conversation avec lui, Celan parla du philosophe fribourgeois en rapport avec la poésie de René Char [1]. »

Paul Celan et René Char, deux des plus grands poètes de notre temps, s'aventurèrent ainsi tous deux dans le voisinage de la poésie et de la pensée avec Heidegger. Pour Char qui ne connaissait pas l'allemand, le dialogue ne commença réellement qu'à partir de 1955, même si le terrain put en être préparé par son rapport à la Grèce d'Héraclite et de Pindare.

Mais qu'en est-il de Celan, « poète de langue allemande, et qui est juif [2] » selon ses propres termes ? Quelle est la portée du dialogue qu'il noua avec Heidegger dans l'intimité de son propre travail, déjà bien avant la fameuse rencontre de juillet 1967 ? Et lors de cette rencontre, ne s'est-il rien passé de comparable à ce qui eut lieu entre René Char et Heidegger ?

En se rendant à Todtnauberg, Celan lui-même « songeait à Char et à la rencontre des "deux grands" à Gordes », rapporte encore Christoph Schwerin d'après une conversation avec le poète [3].

---

1. Christoph Schwerin : „*Bitterer Brunnen des Herzens. Erinnerungen an Paul Celan*", in : *Der Monat*, n° 279, 1981, pp. 78-79.

2. C'est ainsi que Celan s'adresse à Marthe Robert, cf. : Paul Celan / Gisèle Celan-Lestrange, *Correspondance*, éditée et commentée par Bertrand Badiou avec le concours d'Éric Celan, tome II : *Commentaires et illustrations*, Paris, éditions du Seuil, 2001, p. 533. (Les deux tomes de ce très impressionnant travail d'édition seront désormais abrégés en *Correspondance I* et *Correspondance II*.)

3. Ch. Schwerin, *Als sei nichts gewesen. Erinnerungen*, Berlin, éditions Ost, 1997, p. 355.

Avant la rencontre

Je vais en Allemagne. Je vais rencontrer Heidegger. J'espère qu'il m'entendra.

Paul Celan[1]

Cette première rencontre se produisit à l'occasion d'une lecture de Paul Celan à l'université de Fribourg-en-Brisgau, que le professeur Gerhart Baumann avait organisée, et, comme le rappelle G. Baumann, c'est Celan lui-même qui avait manifesté le souhait de faire la connaissance de Heidegger[2]. C'est aussi ce que confirme une lettre du 20 juin 1967 dans laquelle le poète écrit à son épouse Gisèle Celan-Lestrange : « La lecture de Fribourg aura lieu le 21 ou le 24, cela dépend de la présence de Heidegger. » La date fut en fin de compte arrêtée au 24 juillet, date que proposait Heidegger dans une lettre à G. Baumann qui commence en ces termes : « Cela fait déjà longtemps que je souhaite faire la connaissance de Paul Celan » (cf. document 3).

Mais à l'approche de cette date, Paul Celan éprouve quelque appréhension et il écrit ainsi à sa femme toujours : « Franz Wurm me charge de transmettre ses "Grüße" à Heidegger, ce qui ne me comble guère de bonheur. En réalité le vrai but de ce voyage est

1. Propos rapportés par Jean Daive dans *La condition d'infini. 5. Sous la coupole*, Paris, P.O.L., 1996, p. 152.

2. Cf. Gerhart Baumann, *Erinnerungen an Paul Celan* [*Souvenirs de Paul Celan*], Frankfurt a. M., Suhrkamp, 1986, p. 69.

Francfort[1]... » Gisèle lui répond : « Oui je comprends que la lecture de Fribourg avec la présence de Heidegger te pose quelques difficultés. J'espère néanmoins qu'elle se passera bien[2]. » Au tout début de la rencontre, une heure avant la lecture publique, cette appréhension se manifesta de nouveau dans le refus un peu brusque de se laisser photographier aux côtés de Heidegger. Mais aussitôt après quelques instants de réflexion à l'écart, Celan se ravisa et vint dire à G. Baumann qu'il n'y voyait plus d'inconvénient[3].

Heidegger, pas le moins du monde étonné, ni encore moins vexé, connaissait grâce à Otto Pöggeler ce qu'avait enduré Celan, ainsi que l'histoire des siens[4], et savait mieux que quiconque le motif de ces réticences – le poids de ce qu'il nomma lui-même son *erreur*, il l'assumait et le méditait d'une façon que nous soupçonnons à peine aujourd'hui encore.

Ces réticences légitimes de la part du poète juif, Heidegger les savait en outre amplifiées par l'incessante calomnie qui était répandue sur son bref passé politique et à laquelle, à tort ou à raison, il avait choisi de ne pas répondre, sachant que toute tentative réelle d'explication ne ferait que relancer de plus belle la tyrannique curiosité du *on* à l'ère de l'information ; la calomnie qui s'auto-alimente à coup de pseudo-scoops ne peut que rester étrangère au patient travail de rassemblement et de critique des documents ainsi qu'à la lente méditation des textes. « À l'homme en tant qu'information, écrit Celan quelque part, ne peut guère faire face que l'homme en tant que silence[5]. »

Nous savons que le poète avait effectivement eu connaissance, par exemple, du livre de Guido Schneeberger : *Nachlese zu Heidegger. Dokumente zu seinem Leben und Denken*, paru à Berne en 1962, dans lequel vrais et faux documents, plus ou moins en rapport avec Heidegger, sont agencés de manière fallacieuse dans le but unique de noircir sa figure. Ce procédé aussi malhonnête que

1. *Correspondance I*, p. 547 (lettre du 17 juillet 1967).

2. *Ibid.*, p. 548 (lettre du 18 juillet 1967).

3. Cf. G. Baumann, *op. cit.*, p. 63.

4. Cf. Otto Pöggeler, „*Celans Begegnung mit Heidegger*", in : *Zeitmitschrift, Journal für Ästhetik*, n° 5, automne 1988, p. 125 : « J'avais rapporté à Heidegger le compte rendu de Celan sur la mort de ses parents – ces choses, Heidegger voulut les savoir en détail dans le silence du soir de son appartement de Fribourg. »

5. Paul Celan, *Der Meridian*, TCA, n° 602, p. 161.

malveillant, François Fédier (qui avait rencontré Celan grâce à Beda Allemann) en fait apparaître l'évidente injustice partisane dans un article intitulé « Trois attaques contre Heidegger » qu'il envoya au poète en 1966 ; néanmoins, à cette époque, Celan ne pouvait pas avoir accès à l'ensemble des documents désormais publiés qui dissipent tous les racontars infamants circulant alors, et il ne pouvait pas lire, surtout, les textes de Heidegger lui-même, en cours de parution depuis vingt-cinq ans dans le cadre de l'édition intégrale, qui nous informent précisément sur l'attitude réelle qui fut celle de Heidegger sous le IIIe Reich et qui nous permettent aujourd'hui de mieux apprécier le poids de l'erreur et de l'échec que furent les douze mois de rectorat en 1933-1934. Parmi ces textes, il y a des cours où Heidegger, dès 1934, attaque publiquement de front la conception du monde nazie, et des conférences d'après-guerre, où il parle en toutes lettres des centaines de milliers de personnes qui ont été privées de leur propre mort en étant liquidées en masse dans les camps d'extermination. Ces personnes, précise Heidegger, ne sont pas mortes au sens humain du terme, mais ont été réduites à une espèce de stock dans le cadre d'un processus industriel de fabrication de cadavres [1].

Celan n'aurait pas été insensible à la lecture de ces pages qu'en un sens il aura toute sa vie attendues sans savoir qu'elles existaient. Et, ce que le penseur nommait avec gravité son « erreur » ou sa « bêtise », le poète, lui, ne pouvait pas ne pas le ressentir comme une *faute*. Or c'est malgré la très sombre image du philosophe qui était véhiculée, en Allemagne notamment, pendant les années 1950-1960, et malgré, surtout, une nécessaire et irréparable blessure, qu'il tint à faire sa connaissance. Quel est alors l'enjeu de cette rencontre dont la femme du poète espère qu'elle se passera bien ? Quel sens peut avoir un tel espoir ?

1. Cf. le texte de la conférence de 1949 intitulée *Die Gefahr* [*Le péril*], publié en 1994 dans le tome 79 de l'édition intégrale grâce aux soins de Petra Jaeger. Les propos ici évoqués se trouvent à la page 56 du volume. Afin de saisir toute l'importance de ces réflexions dans la pensée de Heidegger, on peut se reporter au texte de Gérard Guest : « Esquisse d'une phénoménologie comparée des catastrophes », in : *La fête de la pensée. Hommage à François Fédier*, Paris, Lettrage Distribution, 2001, pp. 184-219.

Parler allemand

À chacun son mot.
À chacun le mot qui chanta pour lui,
quand la meute, par-derrière, l'attaqua –
À chacun le mot qui chanta pour lui et se glaça.

Paul Celan[1]

Cet espoir demeurera incompréhensible aussi longtemps que nous ne nous interrogerons pas sur ce qui a rendu possible le rapport de Paul Celan et de Martin Heidegger.

À la différence de Char, Celan écrit en allemand (ce qui lui ouvrait par rapport à Heidegger une proximité plus immédiate, mais aussi plus complexe) et la question de la langue allemande comme telle, langue des bourreaux et de sa poésie, est au centre de ses préoccupations – cette langue est l'élément même de son rapport au monde, et c'est avant tout sur ce plan qu'il convient de saisir ce qui lie Celan et Heidegger.

Certains commentateurs ont voulu voir dans l'allemand de Paul Celan une tentative vengeresse de *nier* l'allemand en élaborant une sorte d'"anti-allemand" au sein même de l'allemand. Mais cette interprétation va à l'encontre des déclarations de Celan lui-même

---

1. *„Argumentum e silentio"*, in : *Von Schwelle zu Schwelle. De seuil en seuil,* trad. Valérie Briet, Paris, Christian Bourgois, 1991, p. 111 : *„Jedem das Wort. / Jedem das Wort, das ihm sang, / als die Meute ihn hinterrücks anfiel – / Jedem das Wort, das ihm sang und erstarrte."*

dans le *Discours de Brême* où il explique que la langue est la seule chose qui demeura « proche, accessible et sauvegardée » au milieu de tant de pertes, que cette langue « dut traverser les mille ténèbres des discours meurtriers » et qu'« elle traversa ce qui se passa et put enfin resurgir au jour, "enrichie" de tout cela [1] ».

En somme, comme le suggère Edmond Jabès, le défi lancé à ses bourreaux ne réside pas dans la négation de la langue allemande, mais « dans la langue même de sa poésie. Une langue qu'il a hissée à ses sommets ». « Comme si », dit encore très bien Jabès, « la langue n'appartenait, vraiment, qu'à ceux qui l'aiment par-dessus tout et, à jamais, se sentent rivés à elle [2]. »

Il n'est donc pas dans le dessein de Celan de mettre en accusation la langue allemande *comme telle*. En tant que poète, Celan cherche d'abord à rendre à la langue l'être qu'elle a doublement perdu en devenant un simple *outil de communication* (sous la forme de l'ordre, du discours de masse ou, en général, de l'instrument de propagande) et outil de communication *criminel* – car en aucune façon la langue allemande, pas plus que la langue en général, n'en déplaise à Roland Barthes, ne peut *en elle-même* être « fasciste [3] ».

1. Paul Celan, GW III, 186 ; cf. la traduction française de John E. Jackson, in : Paul Celan, *Poèmes*, Le Muy, éditions Unes, p. 16 et celle de Jean Launay, in : Paul Celan, *Le Méridien & autres proses*, Paris, éditions du Seuil, « La Librairie du XXIe siècle », 2002, p. 56.

2. Edmond Jabès, *La mémoire des mots. Comment je lis Paul Celan*, Paris, Fourbis, 1990, pp. 16-17.

Au début d'un entretien avec F. de Towarnicki, Heinrich Böll (que Celan connaissait et qu'il rencontra à plusieurs reprises à Cologne et ailleurs) décrit assez bien la situation qui fut celle des écrivains de langue allemande après 1945. Il s'agissait tout d'abord, déclare-t-il, de « retrouver une langue ; de nettoyer en quelque sorte la langue allemande dévoyée, falsifiée par 12 ans de fascisme [...]. Ce dont je me souviens très bien, en revanche, c'est à quel point il était alors difficile d'écrire en allemand car nous n'avions pratiquement plus de langue pour nous exprimer d'une manière normale ; il restait un jargon » (*Les grands entretiens de* « Lire », présentés par Pierre Assouline, Paris, Omnibus, 2000, p. 108). Sur cette question, lire également la réponse de Celan à une enquête de la librairie Flinker (GW III, 167-168 ; *Le Méridien & autres proses, op. cit.* pp. 31-32), ainsi que J. Derrida dans un entretien avec Évelyne Grossman (*Europe, Paul Celan*, n° 861-862, Paris, janvier-février 2001, p. 90) : « L'expérience du nazisme est un crime contre la langue allemande. »

3. Cf. Roland Barthes, *Leçon*, Paris, éditions du Seuil, 1978, p. 14.

Le SS a-t-il un visage ? demandait Emmanuel Lévinas ; Celan, lui, conduit jusqu'à l'extrême radicalité de la question suivante : le SS *parle*-t-il ?

Cette question vertigineuse, qui met en jeu l'essence de la poésie aussi bien que celle de l'être humain, il serait fécond également de la méditer à partir de cette remarque non moins vertigineuse de Heidegger : « ... tout mot, quand c'est < vraiment > un mot, est beau [1] ». De quel type de "beauté" s'agit-il alors ? Qu'est vraiment un mot ? La poésie de Celan est aussi une réponse à ces questions.

La négation de la langue allemande a lieu dans la bouche des SS, pas dans celle des poètes – c'est pourquoi il reste possible d'écrire en allemand quelque chose comme la « Fugue de mort » ou « Chymique », même si c'est sous la forme de ce que Celan nomme lui-même dans « Tübingen, janvier », le *balbutiement.*

Ce balbutiement n'est autre que le nom du rythme proprement paratactique [2] de la poésie celanienne – parataxe aux terribles résonances que Celan nomme au début de *Strette* („*auseinandergeschrieben*" – littéralement : « écrit en séparant l'un de l'autre ») et qu'il médite en écho aux réflexions de Heidegger sur le style lui aussi originellement paratactique de Parménide [3]. En effet, dans un cahier de travail de 1954, dans lequel Celan a relevé, sous le signe « – i – » plusieurs citations de *Was heißt Denken ?* et de *Einführung in die Metaphysik*, on peut lire [4] :

1. Martin Heidegger, *Zu Hölderlin. Griechenlandreisen*, GA 75, 176.

2. La parataxe est le mode d'ordonnancement (τάξις) selon lequel les éléments d'une phrase ne sont pas mis ensemble (σύν) comme le veut la logique syntaxique, mais mis à côté les uns des autres (πάρα) en vertu d'un principe d'apposition autre que logique.

3. Cf. Martin Heidegger, *Was heißt Denken ?*, p. 111 sq. ; *Qu'appelle-t-on penser ?*, trad. Gérard Granel et Aloys Becker, Paris, PUF, 1959, p. 173.

4. Paul Celan, *Arbeitsheft II, 12. Lektürnotizen über Martin Heidegger u. Rudolf Borchardt ; "– i –" Aufzeichnungen, Vokabeln* [D 90. 1. 3245] (« – i – » est une sorte de sigle que Celan emploie pour marquer les choses particulièrement importantes qui doivent être retravaillées).

Avec l'ensemble des notes relatives au discours *Le Méridien* et les soulignements dans les exemplaires de Heidegger, ce cahier est le document écrit principal qui témoigne du travail de réflexion du poète à partir des textes du penseur. Concernant l'édition de Tübingen du *Méridien*, on regrette que certains renvois directs ou indirects de Celan à Heidegger aient échappé aux éditeurs qui ont établi les notes.

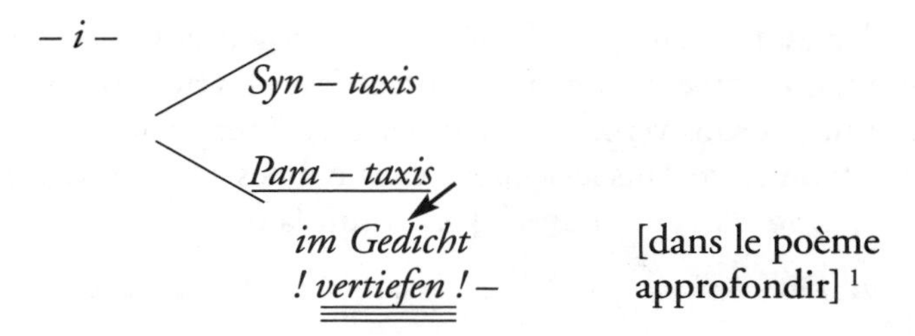

Et dans le même cahier :

– *i* – || *Parataxe im Gedicht* [Parataxe dans le poème]

Nebeneinandersetzung von Worten

[Mots mis les uns à côté des autres]

Le balbutiement de Celan est l'approfondissement dans le poème de la „*Nebeneinandersetzung*" en „*auseinandergeschrieben*". C'est cet approfondissement que *creuse* le poète dans la langue de ses poèmes comme il creusait la terre dans le camp de travail de Tabaresti[2] – „*Ich grabe, du gräbst, und es gräbt auch der Wurm, / und das Singende dort sagt : Sie graben*", écrit Celan dans le poème qui ouvre *La rose de personne* [« Je creuse, tu creuses, et il creuse aussi le ver, / et ce qui chante là-bas, dit : Ils creusent »]. Les dictionnaires étymologiques attestent que *graben* et *scribere* sont issus d'une même racine et il s'agit aussi pour Celan d'un seul et même geste : en creusant la langue, l'écriture grave ce mouvement du « mot d'aller-à-la-profondeur[3] » dans la langue sur laquelle le poète opère comme une entaille [*eingraben*] d'où jaillit une résonance de l'allemand demeurée jusque-là inouïe.

S'il est vrai que le lecteur averti de Pindare que fut Hölderlin a libéré la force paratactique de la langue allemande au niveau de la

1. La page du cahier sur laquelle figure cette note est reproduite en fac-similé dans : Paul Celan, *Von Schwelle zu Schwelle*, bearbeitet von Heino Schmull unter Mitarbeit von Christiane Braun und Markus Heilmann, Frankfurt a. M., Suhrkamp, Tübinger Ausgabe, 2002, p. 126.

2. Cf. Israel Chalfen, *Paul Celan. Biographie de jeunesse*, trad. Jean-Baptiste Scherrer, Paris, Plon, 1989, p. 127 : « Lorsqu'on demande à Paul, pendant ses vacances, ce qu'il fait au camp, il répond de façon laconique : "Je creuse." »

3. Paul Celan, „*Das Wort vom Zur-Tiefe-Gehn*", in : *Die Niemandsrose* ; « Le mot d'aller-à-la-profondeur », in : *La rose de personne*, trad. Martine Broda, Paris, Le Nouveau Commerce, [2]1988, p. 15.

syntaxe, Celan est le poète qui a déployé cette tension rythmique par juxtaposition, non seulement dans la syntaxe (avec les très nombreux groupes nominaux sans verbe par exemple, ou les verbes sans sujet), mais dans le mot, voire dans les syllabes elles-mêmes [1] – comme dans un vers de „*... rauscht der Brunnen*" [« ... bruit la fontaine »] :

„*Wir werden das Kinderlied singen, das, hörst du, das* *mit den Men, mit den Schen, mit den Menschen, ja das* *mit dem Gestrüpp und mit* *dem Augenpaar, das dort bereitlag als* *Träne-und-* *Träne.*"	« Nous chanterons la chanson d'enfant, celle, entends-tu, celle avec les ho, avec les mmes, avec les hommes, oui celle avec la broussaille, avec la paire d'yeux, qui restait prête là-bas comme larme-et- larme. »

Dans *La rose de personne* toujours – sans conteste un des recueils les plus aboutis et les plus audacieux de Celan –, le poème „*Huhediblu*" est une véritable variation sonore sur les « chemins de mot » ; en voici quelques extraits :

„*Schwer-, Schwer-, Schwer-* *fälliges auf* *Wortwegen und -schneisen.* [...] *Wann,* *wann blühen, wann,* *wann blühen die, hühendiblüh,* *huhediblu, ja sie, die September-* *rosen?*	« Lour-, lour-, lour- dement sur les chemins et layons de mot. [...] Quand, quand fleurissent, quand, quand fleurissent les, heurissentlesfleu, hurilesfleu, oui elles, les roses de septembre?
Hüh – on tue... Ja wann?	Hue – *on tue...* Mais quand?
Wann, wannwann, *Wahnwann, ja Wahn, –* [...] *Den Ton, oh,* *den Oh-Ton, ah,* *das A und das O,* *das Oh-diese-Galgen-schon-wieder, das Ah-es-gedeiht,*"	Quand, quanquan, Quandfou, oui fou, – [...] Le son, oh, le oh-son, ah, le A et le O, le oh-encore-ces-potences, le ah-comme-ça-pousse, »

1. Une analyse technique détaillée de tous les procédés linguistiques proprement celaniens est fournie par Gabriele Fois-Kaschel dans son ouvrage intitulé *Analyse linguistique de l'hermétisme et des libertés poétiques chez Hölderlin, Trakl et Celan*, Paris, L'Harmattan, 2002.

On assiste avec Celan à un démembrement du vers, mais aussi à une désarticulation du mot et à une mise en tension du verbe qui ouvrent un nouvel espace prosodique – d'où les nombreuses concrétions de mots qui lui furent souvent reprochées, l'usage permanent des tirets, l'accentuation spécifique, et particulièrement audible quand Celan lit ses poèmes [1], des préfixes et des suffixes, les décompositions syllabiques en vertu desquelles la langue est comme „*heimgeführt Silbe um Silbe*" [« ramenée chez elle syllabe par syllabe »], dit un vers du poème intitulé „*Unten*" [« En bas »] dans *Sprachgitter*.

L'écriture de Celan a bien à voir, comme le dit l'étymologie du verbe *schreiben* (apparenté à *scheren* [tondre], et de la racine **sker-* : idée de coupure), avec le fait de couper, car il y a quelque chose qui ressemble à une cassure dans la langue de Celan, non pas une cassure de l'allemand, mais une cassure rythmique qui est justement une des grandes ressources de la langue allemande qui procède par juxtaposition de substantifs et par formation de mots à partir de préfixes et de suffixes. Mais cette cassure rythmique que déploie avec un incomparable doigté Celan en allemand et dans l'allemand porte aussi la marque de la plus intime blessure et devient ainsi le seul refuge du poète pour exister dans cette langue.

Cette blessure est elle-même très significative d'un trait essentiel de la poésie celanienne, à savoir une impossible immédiateté dans le dire. Celan n'avait ainsi pas pu être d'accord avec Friedrich Georg Jünger déclarant : « Je voudrais dire *ce qui est véritablement propre* – le dire en toute immédiateté [2]. » Celan, lui, ne peut parler que dans la cassure, chaque mot constituant comme un éclat de ce qui est à dire – d'où la quantité de déplacements opérés dans la langue, d'où les incessantes brisées rythmiques, les compositions de mots que nous venons d'évoquer. À cet égard, il est très intéressant de lire les poèmes recueillis dans le volume intitulé *Gedichte aus dem Nachlass*, que Celan a retirés des recueils publiés de son vivant, parce qu'ils ont un trait commun dont le poète se rendait compte : ils sont souvent trop directement biographiques et Celan cède à la tentation de dire lui-même – c'est-à-dire sans laisser à la parole le

1. Il existe deux cassettes d'enregistrements de Celan lisant ses propres poèmes en public : *Ich hörte sagen. Gedichte und Prosa gelesen von Paul Celan*, München, DerHöhrVerlag, 1997.

2. Cf. Clemens von Podewils, « Nominations / Ce que m'a confié Paul Celan », trad. H. France-Lanord, in : *Po&sie*, n° 93, Paris, Belin, 3e trimestre 2000, p. 118.

temps de parler pour que le dire parvienne à sa propre maturation – immédiatement ce qui ne peut se dire que dans la médiation qu'opère la cassure.

Le poète est parfaitement conscient de la difficile ligne de crête sur laquelle se tient sa langue, notamment lorsqu'il répond en 1958 à la librairie Flinker qu'il parle « une langue "plus grise", une langue qui veut aussi, entre autres choses, savoir sa "musicalité" située en un lieu où elle n'a plus rien de commun avec ces "harmonies" qui, en compagnie et au voisinage de l'horreur, continuèrent plus ou moins tranquillement à résonner[1] ». Après Auschwitz, l'allemand ne peut plus et ne doit plus retentir comme avant – la cassure rythmique est aussi césure épochale ; et creuser la langue est aussi travail de fossoyeur.

Mais que la cassure rythmique puisse encore tenir lieu d'ajointement harmonique sans que le poème se disloque dans le désastre, cela ne tient qu'à un fil – ce fil extrêmement ténu sur lequel *tient* [*steht*] Celan et que les tirets, par exemple, matérialisent visuellement sur la page. La dernière strophe d'un poème qui est comme un concentré de toute la poésie celanienne, nomme à notre sens cette situation :

„Nun aber schrumpft der Ort, wo du stehst:
Wohin jetzt, Schattenentblößter, wohin?
Steige. Taste empor.
Dünner wirst du, unkenntlicher, feiner!
Feiner: ein Faden,
an dem er herabwill, der Stern:
um unten zu schwimmen, unten,
wo er sich schimmern sieht: in der Dünung
wandernder Worte."

« Mais à présent se resserre le lieu où tu te tiens :
Où aller maintenant, dénué d'ombre, où ?
Monte. Monte à tâtons.
Plus ténu tu deviens, plus méconnaissable, plus fin !
Plus fin : un fil,
sur lequel elle veut descendre, l'étoile :
pour nager en bas, tout en bas,
où elle se voit scintiller : dans le ressac
des mots errants[2]. »

Les mots errent paratactiquement, mais un mouvement de ressac (*Dünung*, qui consonne avec *dünner* : plus ténu), si fragile soit-il, les ramasse et les scande. Ce mouvement en tous sens, qui tisse

1. Paul Celan, GW III, 167 sq. ; *Réponse à une enquête de la librairie Flinker (1958)*, in : *Le Méridien & autres proses*, *op. cit.*, p. 32.

2. Paul Celan, „*Sprich auch du*", in : *Von Schwelle zu Schwelle* ; « Parle aussi toi », in : *De seuil en seuil*, *op. cit.*, p. 105.

le poème comme un vaste champ de forces, est imprimé dans la langue par une mise en relief constante des particules verbales (*an, aus, auf, ein, über, vor*, les compositions avec *hin, her*, etc.) qui rend la traduction française si difficile. Dans le beau texte intitulé *Une grammaire de la contemplation*, la poétesse russe Olga Sédakova, qui est aussi une traductrice de Celan, note à ce sujet : « C'est dans un centrage étonnant sur le verbe, bien plus que dans une syntaxe disloquée et estropiée, que m'apparaît la novation essentielle de la parole lyrique de Celan[1]. » Il n'y a pas d'opposition entre le centrage sur le verbe et la syntaxe disloquée ; et c'est en effet parce que Celan effectue un centrage sur le verbe (en se servant avec prédilection des verbes composés) que la syntaxe se disloque paratactiquement – dans ces vers par exemple :

„*Von*	« Du
Wahr- und Voraus- und Vorüber-zu-dir,	dit-vrai et pré-dit et dit-passant-outre-à-toi,
von	du
Hinaufesagtem,“	dit-vers-le-haut[2], »

C'est souvent ce mouvement, plus qu'un sujet avec lequel ils seraient conjugués, qui imprime aux verbes leur force. Et suivant ce fil de la parole, syllabe après syllabe, « le monde à rebalbutier[3] » s'ép-, s'ép-, s'ép- elle dans l'abîme[4]. – Si le fil casse, l'étoile disparaît dans le néant.

Dans le filet que tisse l'étrange, il y va pour Celan d'un « jeu d'un suprême, épi- / leptique sérieux » [„*Spiel mit dem obersten, fall- / süchtigen Ernst*“][5]. « Au pied du paralytique escalieramen[6] », à chaque marche, à chaque syllabe, la chute [*Fall*] menace de rechute.

1. Traduction française inédite de Ghislaine Capogna Bardet.

2. Paul Celan, „*Und mit dem Buch aus Tarussa*“, in : *Die Niemandsrose* ; « Et avec le livre de Tarussa », trad. J.-P. Lefebvre, in : Paul Celan, *Choix de poèmes réunis par l'auteur*, Paris, Gallimard, « Poésie », 1998, p. 213.

3. Cf. Paul Celan, „*Die Nachzusotternde Welt*“, in : *Schneepart* ; cf. *Part de neige*, trad. F. Gravereaux, M. Speier et R. Benusiglio, in : *Po&sie*, n° 21, *op. cit.*, p. 13.

4. Cf. Paul Celan, „*Die Silbe Schmerz*“, in : *Die Niemandsrose* ; cf. « La syllabe douleur », in : *Choix de poèmes*, p. 209.

5. Cf. Paul Celan, „*Das Fremde*“, in : *Zeitgehöft* ; « L'étrange », in : *Enclos du temps*, trad. Martine Broda, Paris, Clivages, 1985.

6. Paul Celan, „*In der Fernsten*“, in : *Zeitgehöft* ; « DANS LA PLUS LOINTAINE », in : *Enclos du temps, op. cit.*

Ainsi, écrire de la poésie, se risquer à écrire de la poésie en allemand, est la plus extrême manière de faire face, de *maintenir* [*stehen*], comme aimait à dire le poète en reprenant la devise de la famille Orange-Nassau. Chez Celan, écrire et exister – voire *ek-sister*, au sens de faire face, c'est-à-dire, précisément, de *tenir* extatiquement au sein de la vérité de l'être, ainsi que l'expose Heidegger en de multiples occurrences que Celan relève systématiquement [1] – ne font qu'un. « Je dois écrire, car c'est ainsi que je peux vivre [2] », écrit-il le 6 décembre 1949 à son amie Diet Kloos tandis qu'il va assez mal. À peine arrivé à Paris, en 1948, après avoir quitté Vienne très déçu, il avait écrit dans une lettre :

> « Il n'y a aucune chose au monde pour laquelle un poète arrêtera d'écrire, pas même s'il est juif et que la langue de ses poèmes est l'allemand [3]. »

Le cœur de la poésie de Paul Celan est le maintien de ce défi, dans lequel se décide la possibilité ou l'impossibilité de son rapport au monde : la tâche de réapprendre, mot à mot, à parler allemand – d'où parfois chez Celan une langue ramenée à sa plus belle simplicité, comme dans ces vers entre litanie et exercice de conjugaison : „*Es sieht, es sieht, wir sehen, / ich sehe dich, du siehst*" [« Cela voit, cela voit, nous voyons, / je te vois, tu vois »] [4].

---

1. Cette tenue propre à l'existence est ce que Heidegger nomme *die Inständigkeit* [instantialité]. Dans les exemplaires de Celan, tous les passages où Heidegger développe l'idée d'eksistence à partir de cette modalité du *stehen* sont soulignés – cf. en particulier son édition de la *Lettre sur l'humanisme* dans les *Wegmarken* [GA 9, 325 et 329-330 ; trad. Roger Munier, in : *Lettre sur l'humanisme*, Paris, Aubier-Montaigne, 1983, pp. 61 et 73]. Celan possédait deux exemplaires de ce texte : le premier qu'il lut entre les 21 et 23 août 1953, le second qu'il relut quinze ans plus tard dans le volume *Wegmarken* que lui envoya Heidegger. Les deux exemplaires sont très soulignés et il est à supposer que c'est un des textes de Heidegger que Celan appréciait le plus ; dans le *Katalog der Bibliothek Paul Celans* [réalisé par Dietlind Meinecke et Stefan Reichert dans les années 1972-1974 (Paris) et 1987 (Moisville)], le premier exemplaire est répertorié dans le second volume du tome III : *Die Pariser Bestände (besonders wichtige Bücher, II)* [les fonds parisiens (livres particulièrement importants, II)].

2. Paul Celan, *»Du mußt versuchen, auch den Schweigenden zu hören«. Briefe an Diet Kloos-Barendregt. Handschrift – Edition – Kommentar*, hrsg. von Paul Sars, Frankfurt a. Main, Suhrkamp, 2002, p. 79.

3. Cité par John Felstiner, in : *Paul Celan, Poet, Survivor, Jew*, New Haven and London, Yale University Press, 1995, p. 56.

4. Paul Celan, „*Eis, Eden*", in : *Die Niemandsrose* ; « Gel, Eden », in : *La rose de personne*, *op. cit.*, p. 37. Dans le même recueil, on retrouve ce procédé dans les poèmes intitulés « Tant d'étoiles » et « Psaume ».

La langue mère

L'être humain parle à partir de cette parole qui lui parle en s'adressant à son aître. Cette parole, nous la nommons : la parole de la langue maternelle.

Martin Heidegger[1]

L'urgence que Celan éprouve à réapprendre l'allemand n'exclut pas un sentiment d'étrangeté par rapport à l'Allemagne elle-même, ainsi qu'il l'écrit à son épouse dans une lettre du 21 mai 1952 :

> « Mon ange, ces lignes vous parviendront au moment où mon train s'arrêtera à Hambourg, en Allemagne... Aujourd'hui, trois heures avant mon départ, je sens combien ce pays m'est étranger. Étranger malgré la langue, malgré beaucoup d'autres choses[2]... »

1. Martin Heidegger, *Hebel – Der Hausfreund*, in : *Aus der Erfahrung des Denkens*, GA 13, 148 ; *Hebel – L'ami de la maison*, trad. Julien Hervier, in : *Questions III*, Paris, Gallimard, 1984, p. 67. À propos de la langue maternelle, on se reportera dans le même volume à *Heimat und Sprache* (GA13,156), ainsi qu'au texte d'Ivo De Gennaro : « "Appoggiatevi alle parole come gli uccelli si appoggiano all'aria per volare". Radicamento, lingua madre, lingue veicolari », in : *Radici e ali. Contenuti della formazione tra cultura locale e cultura globale*, Atti del convegno di Sassari, Dicembre 2001, a cura di Gabriella Lanero e Cesira Vernaleone, Cagliari, CUEC, 2003, pp. 85-96.

2. *Correspondance I*, p. 22. Dans une lettre du 28 juillet 1965, Celan écrira à Erich von Kahler (*Correspondance I*, p. 259) : « ... je suis allé en Allemagne, dans un pays que maintenant seulement, qu'aujourd'hui seulement, je commence à connaître un peu. »

À la différence du pays, la langue allemande n'est pas étrangère à Celan ; c'est sa langue maternelle, la langue de ses parents qui veillèrent à ce que leur fils « conserve un allemand aussi pur que possible[1] » – la langue de sa mère Friederike, en particulier, qui s'appliquait à parler le *Hochdeutsch* sans influence de l'allemand parlé de Bucovine. D'après une conversation avec Ruth Lackner qui fut très proche du poète à partir de 1940, Israel Chalfen rapporte que Celan lui-même « ne se lassait pas de répéter qu'en dépit de sa bonne connaissance de plusieurs langues étrangères et de son don pour les langues, il n'écrirait jamais de poèmes que dans sa langue maternelle, l'allemand[2] ». Hormis quelques exceptions, il n'écrira donc pas de poèmes en hébreu qu'il a appris enfant un peu à contrecœur et sous l'autorité de son père, ni en roumain qu'il parlait à Bucarest avant de fuir définitivement son pays natal devenu soviétique, ni en français qu'il a pratiqué dans la famille qu'il a fondée et à Paris pendant plus de vingt ans. Au milieu des années 1940, Celan déclarait à Ruth Lackner :

> « On ne peut exprimer la vérité qui vous est propre que dans sa langue maternelle ; dans une langue étrangère, le poète ment[3]. »

Plus l'obligation de dire la vérité qui lui est propre devient pressante, plus le corps à corps de Celan avec l'allemand devient intense – d'où pour le poète une situation à la limite du vivable, qui s'installe à partir de la fin de la guerre, à savoir cette situation qui apparaît crûment dans „*Wolfsbohne*" [« Lupin »] par exemple, un des textes les plus éprouvants à lire, dans lequel la langue allemande devient le nœud où s'articulent douloureusement l'amour et le meurtre de la mère tant aimée[4]. L'allemand restera toujours pour Celan la langue de sa mère dont « les cheveux ne devinrent jamais

1. Israel Chalfen, *Paul Celan. Biographie de jeunesse*, *op. cit.*, p. 46.
2. *Ibid.*, p. 108.
3. Cité par Israel Chalfen, *ibid.*, p. 153.
4. Cf. *Gedichte aus dem Nachlass*, hrsg. v. B. Badiou, J.-C. Rambach und B. Wiedemann, Frankfurt a. M., Suhrkamp, ^{2}1997, pp. 306-309. Un des textes les plus éprouvants, parce que Celan parle directement du meurtre de ses parents dans le camp allemand de Michailovka (Ukraine) ; initialement prévu pour une parution en 1959, le poème ne fut finalement pas publié parce, selon les mots de Klaus Demus que cite Celan avec approbation, « ce n'est pas proprement un poème ». Le texte demeura donc privé.

blancs[1] » et celle du pays des poètes et des penseurs, dont il connaissait bien la culture ; mais après les ravages du nazisme, son rapport à l'allemand sera tout sauf maternel. C'est d'ailleurs à partir de 1945 environ que le poète se tourne vers le monde de la spiritualité juive, comme s'il cherchait une nouvelle identité après avoir perdu celle qu'il s'était jusqu'alors constituée dans la langue allemande. Mais c'est pourtant toujours dans la langue allemande qu'advient la vérité qui lui est propre ; en ce sens, et conformément à l'acception courante de la locution, l'allemand est et restera bien la *langue maternelle* de Celan. Cependant, si Celan put continuer jusqu'à sa mort à écrire de la poésie en allemand, c'est parce que la langue maternelle ne renvoie à aucune détermination naturelle, géographique ou politique. La langue maternelle a peut-être même un sens tout autre que celui que nous connaissons. Dans l'exemplaire des aphorismes de Jean Paul *Weg der Verklärung* qu'il offrit à Diet Kloos en août 1949[2], le poète avait doublement souligné dans la marge le propos suivant :

> *„Sprache-Lernen ist etwas höheres als Sprachen-Lernen und alles Lob, das man den alten Sprachen als Bildungsmitteln erteilt, fällt doppelt der Muttersprache anheim, welche noch richtiger die Sprach-Mutter hieße.“*

> [« Apprendre à parler est quelque chose de plus éminent que d'apprendre des langues et tous les éloges que l'on décerne aux langues anciennes pour leurs vertus formatrices reviennent doublement à la langue maternelle qui serait encore plus justement nommée mère-langue. »]

La langue maternelle est la langue dans laquelle nous apprenons à parler. Parce qu'elle nous apprend ce qu'est la parole, son apprentissage n'est jamais fini et a plus d'importance que celui des autres langues. Mais nous n'apprenons pas notre propre langue comme nous apprenons les langues étrangères ; parce que, en un sens, nous la connaissons toujours déjà, nous ne pouvons apprendre notre

1. Cf. Paul Celan, *„Espenbaum“*, in : *Mohn und Gedächtnis* ; « Tremble », in : *Pavot et mémoire*, trad. Valérie Briet, Paris, Christian Bourgois, 1987, p. 30.

2. Il s'agit du recueil d'aphorismes rassemblés par Josef Schirmer pour Hyperion-Verlag (Berlin). Le propos cité se trouve à la page 94 qui est reproduite dans : Paul Celan, *»Du mußt versuchen, auch den Schweigenden zu hören«. Briefe an Diet Kloos-Barendregt*, p. 99.

langue maternelle qu'en nous laissant prendre par elle. La langue maternelle ne materne pas : elle nous appelle et nous convoque en nous mettant face à ce qui nous est propre. Le contact avec la langue maternelle est avant tout expérience de soi-même – d'où la difficulté de son perpétuel apprentissage. Mais c'est seulement à partir de cette expérience de la "langue maternelle" que nous pouvons nous mettre à parler anglais, français, russe, hébreu, roumain, allemand. Aussi la "langue maternelle" devrait-elle plus justement s'appeler « mère-langue ». Et les éloges lui reviennent doublement, parce qu'en nous mettant au contact de la parole, c'est elle qui nous apprend ce qu'est une langue et qui nous permet ensuite d'apprendre d'autres langues. La mère-langue est ce qui fait qu'une langue est langue, c'est-à-dire qu'elle parle, qu'elle nomme ce qui est. La mère-langue désigne la dimension au sein de laquelle a lieu la vérité dans la langue ; elle est allégie [*Lichtung*] – ce que Proust, dans un passage fameux du *Temps retrouvé*, nomme « le seul livre vrai » :

> « ... ce livre essentiel, le seul livre vrai, un grand écrivain n'a pas, dans le sens courant, à l'inventer puisqu'il existe déjà en chacun de nous, mais à le traduire. Le devoir et la tâche d'un écrivain sont ceux d'un traducteur [1] ».

La traduction est ici une manière d'aller jusqu'à soi-même en traversant la langue et cette traduction se fait à même la mère-langue qui parle à chacun de nous et en toute langue. En effet, toute langue peut être langue maternelle au sens habituel, car aucune langue n'est *la* "langue maternelle". En tant qu'elle est mère-langue, la "langue maternelle" nomme *un rapport à la parole* et non une langue particulière. La mère-langue est pour l'être humain cet événement dans la parole où, à partir d'une expérience de soi, il parle en traduisant la vérité qui lui est propre et laisse être le monde.

Un extrait d'une lettre du 6 juillet 1926 de Marina Zvétaieva à Rilke permet de préciser encore la signification de la mère-langue. La poétesse russe emploie le mot courant *Muttersprache* [langue maternelle], mais en lui donnant une inflexion analogue au *Sprach-*

1. Marcel Proust, *À la recherche du temps perdu*, édition publiée sous la direction de Jean-Yves Tadié, Paris, Gallimard, Bibliothèque de la Pléiade, t. IV, p. 469.

Mutter de Jean Paul, si bien que nous proposons de le traduire par "langue mère".

> „*Dichten ist schon übertragen, aus der Muttersprache – in eine andere, ob französisch oder deutsch wird wohl gleich sein. Keine Sprache ist Muttersprache. Dichten ist nachdichten. Darum versteh ich nicht wenn man von französischen oder russischen etc. Dichtern redet. Ein Dichter kann französisch schreiben, er kann nicht ein französischer Dichter sein. Das ist lächerlich.*"

> [« Dire en poème c'est déjà traduire, à partir de la langue mère – dans une autre, le français ou l'allemand, cela revient au même. Aucune langue n'est langue mère. Dire en poème, c'est dire en poème d'après. C'est pourquoi je ne comprends pas quand on parle de poètes français ou russes etc. Un poète peut écrire en français, il ne peut pas être un poète français. C'est ridicule[1]. »]

Celan n'est pas poète allemand, mais, comme il l'écrit toujours, « poète de langue allemande » ; langue et nationalité ne se recouvrent pas et jamais aucun poète n'appartient à une *nation*. Quant à la *patrie*, celle de Celan n'est autre, note avec justesse son ami le poète Rudolf Peyer, que la langue elle-même[2] : la "matrie" – *matrix* – dans laquelle prend racine – *radix* – le dire. Cependant, cette "matrie", la langue mère ou mère-langue, n'existe pas par elle-même, comme si elle préexistait au dire ; l'« abîme » [*Abgrund*] qu'est la langue mère ne parle que par la « plongée » [*Hinab*[3]] du dire en elle – dire qui ne peut à son tour parler qu'en prenant racine dans l'abîme, c'est-à-dire en traduisant à partir de la langue

---

1. Rilke/Zwetajewa/Pasternak, *Briefwechsel*, Frankfurt a. M., Insel Verlag, 1988, p. 206 ; Rilke/Pasternak/Tsvétaïeva, *Correspondance à trois*, trad. Lily Denis et Philippe Jaccottet, Paris, Gallimard, 1995, p. 211. Sur ces lignes, cf. François Fédier, »*Hölderlin und Heidegger*«, in : »*Voll Verdienst, doch dichterisch wohnet / Der Mensch auf dieser Erde*«. *Heidegger und Hölderlin*, hrsg. von Peter Trawny, Frankfurt a. M., Vittorio Klostermann, Schriftenreihe der Martin-Heidegger-Gesellschaft Band 6, 2000, pp. 61 sq.

2. Cf. Rudolf Peyer, « Approche d'une légende », in : *Europe, Paul Celan*, n° 861-862, p. 45.

3. Tout le poème « Radix, matrix » s'articule autour de cette verticalité entre la "matrice" et la racine et s'achève, après la plongée, dans le mouvement inverse de la floraison du dire qui laisse croître la racine – racine de personne.

mère. Ainsi, *la* langue allemande n'existe pas comme telle ; car aucune langue n'existe ni ne parle sans rapport à la langue mère. Or ce rapport n'est jamais établi une fois pour toutes ; c'est le rapport factif par excellence que l'être humain doit tenir et sans cesse entretenir en eksistant. C'est parce que ce rapport est factif qu'il est possible, même nécessaire, d'apprendre et de réapprendre sans cesse sa langue maternelle. Et c'est parce que ce rapport est chaque fois neuf qu'« en art, il n'y a pas d'initiateur, de précurseur [1] » dit Proust ; c'est aussi pour cette raison que la langue allemande tout entière peut à chaque fois parler la langue de Goethe, de Schiller, de Novalis, de Tieck, de Hölderlin, d'Eichendorff, de Mörike, de Rilke, de Trakl, de George, de Celan : tous des « épreuves un peu différentes d'un même visage, du visage de ce grand poète qui au fond est un, depuis le commencement du monde [2] » – ce poète primordial qu'est la langue mère.

Dire en poème, pour Celan, c'est traduire en allemand ce que la langue mère lui adresse en silence – avec peut-être sans cesse « la braconnante conviction / que cela est à dire autrement qu' / ainsi » [„*die wildernde Überzeugung, / daß dies anders zu sagen sei als / so*[3]"]. Ce n'est pourtant pas autrement qu'en allemand qu'il put traduire ses poèmes, dans cette langue qu'en vertu des aléas de l'histoire il reçut en partage dans « cette ancienne province de la monarchie habsbourgeoise désormais tombée dans un vide de l'histoire [4] » qu'était la Bucovine.

Il aura toute sa vie assumé ce partage qui lui est échu et après 1945 plus que jamais. Il peut continuer d'écrire en allemand parce qu'il assume à plein la factivité du double rapport à la langue mère et à la langue maternelle, et réinvente ainsi la langue : l'allemand – ou plutôt : *son* allemand, *son* partage.

1. Marcel Proust, *Contre Sainte-Beuve*, Paris, Bibliothèque de la Pléiade, 1978, p. 220. Quelques lignes plus loin, Proust poursuit ainsi : « Un écrivain de génie aujourd'hui a tout à faire. Il n'est pas beaucoup plus avancé qu'Homère. »

2. Marcel Proust, *ibid.*, p. 262.

3. Paul Celan, „*Und Kraft und Schmerz*", in : *Schneepart* ; « Et force et douleur », in : *Part de neige*, *Po&sie*, n° 21, *op. cit.*, p. 37.

4. Paul Celan, GW III, 186 ; *Le Méridien & autres proses*, *op. cit.*, p. 56.

L'idiome de l'étrangèreté

toi aussi, avec tout ce
qui est étrangé en toi,
tu t'étranges dans,
plus abyssal,

Paul Celan [1]

C'est à ce *partage* au double sens du terme (ce qui sépare et ce qui rassemble) que Jacques Derrida, dans *Schibboleth*, a donné le nom d'*idiome*, mais ce, en pensant moins à un idiome particulier (le juif-allemand, par exemple, que Celan emploie dans l'*Entretien dans la montagne*), qu'à une manière de marquer – en se dé-marquant – la langue elle-même. Le mérite de cette pensée de l'idiome est de faire apparaître la tension spéculative *maintenue comme telle* dans la poésie de Celan entre la « singularité absolue » et l'« universel [2] ».

À lui seul, l'idiome permet de nommer le rythme de la langue de Celan, qui ajointe ensemble en les rapportant l'un à l'autre la propriété (ἰδιότης) et le défaut de propriété que Celan évoque dans l'*Entretien dans la montagne* :

1. Paul Celan, „Lyon, Les Archers", in : *Fadensonnen*, GW II, 130 : *„auch du, mit allem / Eingefremdeten in dir, / fremdest dich ein / tiefer"*

2. Jacques Derrida, *Schibboleth, pour Paul Celan*, Paris, Galilée, 1986, p. 92.

„… denn welcher, so frag und frag ich, kommt, da Gott ihn hat einen Juden sein lassen, daher mit Eignem?“

[« … car qui, c'est ce que je demande et redemande, lorsque Dieu l'a fait être juif, s'en vient avec quelque chose qui lui soit propre ? »]

C'est pourquoi le juif, comme il est dit au début de l'*Entretien*, « s'en alla dans l'ombre, la sienne propre et l'étrangère [*dem eignen und dem fremden*] [1] ».

C'est cette même opposition qui est clairement nommée dans l'entretien radiophonique sur *La poésie d'Ossip Mandelstam*[2] et qui traverse tout *Le Méridien* : l'opposition entre le propre [*eigen*] et l'étranger [*fremd*], grâce à laquelle se déploie la question de ce qui est autre [*das Andere*].

Méditant cette opposition, Celan relève dans des notes préparatoires au *Méridien* une phrase d'Edith Stein qui l'articule ainsi :

„erst wenn Du das Andere und Fremde als das Dir Eigenste und Deine erkannt hast…“

[« seulement quand tu as reconnu l'autre et l'étranger comme ce qui t'est le plus propre et comme ce qui est tien… »]

Être soi-même, retient le poète, c'est faire place à cette altérité qu'est *en lui-même* tout être humain. Celan en conclut ce qui suit pour le poème :

„diese Beziehung zum Fremden als dem Brüderlichsten will das Gedicht herstellen: nicht durch sein Thema, sondern durch sein Wesen.“

[« c'est ce rapport à ce qui est étranger, comme ce qui est le plus fraternel, que le poème veut établir : non pas par son thème, mais bien plutôt à travers sa manière d'être[3]. »]

1. Paul Celan, GW III, 169 ; trad. Jean Launay, in : *Le Méridien & autres proses*, *op. cit.*, p. 34 ; cf. aussi la traduction de Stéphane Mosès : *Entretien dans la montagne*, Paris, Michel Chandeigne, pp. 6-8.
2. Paul Celan, *Die Dichtung Ossip Mandelstamms*, in : *Der Meridian*, TCA, p. 216 ; trad. Bertrand Badiou, in : *Po&sie*, n° 52, *op. cit.*, p. 11.
3. Paul Celan, *Der Meridian*, TCA, n° 401, p. 128.

Dans la mesure où il est pour Celan la manière la plus radicale d'être soi-même, le poème ne traite pas simplement de l'étranger : il est expérience à même soi de cette altérité de l'étranger. Et le mouvement par lequel se produit l'ouverture vers l'altérité est ce que Celan nomme *Umkehr* [retour ou conversion, voire ré-volution], ou encore *Verjudung* [judaïsation] :

„*Verjuden* : *Es ist das Anderswerden, Zum-anderen-und-dessen-Geheimnis-stehn*„

[« Judaïser : C'est le devenir-autre, le se-tenir-envers-l'autre-et-son-secret[1] »]

La judéité celanienne n'est donc pas réellement élective (elle n'élit, au sens propre, qu'un lecteur potentiel *attentif*), ni encore moins sélective, car la judaïsation désigne le mouvement par lequel, dans le corps du poème, s'ouvre un dialogue [*Gespräch*] entre celui qui interpelle et ce qui est autre, c'est-à-dire « ce qui par la nomination est devenu en même temps un *toi*[2] ».

Telle est la *phénoménologie poétique*[3] de Celan : par la nomination du poète, ce qui est nommé vient à apparaître *ici et maintenant* dans son propre être-autre comme un toi. Et cette soudaine ouverture du dialogue (dialogue qui est l'espace du poème) n'est pas ce que vise consciemment le poète comme un but, c'est bien plutôt

1. *Der Meridian*, TCA, n° 417, p. 131. Au n° 418, Paul Celan écrit également : „*Der Dichter ist der Jude der Literatur*" [« Le poète est le juif de la littérature »], ou encore : „*Verjudung, das scheint mir ein Weg zum Verständnis der Dichtung...*" [« La judaïsation me semble être un chemin pour la compréhension de la poésie »]. On songera également à la phrase de Marina Zvétaieva (« Tous les poètes sont des juifs ») que Celan a mise en épigraphe à l'avant-dernier poème de *La rose de personne, op. cit.*

Celan, comme il le dit lui-même dans une lettre non envoyée du 3 mai 1965 en réponse à Jean Starobinski, appartenait à la communauté juive qui est *celle du cœur* et non celle du rite – et le poète poursuit ainsi : « Car qu'est-ce que le Judaïsme sinon un [*sic*] forme de l'Humain, qu'est-ce que la Poésie sinon une forme de ce même Humain » (*Correspondance II*, p. 209).

2. *Die Dichtung Ossip Mandelstamms*, in : *Der Meridian*, TCA, p. 216 ; trad. cit., p. 11.

3. « Phénoménologie » : en attribuant à Celan ce qu'il vit dans les poèmes de Mandelstam : « ... ils ne sont pas une "seconde" réalité dépassant symboliquement le réel, leurs images résistent aux concepts de métaphore et d'emblème ; ils ont un caractère *phénoménal* » (*La poésie d'Ossip Mandelstam*, trad. cit., p. 10). Sur la phénoménologie, cf. aussi notre Appendice II.

l'événement même – *das Vor-kommnis*[1] – du poème, qui se produit à la faveur d'une « épiphanie de la parole[2] ». C'est donc d'abord un dialogue qui a lieu avec la parole elle-même, en son sein (en manière de monologue si l'on veut – nous y reviendrons), et au terme duquel advient le dialogue avec l'absolument autre, sans que l'étrangèreté [*Fremdheit*] de cet autre soit niée par le *je* qui, dans son mouvement d'ouverture à l'altérité, fait lui-même un « détour » [*Um-weg*] par cette étrangèreté.

« L'étranger, dit Celan, demeure étranger, [...] il conserve son opacité qui lui confère son relief et son apparaître (phénoménalité)[3]. » Autrement dit : c'est parce que, dans le poème, l'étranger demeure étranger, que le poème est marqué par une essentielle „*Dunkelheit*" [obscurité], qui est aussi sa « phénoménalité ».

HERVORGEDUNKELT, noch einmal, *kommt deine Rede* *zum vorgeschatteten Blatt-Trieb* *der Buche.*	D'OBSCURCI, une fois encore, vient ton dire vers le rejeton du hêtre s'annonçant dans l'ombre.
Es ist *nichts herzumachen von euch,* *du trägst eine Fremdheit zu Lehen.*	En rien vous n'en faites montre, tu es inféodé à une étrangèreté.
Unendlich *hör ich den Stein in dir stehn.*	Sans fin j'entends la pierre en toi se tenant[4].

Quant à l'absolument autre, enfin, „*das ganz Andere*", que le poète travaille sans doute en écho à un passage de *Zur Seinsfrage* qui a particulièrement retenu son attention[5], il désigne le *toi* advenu

1. Cf. Paul Celan, *Der Meridian*, TCA, n° 413, p. 130 : „*Das Gedicht als Vor-Kommnis*".

2. *Ibid.*, n° 245, p. 105. Cf. aussi dans le *Discours de Brême* (GW III, 186 ; *Le Méridien & autres proses*, *op. cit.*, p. 57) : « Puisqu'il est bien une forme d'apparition de la parole [*Erscheinungsform der Sprache*], et par suite, en son essence, dialogique, le poème peut être une bouteille jetée à la mer... »

3. Paul Celan, *Der Meridian*, TCA, n° 57, p. 71.

4. Paul Celan, *Schneepart*; *Part de neige*, *Po&sie*, n° 21, *op. cit.*, p. 21.

5. L'exemplaire de ce texte de Heidegger très travaillé par Celan porte à la fin la date du 6 juin 1956 ; le passage évoqué ici et souligné par le poète est le suivant (GA 9, 419) : « ... l'être-le-là de l'être humain "se tient au sein de" "*ce*" néent [*Nichts*], au sein du tout autre par rapport à l'étant. En d'autres termes, cela signifie et ne pouvait que signifier : "L'être humain est le lieu-tenant [*Platzhalter*] du néent" » (cf. *Questions I*, p. 242).

dans l'u-topie de la rencontre, un toi *sans identité*, un toi par-delà le toi [*Aber-Du*] qui est *personne* : le Rien [*Nichts*] face auquel se tient l'œil[1], et dont on ne peut connaître le visage. Ce visage, en effet, s'interroge Celan dans une esquisse préparatoire du *Méridien*, c'est peut-être le présent de la mort : „*Der Tod als Du?*" [« La mort en tant que toi ? »]. – « La poésie, Mesdames et Messieurs », dit-il presque allusivement dans la version définitive du discours : « ces paroles d'infini où il n'est question que de l'être-mortel [*Sterblichkeit*] et du pour rien [*Umsonst*][2] ».

Idiomatique, la langue de Celan l'est dans la mesure où c'est une langue qui place chacun devant sa propre mort, devant la mort, qui n'est elle-même la propriété de personne, mais qui est en même temps le principe absolu d'individuation (« la mort *est* chaque fois seulement mienne », souligne Celan dans son exemplaire de *Sein und Zeit*), où prend son origine ce que le poète appelle dans *Le Méridien*, l'« individuation radicale » de la « parole actualisée ». Or cette expérience de l'être créature [*Kreatürlichkeit*], de la singularité la plus propre – et risquons même, en suivant le mouvement de la poésie celanienne jusque dans sa portée historique : de l'*Einzigartigkeit* [unicité-en-son-genre] qui caractérise la mort éprouvée dans les camps – n'isole pas sur soi : „*Im Singulären spricht das Gemeinsame*", dit le poète : « Dans le singulier parle ce qui est commun[3]. »

Ce singulier est si commun dans sa singularité que dans les poèmes de Celan, « nous sommes prêts / à échanger le plus mortel en nous » [„*wir sind bereit, / das Tödlichste in uns zu tauschen*"][4].

C'est cette présupposition fondamentale qui donne son sens à toute lecture de la poésie de Celan qui ne se ferme ainsi pas sur l'expérience d'une singularité propre, mais qui ouvre en partage, à

1. Cf. „*Mandorla*", in : *Die Niemandsrose*; *Choix de poèmes*, p. 193.

2. *Der Meridian*, TCA, p. 11 (= GW III, 200) ; trad. Jean Launay, in : *Po&sie*, n° 9, *op. cit.*, p. 80. Le lecteur français peut désormais se reporter à la belle et nouvelle traduction du discours que Jean Launay propose en l'accompagnant d'un très judicieux choix de notes préparatoires dans : Paul Celan, *Le Méridien & autres proses*, *op. cit.*, p. 81.

3. Paul Celan, *Der Meridian*, TCA, n° 331, p. 117.

4. Paul Celan, „*IN DER FERNSTEN*", in : *Zeitgehöft*; « DANS LA PLUS LOINTAINE », in : *Enclos du temps*, *op. cit.*

partir de cette singularité – et sans la nier –, ce que Heidegger par exemple nomme une *communauté de mortels*. Celan, lui, écrit :

„[...]	« [...]
und zuweilen, wenn	et parfois, quand
nur das Nichts zwischen uns stand, fanden	seul le rien se tenait entre nous, nous nous trouvions
wir ganz zueinander.“	l'un l'autre tout à fait. »[1]

Au paragraphe 53 de *Être et temps* que Celan a très amplement médité, Heidegger avait exposé cette possibilité, à première vue paradoxale, qu'a l'individuation propre à la mort de nous ouvrir, *à partir de l'expérience singulière de l'esseulement* [*Vereinzelung*], aux autres :

> „*Als unbezügliche Möglichkeit vereinzelt der Tod aber nur, um als unüberholbare das Dasein als Mitsein verstehend zu machen für das Seinkönnen der Anderen.*“

> [« Mais en tant que possibilité sans relation, la mort n'esseule, en tant qu'elle est indépassable, *que pour* rendre le Dasein ententif comme être-ensemble pour le pouvoir-être des autres[2]. »]

Dans sa frappe idiomatique de la langue allemande, la poésie de Celan nous oblige à reposer à neuf la question du singulier et de l'universel, de l'un et du même, du même et de l'autre. La judaïsation au sens où l'entend le poète est une question adressée à la philosophie et aux théories linguistiques.

En ce qui concerne le débat avec la linguistique (Benveniste notamment, ou Saussure qu'il a lu dès l'âge de dix-neuf ans), que nous n'examinerons pas ici, nous renvoyons à la mise en question, par le poète, de la notion d'image en général et tout particulièrement de la métaphore [3].

1. „SOVIEL GESTIRNE“, in : *Die Niemandsrose* ; « TANT D'ÉTOILES », in : *La rose de personne, op. cit.*, p. 23.

2. Martin Heidegger, *Sein und Zeit*, p. 264 ; *Être et temps*, trad. François Vezin, Paris, Gallimard, 1986, p. 319. (Nous soulignons.)

3. *Le Méridien* aborde – parfois seulement indirectement – ces questions, mais le travail préparatoire permet de mesurer en détail l'ampleur de la réflexion du poète – cf. par exemple, dans *Der Meridian*, TCA, les esquisses relatives à la troisième partie du discours définitif (pp. 74-75), les n° 584 à 600, le n° 384 (« Le poème est le lieu

Quant à la question adressée à la philosophie, nous nous tournerons vers Heidegger qui a lui-même posé une question du même ordre à la métaphysique et avec qui Celan est manifestement en dialogue sur ce point.

---

où toute synonymie cesse ; où tous les tropes et tout ce qui est impropre est mené jusqu'à l'absurde ; le poème, je crois, même là où il est le plus imagé, a un caractère antimétaphorique ; l'image a un trait phénoménal, reconnaissable par l'intuition [*Anschauung*]. – Ce qui te sépare d'elle est infranchissable ; tu dois te résoudre au saut ») ; le n° 277 (« L'image : vision (pas métaphore) »).

Signalons que cette réflexion de Celan sur l'image [*Bild*] est à mettre en rapport avec l'analyse que fait Heidegger de cette notion chez Hölderlin ; dans »*... dichterisch wohnet der Mensch...*« (GA 7, 204 ; *Essais et conférences*, p. 240), par exemple, où le poète note „*Bild*" en face d'une phrase qu'il a soulignée : « L'aître de l'image est : donner à voir quelque chose. » À la fin de son exemplaire de *Hölderlin und Heidegger* (2. erw. Aufl., Zurich/Frib., Atlantis, 1956) de Beda Allemann, Celan a également consigné des renvois à la notion d'image.

La parole de l'autre commencement

> *Et cela exige : un nouveau soin de la langue, non pas l'invention de nouveaux termes, comme je l'ai un temps pensé, mais bien plutôt de retourner vers ce qui, dans notre propre langue, est toujours prêt à rejaillir, mais qui est en proie à un dépérissement continuel.*
>
> Martin Heidegger [1]

En effet, la tentative, non pas exactement de réapprendre l'allemand, mais d'ouvrir l'allemand – et la langue en général dans le rapport que nous avons à elle – à une nouvelle entente, est aussi celle de Heidegger, chez qui elle prend place dans le cadre d'un projet beaucoup plus vaste que l'on peut nommer grâce à une expression très heureuse de Henri Crétella : « *poétique de la pensée* [2] ».

Dès *Être et temps*, Heidegger n'aura cessé de chercher une langue

1. *Martin Heidegger en dialogue*, GA 16, 709 ; trad. in : *L'Herne Martin Heidegger*, cahier n° 45 dirigé par Michel Haar, Paris, éditions de l'Herne, 1983, p. 97 : „*Und es verlangt: eine neue Sorgfalt der Sprache, keine Erfindung neuer Termini, wie ich einmal dachte, sondern einen Rückgang auf den ursprünglichen Gehalt unserer eigenen, aber ständig im Absterben begriffenen Sprache.*"

2. Henri Crétella, « Heidegger à Cerisy », in : *L'enseignement par excellence. Hommage à François Vezin*, textes rassemblés par Pascal David, Paris, L'Harmattan, 2000, p. 152 sq.

pour nommer ce qui est : la chose, le simple, le monde comme rassemblement du ciel et de la terre, des divins et des mortels à partir de l'*Ereignis*. Il lui faut à cette fin parvenir à « une langue toute simple [„*eine ganz einfache Sprache*"], confie-t-il à Roger Munier, dont la rigueur consistera moins dans le on-dit [*Gerede*] d'une apparente technicité que dans la nudité absolue de l'expression [1] ». Mais cette recherche de la nudité *de l'expression* ne désigne pas la quête d'une fantasmagorique pureté ou virginité de la langue, d'une sorte de langue originelle à jamais regrettée. Car la langue, Heidegger le sait, n'est jamais nue, elle se charge avec le temps d'innombrables couches de sens, de sorte qu'elle est elle-même historiale [*geschichtlich*], et peut-être même la source de toute véritable histoire. Le penseur dit même plus : *la langue est histoire* [*Geschichte*], parce que c'est en elle qu'advient [*geschieht*] chaque fois un monde. Et c'est en ce sens qu'elle est "origine", *Ur-sprung* – parce qu'à chaque fois que nous nous mettons à son écoute, elle est prête à faire rejaillir du sens (jamais chez Heidegger l'"origine" ne peut-elle être comprise comme pureté première irrémédiablement passée ; l'*Ursprung* est toujours au-devant de nous, à venir, et dispense la primeur d'un nouveau jaillissement à chaque fois que nous allons à elle).

L'expression, en revanche, peut être mise à nue, et cette nudité de l'expression qui s'accomplit dans des textes comme *La chose*, tout entiers rassemblés dans leur simplicité, nomme ainsi la tentative heideggerienne de libérer la langue du carcan théorique qui dissocie d'emblée l'expérience de la parole de cette autre expérience avec laquelle elle fait corps : être au monde. Exister et parler : le même.

C'est dans cette perspective que Heidegger a ouvert à la parole un nouveau champ, aux confins de la poésie et de la pensée, qui a pour nom : *Gedachtes*. Formé comme le substantif *Gedicht* [poème], ce mot est constitué du participe passé du verbe *denken* [penser] et signifie donc littéralement : non pas ce qui est rassemblé dans le dire [*Ge-dicht*], mais ce qui est rassemblé dans la pensée. Le *Ge-dicht* rassemble le dire sur soi, le *Ge-dachtes* la pensée sur elle-même, de sorte que c'est dans le *Gedicht* que le dire est pro-

1. Roger Munier, *Stèle pour Heidegger*, Paris, Arfuyen, 1992, p. 17.

prement disant, et dans le *Gedachtes* que la pensée est proprement pensante. – En fait, sans *Gedicht* et sans *Gedachtes*, il ne pourrait jamais y avoir ni dire, ni penser.

Le *Gedachtes* est le rassemblement à la fois le plus serré et le plus intime de la parole pensive ; le plus nu aussi, et c'est dans le *Gedachtes* que Heidegger est le plus au-devant de lui-même, au plus loin de son propre chemin [*Weg*] – et le plus en risque [*Wagnis*]. L'*Avant-propos au poème « Todtnauberg »* adressé à Celan est un tel *Gedachtes* ; de même les textes offerts à René Char pour le *Cahier de l'Herne*. Dans la culmination de son rapport avec les poètes, Heidegger parle la langue du *Gedachtes*, parce que seul le *Gedachtes* permet d'entrer de plain-pied dans un *dialogue* avec le *Gedicht*.

Et ce dialogue peut avoir lieu, car poétiser et penser sont les deux versants d'une même montagne : la parole, de sorte que *Gedicht* et *Gedachtes* s'appartiennent l'un l'autre dans leur abyssale différence. Mais si la parole parle poétiquement en Europe depuis Homère, c'est avec Heidegger que la parole philosophique se met résolument à parler pensivement. En d'autres termes, *Gedachtes* est le nom d'une tentative pour que la pensée pense à partir de son élément le plus propre : la parole, et non dans le cadre logico-catégorial du concept.

Ce travail incessant sur la langue, pour la dépouiller de son armature conceptuelle, c'est-à-dire d'emblée généralisante – voire totalisante –, s'inscrit donc entièrement dans la préparation à une pensée autre que la métaphysique dont un des terribles accomplissements aura été... ne reculons pas devant l'énormité de ce que dit Heidegger : le *totalitarisme* en tant que forme extrême du nihilisme à l'ère de la technique. À propos du déclin de la vérité de l'être comme achèvement de la métaphysique, Heidegger écrit au paragraphe 3 de *Überwindung der Metaphysik* : « Le déclin s'accomplit à la fois par l'effondrement [*Einsturz*] du monde marqué par la métaphysique et par la dévastation du désert sur terre, qui provient de la métaphysique [*die aus der Metaphysik stammende Verwüstung der Erde*] [1]. »

---

1. Martin Heidegger, *Überwindung der Metaphysik*, in : *Vorträge und Aufsätze*, GA 7, 70 ; *Dépassement de la métaphysique*, in : *Essais et conférences*, trad. André Préau, Paris, Gallimard, 1958, p. 82.

Dans le texte – très annoté par Celan – intitulé *Zur Seinsfrage*, Heidegger, répondant à Ernst Jünger, aborde ces questions à partir d'une interrogation sur le possible dépassement du nihilisme :

> « Faut-il que la langue de la métaphysique de la Volonté de puissance, de la forme et de la valeur, soit préservée dans le passage par-delà la ligne critique ? Mais si cette langue, justement, de la métaphysique et si la métaphysique elle-même – que ce soit celle du Dieu vivant ou du Dieu mort –, *en tant que* métaphysique, constituaient la barrière qui empêche le passage au-delà de la ligne, c'est-à-dire le dépassement du nihilisme ? S'il en était ainsi, le franchissement de la ligne ne devrait-il pas nécessairement, dans l'urgence, devenir un changement du dire en sa tournure, et n'exigerait-il pas un retournement dans la tenue du rapport envers l'aître de la langue ? Et votre propre relation à la langue n'est-elle pas d'une nature telle qu'elle réclame de vous aussi une autre caractérisation de la langue conceptuelle des sciences ?
>
> [...]
>
> *Mais la question en quête de l'aître de l'être dépérit si elle n'abandonne pas la langue de la métaphysique, parce que la représentation métaphysique empêche de penser la question en quête de l'aître de l'être* [1]. »

Le dépouillement – disons : la dé-struction – de la langue une fois mené à bien, il devient dès lors possible d'éveiller un sens pour méditer *la différence ontologique comme espace même de la parole.*

Vue sous cet angle, l'histoire de l'oubli de l'être peut se résumer en quelques mots : l'effacement de la question du Même (posée en même temps que recouverte chez Parménide) au profit de celle de l'universalité et enfin de la totalité. Dans cette histoire de l'oubli, c'est-à-dire de l'oubli de la *différence* entre être et étant, l'*autre* cède le pas à l'*égal* et donc, en dernière instance, à l'*identité.* Mais « qu'est-ce que l'*Ereignis* a à faire avec l'identité ? » demande Heidegger dans *Le principe d'identité* que Celan a lu le 30 août 1959. « Réponse : rien [2]. » Le penseur ne peut pas être plus clair. En

1. Martin Heidegger, GA 9, 405 ; *Questions I*, p. 225 ; tout ce qui est en italique est souligné dans l'exemplaire du poète.

2. Martin Heidegger, *Identität und Differenz*, Pfullingen, G. Neske, p. 26 ; *Identité et différence*, trad. André Préau, in : *Questions I*, p. 272.

effet, dit Heidegger : « Ce qu'il [l'*Ereignis*] nomme, n'advient proprement que dans le singulier [1]. » Singularité ou unicité absolue de ce qui est employé, précise encore Heidegger dans un passage relevé par Celan, comme « *singulare tantum* » : un singulier qui a un sens collectif, disent les grammaires latines ! Cette réflexion de Heidegger sur la singularité et l'unicité soulignée par le poète dans ses exemplaires trouvera un écho dans l'idiome celanien et dans ce que Celan nomme pour sa part : „*der Anspruch auf Einmaligkeit*" qui caractérise le poème : sa prétention à être chaque fois une unique fois.

La pensée de l'*Ereignis* est une pensée qui ouvre le regard [*äugen*] à la dimension de jeu du Même, au sein de laquelle toute différenciation prend sa source. « Dans l'égal disparaît la différence. Dans le Même apparaît la différence », poursuit le penseur [2]. C'est donc parce qu'à partir de l'*Ereignis*, tout ce qui est apparaît dans sa singularité la plus propre que l'altérité peut se déployer et donner sens, ainsi, à une vraie communauté.

Telle est donc l'"universalité" heideggerienne : tout ce qui est, dans sa propre singularité, se tourne non pas vers l'un, mais vers l'autre qui apparaît dans sa différence propre, au sein de l'horizon déployé par le Même. La tension entre le Même et l'autre n'est pas surmontée spéculativement dans une totalité. Il n'y a pas d'*Aufhebung* possible, car il n'y a pas même de dialectique – la pensée de la différence ontologique pense *dans* la différence, pense la dimension de la différenciation et non celle de l'identité de l'identique et du non-identique.

---

1. *Identität und Differenz*, p. 25 ; trad. cit., p. 270.

2. *Ibid.*, p. 35 ; trad. cit., p. 280. Dans son exemplaire de *Vorträge und Aufsätze* (GA 7, 196-197), Celan a également souligné l'ensemble de la réflexion sur le Même qui commence ainsi : « Le même et l'égal ne se recouvrent pas… » (*Essais et conférences*, p. 231).

Le silence parlant

Soir des mots – sourciers dans le silence !

Paul Celan [1]

Qui d'entre nous, hommes d'aujourd'hui, pourrait s'imaginer que sa tentative de penser est à demeure sur le sentier du silence ?

Martin Heidegger [2]

Aucune uniformisation dans le dialogue de Paul Celan et de Martin Heidegger, mais à l'inverse, une vraie "universalité" que le penseur formule ainsi dans un cours sur Héraclite :

> „*Je ursprünglicher die Selbigkeit des Selben, um so wesentlicher ist in einer Gleichheit die Verschiedenheit, desto inniger ist Gleichheit des Gleichen.*"
>
> [« Plus près de ce qui lui donne la primeur de son jaillissement est la mêmeté du même, et plus essentielle en son aître est la différence dans une égalité, plus intime est l'égalité de ce qui est égal [3]. »]

La différence ne se déploie qu'au sein du même, parce que c'est à même lui que chacun est, non pas mathématiquement égal, mais

---

1. Paul Celan, „*Abend der Worte*", in : *Von Schwelle zu Schwelle* ; « Soir des mots », in : *De seuil en seuil, op. cit.*, p. 75 : „*Abend der Worte – Rutengänger im Stillen !*"

2. Martin Heidegger, GA 9, 344 ; *Lettre sur l'humanisme*, p. 113. Celan a souligné cette interrogation dans son exemplaire.

3. Martin Heidegger, *Heraklit*, GA 55, 250.

à égalité : *in einer Gleichheit* – ni une identité, ni encore moins, comme y insiste Celan dans la lettre à Gisèle du 28 juillet 1965, une mise au pas :

> « “Gleichschaltung” : c’est la “mise au pas” nazie. Je lui oppose la Gleichheit, la vraie Égalité. »

Celan, poète apatride d’origine roumaine, éduqué dans la spiritualité juive, et Heidegger, penseur souabe formé dans le voisinage de la Grèce, l’un et l’autre se sont rencontrés en venant d’horizons aussi lointains – dans une vraie égalité et à partir de leur différence au sein du même. Le même ? La parole, la langue allemande et une entente partagée du silence dont ils savaient tous deux qu’il est la forme primordiale de toute parole.

C’est du silence en effet, dans l’écoute de la langue mère, que vient à chanter la parole. Tout auteur a son écoute de la langue mère et module dans sa langue ce que Proust nomme son *accent*; il a son propre silence, aussi, et Celan comme Heidegger ont tenté de le donner à entendre dans leur langue : le poète, *dans* les mots, en les coupant, en les découpant sur un fond de silence, pour ainsi dire, qui vibre avec chaque syllabe et s’étoile dans leur éclatement. « Le silence, inhérent à la parole », note quelque part Celan [1]. Et le mot finit par être le corps même du silence :

Ein Wort – du weißt :	Un mot – tu sais :
eine Leiche.	un cadavre [2].

Dans la poésie de Celan, le silence retentit dans le cadavre-mot que la parole enveloppe de multiples linceuls :

– de nuit : « Le souffle de la nuit est ton drap, la ténèbre se couche contre toi [3] » ;

– d’ombre : « Donne à ta parole aussi le sens : / donne-lui l’ombre [4] » ;

– de terre : « IL Y AVAIT DE LA TERRE EN EUX, et / ils creusaient [5] » ;

1. *Der Meridian,* TCA, n° 570, p. 155.

2. Paul Celan, „*Nächtlich geschürzt*“, in : *Von Schwelle zu Schwelle*; « Repliées dans la nuit », in : *De seuil en seuil, op. cit.*, p. 87.

3. Paul Celan, „*Schlaf und Speise*“, in : *Mohn und Gedächtnis*; « Sommeil et repas », in : *Pavot et mémoire, op. cit.*, p. 129 : „*Der Hauch der Nacht ist dein Laken, die Finsternis legt sich zu dir.*“

4. Paul Celan, „*Sprich auch du*“, in : *Von Schwelle zu Schwelle*; « Parle aussi toi », in : *De seuil en seuil, op. cit.*, p. 105.

5. Paul Celan, in : *Die Niemandsrose*; *La rose de personne, op. cit.*, p. 13 : „*ES WAR ERDE IN IHNEN, und / sie gruben.*“

– de neige : « Au gré du vent qui te repousse, / se roule autour du mot la neige [1] » ;

– de cendre : « Trouve le site, décide du mot. / Efface. Mesure. // Clarté-de-cendres, aune-de-cendres – avalée [2]. »

Celan aura eu cette oreille de l'allemand : celle qui perçoit l'infra-son de la langue quand on se met à l'écoute des intervalles syllabiques.

Chez le penseur, c'est autour des mots qu'irradie le silence, en manière de halo si l'on veut, encerclant le contour bien rond (εὐκυκλέος) de l'ἀλθεια qui parle dans la tautologie : „*Welt weltet*", „*das Ding dingt*", „*die Sprache spricht*", „*Not nötigt*" – autant de paroles riches, dans leur compacité, du silence de la *Bergung* [abritement en retrait]. La parole, dès lors qu'elle n'est plus, comme dans la métaphysique, parole de l'étant, mais parole de l'estre même, se met à parler dans un horizon de silence. La logique cède le pas à la « sigétique [3] », et la parole peut ainsi dire ce qui échappe au λόγος de l'étant, à savoir : l'allégie [*Lichtung*] elle-même – ce qui jamais n'est étant, mais le mouvement de retrait léger à la faveur duquel vient à aître [*west*] tout ce qui est.

La parole qui ne reste pas rivée sur l'étant et qui n'est plus un mode d'énonciation (λέγειν τι κατά τινος : dire quelque chose sur quelque chose), mais qui s'ouvre, pour l'abriter dans son retrait, à la vérité de l'être, et qui épouse dans son mouvement de tournement [*Kehre*] l'avenance de l'*Ereignis* – cette parole silencieuse, Heidegger l'appelle dans les *Apports à la philosophie* [4] : *das Erschweigen* (en s'ouvrant à l'avenance de l'*Ereignis*, faire silence) [5].

---

1. Paul Celan, „*Mit wechselndem Schlüssel*", in : *Von Schwelle zu Schwelle*; « Avec une clef changeante », in : *De seuil en seuil*, *op. cit.*, p. 65 : „*Je nach dem Wind, der dich fortstößt, / ballt um das Wort sich der Schnee.*"

2. Paul Celan, „*Deine Augen im Arm*", in : *Fadensonnen*; « Tes yeux dans le bras », in : *Soleils de fils*, trad. Bénédicte Vilgrain, Théâtre typographique, 1990.

3. Dans son exemplaire de *Holzwege*, Celan souligne cette phrase de Heidegger (GA 5, 311) : « Ce n'est qu'à l'intérieur de la Métaphysique qu'il existe la logique. »

Sur le rapport, chez Heidegger, entre logique et sigétique, cf. F.-W. von Herrmann, *Die zarte, aber helle Differenz. Heidegger und Stefan George*, Frankfurt a. M., V. Klostermann, 1999, § 28.

4. Cf. Martin Heidegger, *Beiträge zur Philosophie (Vom Ereignis)*, GA 65, §§ 35-38.

5. Sur le silence en général dans la pensée de Heidegger, on se reportera aussi, parmi de très nombreuses occurrences, aux passages qu'il y consacre dans *Être et temps*, *op. cit.* (§§ 34, 56-57 – les paragraphes 34 et 57 étant parmi ceux qui sont les plus annotés par le poète ; et sur la très importante *Verschwiegenheit* qui, dans sa discrétion, est réponse à l'appel silencieux de la conscience morale : le § 60) et dans *Unterwegs zur Sprache*, GA 12, 251 (*Acheminement vers la parole*, trad. F. Fédier, Paris, Gallimard, 1976, p. 251).

La limpidité de la parole

Acm.<éisme> : Conduire la parole dans la proximité de l'être.

Paul Celan [1]

Chez le poète comme chez le penseur, donc, mais chacun selon son propre cheminement, un tâche première : faire parler le silence et rendre à la parole son être.

C'est la reconnaissance de cette tâche commune que Heidegger nomme dans la seconde moitié du texte qu'il écrivit en avant-propos au poème *Todtnauberg* (cf. document 11). Et c'est d'abord sous le signe de cette reconnaissance qu'il comprend le sens de la rencontre au chalet, ainsi que l'atteste le début de la lettre du 30 janvier 1968 qu'il envoya à Celan en remerciement du poème (cf. document 9).

En ce qui concerne Celan, rapporte O. Pöggeler, « c'est à un point étonnant que – sur la base d'une parenté dans la manière de penser – il était aussi prêt à défendre, à l'encontre d'autres jugements de ses contemporains, la clarté et la transparence de la langue du Heidegger tardif [2] » ; en 1969 il s'était notamment manifesté

1. *Der Meridian*, TCA, n° 297, p. 112. Mandelstam, dont on sait l'importance qu'il a eue pour Celan, adhéra à l'acméisme dont le premier slogan était : « Au diable le symbolisme, vive la rose vivante ! » Il s'agissait pour Mandelstam de libérer le mot du symbole pour qu'il retrouve, grâce à ses ressources sonores et à sa puissance visuelle, le contact avec ce qui est : la réalité.

2. Otto Pöggeler, *Spur des Wortes. Zur Lyrik Paul Celans*, Freiburg/München, Verlag Karl Alber, 1986, p. 151.

avec violence contre le triste *Jargon der Eigentlichkeit* d'Adorno [1]. C'est par ailleurs ce que confirme une phrase essentielle du poète rapportée par Clemens von Podewils qui le rencontra peu avant sa mort le 21 mars 1970 :

> »*Im Unterschied zu solchen, die sich an seiner Ausdrucksweise stoßen, sehe ich in Heidegger denjenigen, der der Sprache wieder ihre* „limpidité" *zurückgewonnen hat.*«

> [« À la différence de ceux que sa manière de parler offusque, je vois en Heidegger celui qui a fait regagner à la langue sa "limpidité" [2]. »]

La limpidité que Celan évoque en français n'est ni "pureté", ni simple clarté ; elle a plutôt à voir avec la transparence, dans la mesure où la parole, quand elle parle vraiment, laisse voir et montre, au sens où Chateaubriand, dans les « Remarques » introductives à sa traduction du *Paradis perdu*, déclare avoir « calqué le poème de Milton à la vitre [3] ». Sa traduction est un chef-d'œuvre parce qu'elle ne fait pas écran ; elle parle en français et fait apparaître, par transparence, le texte anglais. – La parole, quand elle parle vraiment, calque le monde à la vitre.

C'est Heidegger qui a fait retrouver à la parole cette transparence en la libérant de la notion purement théorique de signe pour retrouver en elle sa force nominative. Or dans une note préparatoire (n° 610) au *Méridien*, Celan note :

> „*Das Gedicht: kein Zeichen-System.*"

> [« Le poème : n'est pas un système de signes. »]

Une autre note (n° 826) dit encore :

> „*Das Sprechen: ein Ergebnis des Lauschens, ein Nennen und Sichtbarmachen*"

1. Cf. Otto Pöggeler : „*Celans Begegnung mit Heidegger*", in : *Zeitmitschrift*, n° 5, p. 128.
2. Cf. Clemens von Podewils, « Nominations / Ce que m'a confié Paul Celan », *Po&sie*, n° 93, *op. cit.*, p. 119.
3. Cf. Milton, *Le Paradis perdu*, traduit et présenté par Chateaubriand, Paris, Belin, 1990, p. 103.

[« Parler : un résultat de l'écoute qui tend l'oreille – nommer et rendre visible. »]

Et il déclare à Clemens von Podewils toujours :

« De quoi s'agit-il pour moi ? De me délivrer des mots entendus comme simples signes qualificatifs [*Bezeichnungen*]. Je voudrais entendre à nouveau dans les mots les *nominations* [*Namen*] des choses. Le signe qualificatif isole l'objet représenté ; tandis que dans les nominations, la chose elle-même se met à nous parler comme chose chaque fois singulière dans son rapport avec le monde [1]. »

Dans la réponse de 1958 à une enquête de la libraire Flinker, enfin, il écrit :

»Sie [die Sprache] verklärt nicht, „poetisiert" nicht, sie nennt und setzt, sie versucht, den Bereich des Gegebenen und des Möglichen auszumessen.«

[« Elle [la parole] ne transfigure pas, elle ne "poétise" pas, elle nomme et pose, elle tente de prendre mesure du domaine du donné et du possible [2]. »]

1. Clemens von Podewils, « Nominations / Ce que m'a confié Paul Celan », *Po&sie*, n° 93, *op. cit.*, p. 118. On retrouve sous sa forme verbale le mot *Bezeichnung* que Celan emploie pour dire ce que n'est pas la parole dans l'*Avant-propos* de Heidegger au poème *Todtnauberg* : *„ Wann werden Wörter / Worte ? // Wenn sie sagen, / – nicht bedeuten / – nicht bezeichnen."* [« Quand les mots se font-ils / parole ? // Quand ils disent, / – non pas signifient / – non pas qualifient. »]

Se reporter également à Beda Allemann (*„Das Gedicht und seine Wirklichkeit"*, in : *Études germaniques. Hommage à Paul Celan*, 25e année, n° 3, juillet-septembre 1970, p. 270) : « D'un entretien avec Paul Celan au début de l'année 1968, j'ai noté une phrase : "*Worte werden Namen.*" ["Les mots deviennent des nominations."] »

2. Paul Celan, GW III, 167 ; *Le Méridien & autres proses, op. cit.*, p. 32. Celan entend peut-être le verbe *ausmessen* en écho avec l'analyse que Heidegger fait du verbe *messen* dans un paragraphe de *„... dichterisch wohnet der Mensch..."* qu'il a souligné dans son exemplaire des *Essais et conférences* et qui commence ainsi (GA 7, 200 ; trad. cit., p. 234 sq.) : *„Das Dichten ist vermutlich ein ausgezeichnetes Messen. Mehr noch. Vielleicht müssen wir den Satz: Dichten ist* Messen *in der anderen Betonung sprechen :* Dichten *ist Messen. Im Dichten ereignet sich, was alles Messen im Grunde seines Wesens ist."* [« Poétiser est probablement une manière tout à fait remarquable de mesurer. Plus encore. La phrase : poétiser c'est *mesurer*, peut-être devons-nous l'accentuer autrement et dire : *poétiser* c'est mesurer. Dans le dire poétique advient à soi ce qu'est toute mesure au fond de son aître. »]

À la lumière de ces déclarations, il est intéressant de relever les passages de Heidegger que Celan a soulignés en rapport à ces questions. Citons-en quelques-uns :

– dans *Sein und Zeit* (p. 32), une courte incise : *„das Reden (Sehenlassen)“* [« parler (faire voir) »].

– Dans les *Essais et conférences* (GA 7, 225-228) : „*Der* Λόγος *ist* in sich zumal *ein Entbergen und Verbergen. Er ist die* ἀλήθεια. [...] *Das vom* λέγειν *her gedachte Nennen (*ὄνομα*) ist kein Ausdrücken einer Wortbedeutung, sondern ein vor-liegen-Lassen in dem Licht, worin etwas dadurch steht, daß es einen Namen hat.*“ [« Le Λόγος” est *en lui-même d'abord* un découvrir et recouvrir. Il est l'ἀλήθεια. [...] Pensé à partir du λέγειν, nommer (ὄνομα), ce n'est pas exprimer la signification d'un mot, mais bien plutôt laisser-s'étendre-devant dans la lumière en laquelle quelque chose se tient du fait qu'il a un nom. »]

– Dans *Introduction à la métaphysique* (GA 40, 16) – marqué d'un « – i – » : *„Im Wort, in der Sprache werden und sind erst die Dinge.“* [« C'est dans le mot, dans la parole qu'adviennent et que sont seulement les choses. »]

– Dans *Droit à la question de l'être* (GA 9, 394) : *„In der Sprache erscheint allererst und west jenes, was wir bei der Verwendung maßgebender Worte anscheinend nur nachträglich aussprechen, und zwar in Ausdrücken, von denen wir meinen, sie könnten beliebig wegfallen und durch andere ersetzt werden.“* [« C'est dans la parole seulement qu'apparaît et que vient à aître ce qu'en apparence nous ne faisons qu'exprimer après coup avec des tournures de mots conventionnels, et plus précisément encore, dans des expressions qui pourraient, croyons-nous, être arbitrairement abandonnées ou remplacées par d'autres. »]

– Dans *L'origine de l'œuvre d'art* (GA 5, 61) : *„Sie [die Sprache] befördert das Offenbare und Verdeckte als so Gemeintes nicht nur erst in Wörtern und Sätzen weiter, sondern die Sprache bringt das Seiende als ein Seiendes allererst ins Offene.“* [« Elle [la parole] est plus que la simple mise en circulation de ce qui est déjà manifeste ou recouvert, signifié comme tel en mots et en phrases, car c'est la parole qui mène l'étant en tant qu'étant dans l'ouvert. »]

– Dans *Pourquoi des poètes?* (GA 5, 310) : *„Die Sprache ist der Bezirk (templum), d. h. das Haus des Seins. Das Wesen der Sprache erschöpft sich weder im Bedeuten, noch ist sie nur etwas Zeichenhaftes und Ziffernmäßiges. Weil die Sprache das Haus des Seins ist, deshalb gelangen wir so zu Seiendem, daß wir ständig durch dieses Haus gehen.“*

[« La parole est l'enceinte (*templum*), c'est-à-dire la demeure de l'être. L'aître de la parole ne s'épuise pas dans la signification, elle ne se borne pas non plus à la sémantique et au sigle. Parce que la parole est la demeure de l'être, nous n'accédons à l'étant qu'en passant par cette demeure. »]

– Dans la *Lettre sur l'humanisme* (GA 9, 326) : „*Sie* [*die Sprache*] *läßt sich daher auch nie vom Zeichencharakter her, vielleicht nicht einmal aus dem Bedeutungscharakter wesensgerecht denken. Sprache ist lichtend-verbergende Ankunft des Seins selbst.*" [« C'est pourquoi elle [la parole] ne peut jamais non plus être pensée conformément à son aître à partir du signe, ni peut-être même à partir de la signification. La parole est la venue, allégissant en son abritement, de l'être même. »]

Inutile de poursuivre cette énumération, car le trait commun de ces phrases se manifeste assez nettement et peut se résumer ainsi : l'insuffisance qu'il y a à considérer la parole à partir du concept linguistique de signe, dans la mesure où parler, ce n'est pas signifier un message, mais faire apparaître, nommer (« faire voir », « découvrir », « mener dans l'ouvert », « allégir ») ce qui est à partir d'une entente de l'être qui elle-même reste en retrait. Il n'y a pas d'abord des choses, puis un instrument[1] qui, en vertu de conventions sémantiques, les exprime. Pour le poète comme pour le penseur, il n'y a de monde que dans et par la parole. La parole se fait monde, écrit Celan, « la parole se charge de monde » [„*mit Welt befrachtet*"][2].

C'est cette entente de la parole qui donne tout son sens à la phénoménologie de Heidegger, telle qu'elle est présentée dès le paragraphe 7 de *Être et temps*.

Pour Celan, c'est cette même entente qui permet par exemple de comprendre autrement que comme un pur procédé rhétorique cet élément essentiel de sa poétique que sont les « compositions de mots ». Il s'en explique comme suit à Podewils :

---

1. Dans son exemplaire de *Was heißt Denken ?* (p. 99 ; trad. cit., p. 155), Celan souligne ces propos de Heidegger : „*Die Sprache ist aber kein Werkzeug. Die Sprache ist überhaupt nicht das und jenes, nämlich noch etwas anderes als sie selbst. Die Sprache ist Sprache.*" [« Mais la parole n'est pas un outil. La parole n'est au premier chef jamais ceci ou cela, à savoir quelque chose d'autre encore qu'elle-même. La parole est parole. »]

2. Paul Celan, *Der Meridian*, TCA, n° 64, p. 73.

« On m'a reproché ces substantifs composés, comme *meule de mer* [*Meermühle*] par exemple. Mais les galets, les récifs, les falaises rocheuses ne deviennent-ils pas ce qu'ils sont en étant moulus par la mer [1] ? »

En d'autres mots, si une composition telle que *Meermühle* n'a rien d'arbitraire, c'est parce qu'elle donne à voir l'érosion des rochers par la mer comme broiement des grains sous la rotation de la meule – dans son intime concrétion, cette composition fait apparaître la mer elle-même et fait ainsi coïncider le mouvement de la langue du poème avec l'incessant ressac de la mer.

Faire regagner à la langue sa limpidité, comme le fit Heidegger, c'est lui donner, grâce à une nouvelle modulation de son entente, ce qu'elle avait perdu en traversant « un mutisme effroyable » (*Discours de Brême*), c'est lui offrir la possibilité de nommer le monde pour qu'enfin le poète y soit à demeure. Avec la limpidité de la langue, est en question l'habitation de la terre. Et une fois cette limpidité de nouveau gagnée, il devient possible, ainsi que Heidegger le souhaite à Celan, « d'entendre la parole en laquelle s'adresse à vous ce qui est à dire en poème ». À travers ce souhait, Heidegger montre qu'il est au fait de ce qui tient le plus intimement à cœur au poète : pouvoir de nouveau entendre dans l'allemand ce qui est à dire en poème. Il sait que la poésie, et elle seule, peut le sauver. Il sait que l'enjeu primordial est celui de la parole, c'est-à-dire aussi bien l'éveil d'une écoute de la parole, que la possibilité même de parler.

1. Clemens von Podewils, « Nominations / Ce que m'a confié Paul Celan », in : *Po&sie*, n° 93, *op. cit.*, p. 118.

Parole et existence

En vérité, ce n'est jamais ici la parole elle-même, la parole en soi, qui est à l'œuvre, mais toujours seulement un je qui parle sous l'angle d'incidence de son existence…

Paul Celan [1]

La communication des possibilités existentiales de la disposibilité, c'est-à-dire la découverte de l'existence, peut être la fin propre à la parole qui "parle en poème".

Martin Heidegger [2]

„Das Entscheidende bleibt, zuvor das ontologisch-existenziale Ganze der Struktur der Rede auf dem Grunde der Analytik des Daseins herauszuarbeiten.

[…]

1. Paul Celan, GW III, 167-168 ; *Réponse à une enquête de la librairie Flinker, Paris (1958)*, in : *Le Méridien & autres proses, op. cit.*, p. 32 : *„Freilich ist hier niemals die Sprache selbst, die Sprache schlechthin am Werk, sondern immer nur ein unter dem besonderen Neigungswinkel seiner Existenz sprechendes Ich…"*

2. Martin Heidegger, *Sein und Zeit*, § 34, p. 162 ; *Être et temps*, p. 209 : *»Die Mitteilung der existenzialen Möglichkeiten der Befindlichkeit, das heißt das Erschließen von Existenz, kann eigenes Ziel der „dichtenden" Rede werden.«* Dans la mesure où la pensée s'occupe aussi à sa manière de la « découverte de l'existence », cette phrase ouvre, dès *Être et temps*, l'espace du dialogue de la poésie et de la pensée qui ne sera thématisé comme tel par Heidegger que plus tard.

Am Ende muß sich die philosophische Forschung einmal entschließen zu fragen, welche Seinsart der Sprache überhaupt zukommt."

[« Ce qui reste décisif, c'est de travailler préalablement à dégager la structure intégralement ontologique existentiale de la parole en se fondant sur l'analytique du Dasein.

[...] En définitive, la recherche philosophique doit se décider à demander d'abord quel genre d'être revient en général à la parole[1]. »]

C'est lors de sa lecture de *Sein und Zeit* que Celan souligna ces quelques lignes du § 34 qui est un des paragraphes les plus annotés de son exemplaire ; et c'est à ce moment-là, en 1952-1953 donc, que commença, environ quinze ans avant la rencontre de 1967, le dialogue. Ces deux phrases dessinent l'espace de ce dialogue.

Pour Heidegger, elles marquent les premiers jalons d'une méditation qui ne sera interrompue que par sa mort ; pour Celan, elles donnent son cadre à un problème auquel renvoie toute sa poésie : en effet, la détermination adéquate, c'est-à-dire *existentiale* (et non plus catégoriale), de la parole est de première importance pour le poète qui met l'accent sur le fait que "la" parole est toujours fondamentalement *une* parole propre à l'existence d'un être en ce qu'il a de plus singulier. Ne plus comprendre la parole, comme cela a été fait jusqu'alors en philosophie, à partir du mode d'être de l'étant là-devant, mais saisir existentialement l'intimité du rapport d'une parole chaque fois singulière avec le *Dasein*, lui-même chaque fois unique, ce dessein, qui vise, en dernière instance, comme semble le laisser au moins une fois entendre le poète[2], à penser la parole à partir de l'*Ereignis*, revêt aux yeux de Celan le caractère d'une urgence. Et c'est d'abord à partir de l'urgence de cet ancrage dans l'eksistence que Celan, comme avant lui déjà Antonio Machado par exemple, fut touché par la pensée de Heidegger. Le poète espagnol s'exprime comme suit à ce sujet :

---

1. *Sein und Zeit*, respectivement p. 163 et 166 ; *Être et temps*, *op. cit.*, pp. 209-210 et 213.

2. Il s'agit d'une phrase du *Discours de Brême* dans laquelle le mot *Ereignis* ne peut pas s'entendre dans son sens courant (événement) : „*Es war, Sie sehen es, Ereignis, Bewegung, Unterwegssein, es war der Versuch, Richtung zu gewinnen.*" La traduction de Jean Launay met la compréhension sur la bonne voie : « C'était, vous voyez bien, *appropriation*, mouvement, cheminement, c'était la quête d'une direction » (*Le Méridien & autres proses*, *op. cit.*, p. 57. Nous soulignons).

« (*Das Dasein ist das Sein des Menschen.*) Et pour pénétrer dans l'être, il n'est d'autre portillon que l'existence de l'homme, l'être dans le monde et dans le temps. Telle est la note profondément lyrique qui mènera les poètes à la philosophie de Heidegger, comme les papillons vers la lumière [1]. »

Machado ne donne pas son *opinion*, c'est le poète qui parle – tant il est vrai que pour cet autre poète, Paul Celan, c'est bien aussi la pensée du *Dasein* qui l'aura inspiré et soutenu dans l'élaboration de la nouvelle forme lyrique qu'il inaugure.

Il y va pour les poètes comme pour Heidegger d'une même urgence qui devient ainsi la pierre angulaire de la proximité entre la poésie et la pensée, et qui donne son ton à une rencontre dont il nous faut à présent retracer les grandes étapes.

1. Antonio Machado, *Juan de Mairena*, trad. Marguerite Léon, Paris, Gallimard, « Les Essais », 1955, p. 266 ; le lecteur peut aussi se reporter à une nouvelle traduction partielle de ce chef-d'œuvre : *De l'essentielle hétérogénéité de l'être*, trad. Victor Martinez, Paris, Rivage poche, « Petite Bibliothèque », 2003, p. 168.

Lire Heidegger

proche à pas de bruyère

Paul Celan [1]

C'est vraisemblablement vers 1946 en Roumanie que Celan entendit pour la première fois parler de Heidegger [2]. À Vienne, en 1948, il fait ensuite la connaissance d'Ingeborg Bachmann qui terminait alors sa thèse sur *Die kritische Aufnahme der Existenzphilosophie Martin Heideggers* [*La réception critique de la philosophie de l'existence de Martin Heidegger*]. Mais c'est fin 1951 qu'il se lance vraiment dans la lecture du penseur, en commençant par *Le chemin de campagne*, et il poursuit sans interruption jusqu'en 1959 avec toutes les œuvres majeures : – entre 1952 et 1954 (période de rédaction de *Von Schwelle zu Schwelle*) : *Être et temps*, *Qu'est-ce que la métaphysique ?*, *De l'aître du fondement*, *CHEMINS qui ne mènent nulle part*, *Lettre sur l'humanisme*, *De l'aître de la vérité*, *Approche de Hölderlin*, *Qu'est-ce qui appelle à penser ?*, *Introduction à la métaphysique* ; – en juin 1956 : *Droit à la question de l'être* ; – en mai 1957 : *Le principe de raison* ; – en août 1959 (date

1. Paul Celan, „*Largo*", in : *Schneepart* ; « Largo », in : *Part de neige*, *Po&sie*, n° 21, *op. cit.*, p. 16 : „*heidegängerisch Nahe*".

2. Cf. Otto Pöggeler, *Der Stein hinterm Aug. Studien zu Celans Gedichten*, München, Wilhelm Fink, 2000, p. 159 : « Le poème de Celan *Ein Krieger* prouve que des réflexions provenant de *Être et temps* de Heidegger lui parvinrent déjà à Czernowitz. »

des premières notes de travail pour *Le Méridien*) : presque tous les textes d'*Essais et conférences*, et la conférence *Le principe d'identité* [1].

Grâce aux dates que Celan inscrit souvent dans ses exemplaires, on peut constater que la lecture de Heidegger est à peu près ininterrompue jusqu'à la mort du poète. S'il est vrai qu'elle est particulièrement intense pendant les années 1950, on observe néanmoins qu'elle se poursuit, bien que de façon plus disparate, tout au long des années 1960 avec la lecture au moins partielle des deux tomes du *Nietzsche* en 1961, de *La technique et le tournant* en 1963, de *Sérénité* en 1964, de *Qui est le Zarathoustra de Nietzsche ?* en 1964 également, d'une partie des *Jalons* en 1968 et à nouveau de *Qu'est-ce qui appelle à penser ?* dans lequel figure la dernière date de lecture inscrite par Celan : le 30 décembre 1969.

Sigrid Weigel avance un peu hasardeusement que « les marques de lecture, qui témoignent d'un intense intérêt (confirmé par le nombre important d'ouvrages lus) pour les écrits de Heidegger, s'estompent précisément au moment où l'auteur commence en 1959 à submerger Celan d'exemplaires dédicacés [2] ». L'hypothèse, en ce qu'elle insinue, est douteuse – d'autant plus que le premier ouvrage dédicacé que Celan reçoit de Heidegger remonte en toute certitude à 1956 (dans *Gespräch mit Hebel beim „Schatzkästlein" zum Hebeltag 1956*), si ce n'est à 1954 (dans *Platons Lehre von der Wahrheit mit einem Brief über den »Humanismus«*). Par ailleurs, à partir de 1959, Heidegger adresse au total huit ouvrages en dix ans au poète, ce qui ne s'appelle pas précisément « submerger » !

La raison du ralentissement de la lecture est plutôt à chercher dans le tournant que représente le discours *Le Méridien* qui, après presque dix années de travail sur les textes du penseur, marque le sommet de l'explication de Celan avec Heidegger, mais également le sommet de l'explication du poète avec sa propre poétique. Après cette date (1960), Celan continue de suivre, selon le rythme – à cette époque assez lent – des publications, l'œuvre de Heidegger, dont il a déjà lu presque tout ce qui avait paru. Néanmoins, le temps de l'étude proprement dite est passé, le poète a trouvé, par

1. On trouvera dans le document 13 la liste de tous les exemplaires de Heidegger que possédait Celan.

2. Sigrid Weigel, „*Die Erinnerungs- und Erregungsspuren von Zitat und Lektüre*", in : *Ingeborg Bachmann und Paul Celan. Poetische Korrespondenzen*, hrsg. v. B. Böschenstein und S. Weigel, Frankfurt a. M., Suhrkamp, 1990, p. 244.

rapport à Heidegger et par rapport à lui-même, sa direction, et la lecture des textes du penseur n'a en conséquence plus le même caractère de nécessité. Quant à la dernière preuve – s'il faut encore en fournir une – de la persistance de l'intérêt de Celan, elle reste, en tout état de cause, le souhait de faire la rencontre du penseur en 1967, alors même que les hésitations dues à sa perception de la faute de Heidegger étaient grandissantes.

L'énigme de cette affaire reste ce que, lors d'une discussion qu'il a eu la gentillesse de nous accorder, le Dr Jochen Meyer (conservateur du département des manuscrits du *Deutsches Literaturarchiv* de Marbach) appela « la correspondance entre Paul Celan et Martin Heidegger », dont il ne subsiste presque aucune trace en dehors de la lettre du 24 novembre 1958 de Celan à Heidegger, et de la copie de la lettre du 30 janvier 1968 du penseur au poète. Il y eut donc bien un échange de lettres entre les deux hommes et Gerhart Baumann évoque également « des lettres du poète qui étaient conservées avec soin [1] » par Heidegger.

Dans le *Katalog der Bibliothek Paul Celans*, il est par exemple spécifié que se trouve, dans l'exemplaire dédicacé du *Gespräch mit Hebel*, l'*enveloppe* d'une lettre de Heidegger qui porte un cachet de la poste de Stuttgart daté du 20 septembre 1956. Actuellement, ni l'enveloppe ni encore moins la lettre ne se trouvent dans le livre consultable à Marbach.

Nous savons également, par Otto Pöggeler, que Celan songea en 1957 à envoyer le poème *Schliere* [*Strie*] à Heidegger, chose qu'il ne fit vraisemblablement pas [2]. Grâce à la lettre du 24 novembre 1958, nous sommes en revanche certains qu'il écrivit à Heidegger pour lui soumettre des poèmes de son ami Klaus Demus. Dans cette lettre, Celan ne veut ajouter aucun commentaire aux poèmes ; il leur laisse suivre leur propre chemin, qui est à la fois le vrai chemin de tout poème : celui de s'adresser à l'autre en se destinant à lui. Ce chemin décisif pour les poèmes les conduit ici à Heidegger – admiré par Klaus Demus, précise Celan, comme pour donner tout son poids à cette décision qu'est une véritable lecture.

1. G. Baumann, *Erinnerungen an Paul Celan*, *op. cit.*, p. 65.

2. Cf. Otto Pöggeler, *Spur des Wortes*, p. 153 et „*Celans Begegnung mit Heidegger*", in : *Zeitmitschrift*, n° 5, p. 124.

„Erlauben Sie mir, bitte, die Gedichte eines Freundes in Ihr Haus zu schicken!

Es sind die Gedichte eines Freundes: ich kann sie, da ich sie den entscheidenden Weg gehen lasse, nicht mit Neben- und Beiwort befrachten. Es sind die Gedichte eines Sie Verehrenden.

In aufrichtiger Dankbarkeit
Ihr
Paul Celan"

[« Permettez-moi, s'il vous plaît, d'envoyer chez vous les poèmes d'un ami.

Ce sont les poèmes d'un ami : je ne peux pas, comme je les laisse suivre leur vrai chemin, les charger de qualificatifs. Ce sont des poèmes de quelqu'un qui vous admire.

En sincère gratitude
Vôtre
Paul Celan »] [1]

Enfin, il confia en 1959 à Walter Georgi qu'il voulait envoyer *Sprachgitter* à Heidegger, ce qu'il fit en 1961 pour le remercier de lui avoir adressé les deux tomes du *Nietzsche* (cf. document 14) dont le poète dit voir quelque chose de „*Meridianhaftes*" [« propre au méridien »] [2] dans un passage. Mais la dédicace de *Sprachgitter* exprime plus qu'un simple remerciement, et elle commence par quatre vers extraits du début du recueil, qui sont aussi le « petit quatrain » que Celan cite lui-même dans *Le Méridien* :

Stimmen *vom Nesselweg her :*	*Voix* venues du chemin d'orties
Komm auf den Händen zu uns.	Viens à nous sur les mains.
Wer mit der Lampe allein ist,	Qui est seul avec la lampe,
hat nur die Hand, draus zu lesen.	n'a que la main pour y lire.

1. Cf. le document 2. C'est Klaus Demus qui, avec son épouse Nani Maier, avait envoyé un exemplaire de *Erläuterungen zu Hölderlins Dichtung* à Celan le 23 novembre 1953.

2. Cf. Paul Celan, lettre du 30 août 1961, citée par O. Pöggeler, *Der Stein hinterm Aug*, p. 182. Le passage auquel songe Celan (GA 6.1, 259) est le commentaire par Heidegger du propos de Zarathoustra (« plus d'un soleil s'était couché pour moi ») dans lequel il est essentiellement question de montagne et d'abîme [*Abgrund*].

Dans *Le Méridien*, le poète fait imprimer en italique le vers central : « *Viens à nous sur les mains* », ce qui indique, dans ce contexte, comme le signale Heidegger en marge de son propre exemplaire du discours, que le vers est à mettre en corrélation avec la phrase extraite du *Lenz* de Büchner également citée dans le discours : « … seulement il lui était parfois désagréable de ne pas pouvoir marcher sur la tête [1] ».

Marcher sur la tête, commente Celan, est le dégagement [*Freisetzung*] de Lenz, du « vrai Lenz », c'est le pas [*Schritt*] grâce auquel il se rencontre lui-même « en tant que personne », en faisant l'expérience de l'abîme de la parole. Celan, lui, à l'image de Lenz, marche aussi avec le ciel en abîme sous ses pieds, mais *sur les mains*. Et c'est là, dit le poète, dans ce « petit quatrain », qu'il s'est lui-même rencontré ; c'est sur ce chemin difficile, ce « chemin de créatures » qu'il s'est « envoyé au-devant de lui-même » – dans ce qu'il nomme, à la manière de Heidegger, un „*Daseinsentwurf*" [« projet d'existence »] –, « à la recherche de lui-même [2] ».

C'est après dix années de lecture des textes de Heidegger, et après avoir prononcé un discours qui est aussi son plus explicite dialogue avec le penseur, que Celan lui adresse ces vers en dédicace. Qu'est-ce à dire ? Que c'est notamment en dialogue avec Heidegger, et au fil d'une explication de fond [*Auseinandersetzung*] avec lui dans le chemin vers la parole – qui est aussi celui de l'existence, du *Dasein* –, qu'il a fait l'expérience de celle-ci pour enfin se dégager jusqu'à lui-même. Et la mention des mains si importantes pour le poète, aussi bien, nous le verrons, quant au rôle qu'elles jouent dans le dialogue avec Heidegger, que dans le contexte conflictuel et pénible de l'affaire Goll qui sévit précisément au moment où Celan rédige la dédicace [3] – cette mention des mains est

1. À la page 14 de son édition du *Méridien* (S. Fischer), et en face de cette phrase du *Lenz*, Heidegger note : »*auf den „Händen kommen*"« [« venir sur les mains »], ainsi qu'un renvoi à la page 21 où se trouve le quatrain. Page 21, en face des quatre vers, Heidegger inscrit un renvoi à la page 14 et à la dédicace que lui adressa le poète dans *Sprachgitter* : »*vgl. P. Celans eigenhändiger Widmung in „Sprachgitter" 1961 (1958)*« [« cf. la dédicace autographe de P. Celan dans *Grille de parole* 1961 (1958) »].

2. *Der Meridian*, TCA, p. 11 ; *Le Méridien & autres proses*, *op. cit.*, p. 82.

3. Sur les tenants et aboutissants de cette affaire, cf. la note que nous lui consacrons dans l'appendice I. Signalons également qu'à l'occasion de la parution de *Sprachgitter*, une recension de Günter Blöcker avait soulevé une polémique de coloration antisémite.

peut-être encore une adresse au penseur et un souvenir de tel ou tel passage que le poète a relevé dans son exemplaire de *Was heißt Denken ?*, celui-ci par exemple : « Seul un être qui parle, c'est-à-dire qui pense, peut avoir une main [1]. » Les mains ne sont pas des pattes, simples organes, mais des « visages sans yeux et sans voix, mais qui voient et qui parlent », comme écrit Henri Focillon dans son bel éloge [2].

C'est là, dans ces quelques vers qu'il adresse aussi à Heidegger, que Celan vient enfin jusqu'à lui-même, sur les mains – parce que avoir des mains, marcher sur les mains n'est possible que si est faite l'expérience proprement abyssale de la parole et de sa limpidité regagnée dans une rencontre de soi à partir du « lieu de la poésie ». Les paumes ouvertes à même la terre, les mains nous portent dans l'abîme. – Il y a chez Celan toute une verticalité du poème dans le rapport à la parole qui fait *tenir* l'humain en son instantialité.

Devant l'absence relative de documents, nous ne pouvons savoir quelle fut exactement l'ampleur de l'échange de lettres entre les deux hommes, ni quand il commença. Mais il faut encore préciser que, dans le cahier de travail (II, 12. *Notes de lecture sur Martin Heidegger et Rudolf Borchardt*) datant de fin septembre à mi-octobre 1954, se trouve déjà une esquisse de lettre à Heidegger :

„An Martin Heidegger
dieser schüchterne Gruß aus einer wunschdurchklungenen,
wunschbeseelten Nachbarschaft

vom Meer her
diese~~r~~s ~~Gruß~~ Zeichen der Verehrung
aus einer kleinen fernen
wunschdurchklungnen
Nachbarschaft

Herrn Martin Heidegger
dem Denk-Herrn
auf dem Weg über die Engelsbucht"

1. Martin Heidegger, *Was heißt Denken ?*, p. 51 ; *Qu'appelle-t-on penser ?*, p. 90.
2. Henri Focillon, « Éloge de la main », in : *Vie des formes*, Paris, PUF, « Quadrige », 1993, p. 103.

[« À Martin Heidegger
ce timide salut, mis en résonance par le souhait,
animé par le souhait d'un voisinage

depuis la mer
ce ~~salut~~ signe d'admiration
mis en résonance par le souhait
d'un modeste voisinage dans le lointain

À Martin Heidegger
le maître-penseur

en chemin au-dessus de la baie des anges »]

Au moment où il rédige cette esquisse, Celan est au bord de la mer, à La Ciotat, où il lit en l'espace d'à peine un mois et demi *Was heißt Denken ?*, *Einführung in die Metaphysik* et très probablement aussi : *Erläuterungen zu Hölderlins Dichtung* [1]. Comme en témoigne le jeu de mots sur *Denker* [penseur] et *Denk-Herr* ["maître", mais sans hiérarchie, au sens simplement d'aîné de la pensée – Heidegger avait trente ans de plus que le poète et sa notoriété mondiale était déjà considérable], Celan est à cette époque manifestement impressionné par sa lecture de Heidegger. D'où le ton général de l'esquisse qui parle d'un « timide salut » et d'un « modeste voisinage dans le lointain » – ce qui ne signifie pas dans l'éloignement, mais dans « le lointain » [*Ferne*] [2] qu'est la provenance de la parole ; c'est le lointain à partir duquel le poète lui-même se rencontre (*Le Méridien*, § 27) et sur lequel il essaie de tenir le cap (*Le Méridien*, § 43).

1. De ce séjour à La Ciotat, datent les poèmes suivants de *Von Schwelle zu Schwelle* : „*Auch heute Abend*“, „*Die Halde*“, „*Andenken*“, „*Schibboleth*“, et „*Mit zeitroten Lippen*“. Le poème „*Bretonischer Strand*“ a été, lui, commencé en Bretagne une quinzaine de jours auparavant, mais vraisemblablement achevé à La Ciotat ; son esquisse figure dans le cahier de notes relatif à Heidegger (II, 12) – cf. *Von Schwelle zu Schwelle*, TCA, pp. 34-35 et 126.

2. À propos de *Ferne*, Celan a souligné les deux passages suivants dans la conférence sur *La chose* de Heidegger (GA 7, 167) : „*Kleine Entfernung ist nicht schon Nähe. Große Entfernung ist noch nicht Ferne*“ [« Petit éloignement n'est pas déjà proximité. Grand éloignement n'est pas encore lointain »] ; et (GA 7, 179) : „*Nähern ist das Wesen der Nähe. Nähe nähert das Ferne und zwar als das Ferne. Nähe wahrt die Ferne.*“ [« Faire approcher est l'aître de la proximité. La proximité fait approcher le lointain, à savoir : en tant que lointain. La proximité prend le lointain en garde. »]

Ce lointain est essentiel ; il nomme le site à partir duquel poésie et pensée ont leur commune appartenance pour un possible voisinage, bien qu'elles-mêmes, a souligné Celan dans *Einführung in die Metaphysik* [1], ne soient pas identiques [*gleich*].

Ce qui importe cependant, ce n'est pas le fait que Celan semble impressionné, mais le *souhait* qu'il manifeste de s'engager avec Heidegger, à partir du lointain de la parole, dans le dialogue de la poésie et de la pensée. Qu'il y ait la possibilité du souhait, cela indique que Celan est déjà en chemin au sein même du voisinage – il n'est pas élève.

Dans sa forme optative, cette esquisse donne le ton fondamental et le cadre des rapports entre Celan et Heidegger tels qu'ils dureront jusqu'à la mort du poète, et ce, malgré les incessantes – et même croissantes – oscillations de ce dernier à partir des années 1960.

Celan n'oubliera jamais la faute de Heidegger, mais en même temps, lorsqu'il demande, en 1957, à Otto Pöggeler qui en Allemagne serait ouvert à ses poèmes, c'est implicitement à Heidegger et à Ludwig von Ficker qu'il pense [2] – comme si c'était pour lui une évidence. Et c'est cette même évidence qui lui fait envoyer, comme nous avons pu le lire, des poèmes de Klaus Demus au penseur en qui il voit manifestement un interlocuteur privilégié pour les questions de poésie.

1. À la page 20 (= GA 40, 28) ; *Introduction à la métaphysique*, p. 38.

2. Otto Pöggeler : „*Celans Begegnung mit Heidegger*", in : *Zeitmitschrift*, n° 5, *op. cit.*, p. 123.

Lecture et appropriation

> *Mais loin de dégénérer jamais en conflit et en polémique, l'explication de fond est une* lutte. *Ceux qu'elle met aux prises visent le même, ils s'engagent l'un pour l'autre dans le même questionnement. La lutte est d'autant plus essentielle que la question posée tient davantage à cœur et n'en est que plus simple.*
>
> Martin Heidegger [1]

De 1951 à 1967, les rapports ne sont pas encore réellement personnels, bien que des lettres, avons-nous vu, aient été échangées et que dans la seconde moitié des années 1950, Heidegger se soit occupé de faire obtenir un poste au poète à la *Hochschule für Gestaltung* à Ulm [2]. Ce dernier projet n'a pas abouti, car Celan était dans tous les cas très méfiant par rapport aux institutions allemandes, et cette méfiance se manifestera de nouveau en 1969 lorsque G. Baumann l'invitera à venir occuper un poste à l'université de Fribourg, même si le poète semblait alors réellement intéressé.

Entre le poète et le penseur, tout se passe d'abord essentielle-

1. Martin Heidegger, *Hegel und das Problem der Metaphysik*, trad. François Vezin in : *La fête de la pensée. Hommage à François Fédier*, Paris, Lettrage Distribution, p. 17 : „*Echte Auseinandersetzung aber ist nie Streit oder Polemik, sondern* Kampf, *d.h. Miteinanderringen um Dasselbe, Sichfüreinandereinsetzen für dasselbe Fragen. Der Kampf wird um so wesentlicher, je wurzelhafter und damit je einfacher die gefragte Frage ist.*"
2. Cf. O. Pöggeler, *Der Stein hinterm Aug*, *op. cit.*, pp. 161 et 176.

ment dans une mutuelle lecture. De la lecture de Heidegger, il ne reste aucun témoignage direct suffisamment précis, et les exemplaires de Celan lui ayant appartenu que nous avons pu retrouver ne comportent presque aucune annotation, exception faite du *Méridien*[1] ; du côté de Celan, en revanche, il y a d'une part les nombreuses marques de lecture dans ses ouvrages de Heidegger et d'autre part ses textes mêmes.

En ce qui concerne les ouvrages de Heidegger que possédait Celan, l'intérêt de leur consultation ne réside pas, à notre sens, dans l'apport direct que cette consultation pourrait représenter pour l'interprétation de tel ou tel poème. Et c'est principalement sur ce point que nous divergeons par rapport à l'approche de Robert André qui aborde la question du lien de Celan avec Heidegger à partir de « la corrélation spécifique entre les deux hommes par rapport à la poésie de Hölderlin[2] ».

La consultation de ces ouvrages permet d'abord de mesurer l'ampleur du travail fourni par le poète et d'en dater souvent assez précisément les étapes. Elle permet en outre de dégager – au moins à partir des soulignements et des annotations – les grands thèmes qui ont retenu l'attention de Celan. Ces thèmes sont nombreux et nous ne pouvons que les énumérer brièvement : la parole [*Sprache*] en lien avec tous les champs de réflexion qu'elle ouvre ; la poésie, la pensée et leurs rapports ; la mémoire (*Gedächtnis* ou *Andenken* et leur développement en rapport, d'une part, avec *danken*, et avec Mnémosyne d'autre part) ; le rien ou néent [*Nichts*] ; la mort et l'être à même de mourir ; l'eksistence (et tous ses développements à partir du verbe *stehen*) ; la main et le *Handwerk* [métier] ; le sens originel de λόγος comme *Sammlung* [mise ensemble, recueillement] et l'interrogation sur la logique (en rapport notamment avec le déploiement de la métaphysique) ; le nihilisme ; l'oubli de l'être [*Seinsvergessenheit*], l'abandonnement de l'être [*Seinsverlassenheit*] et leur lien avec la technique moderne ; la science et notamment son visage et son rôle

1. Sur les exemplaires de Celan que possédait Heidegger et les annotations du penseur dans *Le Méridien*, cf. le document 14.

2. Cf. Robert André, *Gespräche von Text zu Text. Celan – Heidegger – Hölderlin*, Hamburg, Meiner, 2001, p. 7. Cette étude a pour mérite de traiter la question de façon non polémique (« de texte à texte » dit le titre), et de s'appuyer pour la première fois sur des documents conservés dans le fonds posthume Celan au *Deutsches Literaturarchiv* de Marbach et demeurés jusque-là inexploités.

à l'ère atomique (en liaison également avec la question de la technique). À ces thèmes, il faut ajouter quelques termes auxquels Heidegger donne une frappe singulière : *Wahrnis*, *Geschehnis*, *Ereignis*, *Brauch*, *Bild*, *Ferne*, *dunkel*, et des auteurs qui retiennent chaque fois l'attention du poète : Hölderlin, Nietzsche, Leibniz.

Tel est, après consultation de l'ensemble des ouvrages lus par le poète, le résumé des thèmes qu'il a systématiquement relevés – mais cette rapide énumération ne peut et ne prétend pas rendre compte de la lecture détaillée qui fut celle du poète. Elle n'a de sens qu'à titre simplement indicatif.

Quant aux "traces" dans l'œuvre même de Celan, c'est essentiellement dans les textes "théoriques" qu'on les trouve : le *Discours de Brême*, l'entretien radiophonique sur *La poésie d'Ossip Mandelstam*, *Le Méridien* surtout, et même les dernières lignes de l'allocution prononcée en 1969 devant l'Union des écrivains hébraïques [1], ainsi que dans plusieurs lettres importantes. Mais certains poèmes également, ou encore la façon dont Celan concevait son activité de traducteur [2], témoignent çà et là de l'intérêt que portait Celan aux textes de Heidegger, et on peut avancer, en un sens, avec Philippe Lacoue-Labarthe que « la *poésie* de Celan est tout entière un dialogue avec la *pensée* de Heidegger [3] ».

Elle n'est toutefois pas exclusivement cela et, chez Celan, ce dialogue – c'est ce qui en fait l'originalité et la richesse –, non seulement ne se laisse pas isoler dans tel ou tel poème (*Todtnauberg* mis à part), mais se mêle à d'autres dialogues non moins essentiels, à savoir au dialogue avec sa propre tradition juive, à celui avec la poésie allemande (Hölderlin, Rilke, Trakl et Benn avant tout) et à celui avec la poésie russe (Mandelstam en premier lieu).

---

1. Paul Celan, GW III, 203 ; *Le Méridien & autres proses*, *op. cit.*, pp. 85-86. Dans une langue qui porte la signature de Heidegger, Celan parle de la „*gelassen-zuversichtlichen Entschlossenheit, sich im Menschlichen zu behaupten*" [« la résolution sereinement confiante de persévérer dans l'humain »].

2. Cf. les lettres à Peter Schifferli (1er mai 1954), à Werner Weber (26 mars 1960) et à Fritz Arnold (27 novembre 1961) dans lesquelles Celan cite Heidegger pour expliciter la façon dont il pense la traduction (par exemple : „*Warten auf den Zuspruch der Sprache*" – « tendre vers ce qui nous parle en nous étant adressé par la parole, et l'attendre »). Ces lettres ou extraits de lettre sont reproduits dans »*Fremde Nähe*«. *Celan als Übersetzer* (Katalog), Marbach, hrsg. v. Ulrich Ott u. Friedrich Pfäfflin, 1997, respectivement p. 146, pp. 398 et 472.

3. Philippe Lacoue-Labarthe, *La poésie comme expérience*, Paris, Christian Bourgois, 1986, p. 50 – cf. aussi *ibid.*, p. 150.

« Peut-être suis-je un des derniers qui doivent vivre jusqu'à son terme le destin de la spiritualité juive en Europe », écrivait-il dès 1948 [1]. Celan est à la croisée de plusieurs chemins : « Béni de Bach et de Hölderlin – béni des Hassidim », lui écrivit un jour son amie Nelly Sachs [2].

D'une manière tout autre que celle de Hölderlin, et même de Mandelstam, la poésie de Celan, dans sa portée historiale, et à partir de cette patrie qu'est pour lui l'étranger [3], permet aussi de frayer de nouvelles voies pour ouvrir un rapport entre l'Orient et l'Occident à la croisée desquels se situe la Bucovine. Dès 1952, on pouvait lire dans le premier grand recueil du poète, *Mohn und Gedächtnis* :

> *„Er weiß ein französisches Lied von der Liebe, das sang ich im Herbst,*
> *als ich weilte auf Reisen in Spätland und Briefe schrieb an den Morgen."*

> [« Il connaît une chanson d'amour française, je la chantais à l'automne,
> tandis que je séjournais en voyage dans le tard-pays, et que j'écrivais des lettres au matin [4]. »]

Le dialogue avec Heidegger, qui a lui aussi travaillé à repenser les rapports entre l'Orient et le « pays du soir » [*Abend-Land*], est également à considérer dans cet horizon. Et dans son exemplaire de *Holzwege*, à la fin du texte sur *La parole d'Anaximandre*, Celan souligne à plusieurs reprises cette phrase décisive de Heidegger :

1. Cité par J. Felstiner, *op. cit.*, p. 57 ; songeons également à quelques lignes que Celan écrivit en français le 17 septembre 1969 (c'est-à-dire à peine quinze jours avant son séjour en Israël) et qui précèdent la première version du poème « Une étoile », ultérieurement publié dans *Zeitgehöft* : « Mon judaïsme : ce que je / reconnais encore dans / les débris de mon existence » (cité in : *Correspondance II*, p. 590). Cf. aussi, à partir de l'angle intéressant de la traduction et du rapport à l'hébreu, le texte de J. Felstiner « Langue maternelle, langue éternelle. La présence de l'hébreu », in : *Contre-jour. Études sur Paul Celan*, colloque de Cerisy édité par Martine Broda, Paris, éditions du Cerf, 1986, pp. 65-84.

2. P. Celan / N. Sachs, *Briefwechsel*, hrsg. von Barbara Wiedemann, Frankfurt am Main, Suhrkamp Taschenbuch, 1996, p. 25 ; *Correspondance*, trad. Mireille Gansel, Paris, Belin, 1999, p. 21.

3. Cf. „*die Fremde der Heimat*" [« l'étranger de la patrie »], in : « Schibboleth », *Von Schwelle zu Schwelle*, GW I, 131 ; *De seuil en seuil*, *op. cit.*, p. 97.

4. „*Nachtstrahl*", in : *Mohn und Gedächtnis*, GW I, 31 ; « Rayon de nuit », in : *Pavot et mémoire*, *op. cit.*, p. 63.

„In welche Sprache setzt das Abend-Land über?“

– qu'il faudrait se risquer à traduire : « En quelle langue l'Occident, le pays du soir, se traduit-il de sorte qu'un passage [*Übergang*] soit possible [1] ? »

Mais qu'il s'agisse, précisément, d'un *dialogue* avec le penseur, cela signifie qu'il est très insuffisant, voire inepte, de se livrer à une recherche de la simple influence qu'il a pu avoir sur le poète. Celan n'est en aucune façon un épigone de Heidegger. Dialogue, cela veut dire que Celan, à partir de sa propre provenance – il est *juif* et *poète* – a traversé de part en part la pensée de Heidegger pour s'y confronter, c'est-à-dire s'y ouvrir mais aussi engager une explication ; il s'explique avec elle, parfois, jusqu'à l'inspiration. Et cette explication, aussi bien que cette inspiration, impliquent qu'il n'y a en fait pas, à proprement parler, de *trace* de Heidegger dans les poèmes de Celan : la lecture du poète est chaque fois une *réappropriation.* Et même dans les textes où il arrive à Celan de parler la langue de Heidegger (principalement dans *Le Méridien*), il garde sa pleine originalité.

Entre le poète et le penseur a bien eu lieu ce que Heidegger nomme, dans un passage souligné par Celan, « une reconnaissance [*Anerkennen*] » qui, poursuit-il, « n'est pas encore un assentiment, mais bien plutôt la présupposition pour toute *Auseinandersetzung* [2] ».

---

1. Martin Heidegger, *Holzwege*, GA 5, 371 ; *CHEMINS qui ne mènent nulle part*, trad. Wolfgang Brokmeier, Paris, Gallimard, 1962, p. 448.

2. Martin Heidegger, *Was heißt Denken ?*, p. 75 ; trad. cit., p. 122. *Auseinandersetzung* signifie littéralement : une manière de se placer l'un par rapport à l'autre, ce qui n'est possible qu'en engageant une réelle explication de fond, et qui suppose la reconnaissance mutuelle d'un horizon commun.

Le poème comme projet d'existence

Un et infini,
anéanti,
devenir je.

Paul Celan [1]

Il est toutefois égarant de ramener cette « explication de fond » aussi intense que complexe à une opposition trop facile, comme on peut le lire parfois (chez Lévinas notamment [2]), entre la dimension dialogique et éthique de la parole chez Celan et le prétendu monologue impersonnel heideggerien. Toute vraie appropriation se fait en dehors de la dimension polémique – et en ce sens aussi peu poétique que philosophique – du pour et du contre.

Cette fausse opposition repose en réalité sur une compréhension insuffisante de la signification du dialogue dans la poésie de Celan et sur une lecture aussi courante qu'erronée de la pensée de Heidegger à propos du sujet et de l'altérité.

Si Heidegger prend bel et bien ses distances avec la notion de sujet, ce n'est pas aux dépens de l'homme lui-même, mais parce que

1. „*Eins und Unendlich, / vernichtet, / ichten*" : Paul Celan, „*EINMAL*" in : *Atemwende*; « UNE FOIS », in : *Renverse du souffle*, trad. Jean-Pierre Lefebvre, Paris, Seuil, « La Librairie du XXIe siècle », 2003, p. 125 ; cf. aussi la traduction d'André du Bouchet, in : Paul Celan, *Poèmes*, Paris, Mercure de France, 1986, p. 25.

2. Emmanuel Lévinas, « Paul Celan. De l'être à l'autre », in : *Noms propres*, Paris, Le Livre de Poche, 1987, pp. 49-56.

la conception métaphysique de la subjectivité n'est pas à la hauteur de ce qu'est véritablement l'être humain. Dans un de ses exemplaires de la *Lettre sur l'humanisme*, Celan souligne un passage où le penseur s'explique par rapport à la subjectivité et à l'humanisme qui en découle :

> »*Freilich beruht die Wesenshoheit des Menschen nicht darin, daß er die Substanz des Seienden als dessen „Subjekt" ist, um als der Machthaber des Seins das Seiendsein des Seienden in der allzu laut gerühmten „Objektivität" zergehen zu lassen.*«

> [« En effet, ce qu'a de grand l'être humain en son aître ne repose pas dans le fait d'être le "sujet" de l'étant dont il est la substance, afin de, en tant que maître et possesseur de l'être, faire se dissoudre l'être-étant de l'étant dans la trop fameuse "objectivité" [1]. »]

Allant dans la même direction que le penseur, Celan écrit dans une note :

> „*Ganzheit des Subjekts = nicht der ganze Mensch*"

> [« Totalité du sujet = pas l'homme en entier [2] »]

La détermination de l'homme comme sujet n'est pas une détermination de l'homme en entier; quelque chose échappe à cette détermination, qui est peut-être précisément la grandeur de l'être humain, à savoir : la possibilité strictement humaine d'être singulièrement ouvert à l'entente de l'être. C'est pourquoi Heidegger donne à l'être humain un "nom propre" : *Dasein* (être le là où a lieu le rapport à l'être). Mais en un sens, *Dasein* c'est aussi le "sujet" pensé à fond, dans la mesure où il n'y a d'entente véritable de l'être qu'à partir de l'expérience chaque fois singulière d'être soi-même [*Selbstsein*]. Être soi-même, cependant, insiste Heidegger, ne coïncide pas avec être un je, c'est-à-dire, comme chez Husserl par exemple, être un pôle égoïque qui vise et constitue lui-même les choses et les autres *à partir de la sphère close de la conscience*. Être soi-même est une expérience antérieure à celle du je et à celle de la

1. Martin Heidegger, GA 9, 330 ; trad. cit., pp. 75 sq.
2. *Der Meridian*, TCA, n° 895, p. 205. Dans la note n° 893, le poète s'interroge : „*Selbstaufhebung des Subjekts = möglich in der Dichtung ???*" [« Dépassement de soi du sujet = possible dans la poésie ??? »]

conscience, et c'est une expérience qui, à la différence de celle du sujet conscient qui se jette de lui-même et à lui-même des ob-jets, se voit, par la faveur de l'être, ouverte hors d'elle-même, à l'être, aux autres et aux choses. « Nous sommes loin au-dehors [*weit draußen*] », écrit Celan dans *Le Méridien*, en écho à un passage qu'il a souligné dans *Sein und Zeit* : « … comme être-au-monde ententif, il [*Dasein*] est déjà "au-dehors"[1] ».

Être soi-même enfin, ce n'est pas expérimenter sa propre puissance subjective ; c'est avant tout faire l'épreuve de la finitude (*Kreatürlichkeit*, dirait le poète) en persistant à être ce que l'on a librement à être.

Pour Celan comme pour Heidegger, le sujet de la subjectivité métaphysique est une manière de saisir l'homme dans une détermination généralisante et de l'enfermer dans sa propre puissance. « Dire sujet, c'est énoncer une sorte d'esclavage, un concept. Nul être, même humain, n'a le sentiment d'être sujet », écrivait María Zambrano[2].

Il n'y a par conséquent aucune "impersonnalisation" de l'homme chez Heidegger, mais une pensée radicale du soi-même comme dialogue [*Gespräch*] – soi-même qui s'ouvre *cooriginalement*, dit le penseur, au tout Autre qu'"est" l'être dans ce que Celan appellerait une „*Selbstbegegnung*" [« rencontre de soi-même »], *et* à tous les autres que sont les autres êtres humains dans ce que Heidegger nomme le souci mutuel [*Fürsorge*] ou l'accompagnement [*Mitgehen*]. Sur ce que Heidegger appelle *Miterschlossenheit* [ouvertude-ensemble] – c'est-à-dire la dimension d'ouvertude commune qui s'ouvre dans la rencontre[3] de soi-même avec les autres –, Celan ne s'est d'ailleurs pas mépris, et l'étude des notes préparatoires du *Méridien* permet de voir l'importance que joue la pensée du *Dasein* dans l'élaboration celanienne du rapport entre le je du poète et ce qui est autre.

Nous avons déjà vu comment Celan articulait la singularité la plus radicale et la mise en commun dans une rencontre de l'autre.

1. Martin Heidegger, *Sein und Zeit*, p. 162 : »… *weil es* [*Dasein*] *als In-der-Welt-sein verstehend schon „draußen" ist*«.

2. María Zambrano, *Apophtegmes*, trad. Gónzalo Flores, Paris, José Corti, 2002, p. 153.

3. Heidegger est bien par excellence le phénoménologue de la rencontre, à la différence de Husserl qui s'en tient à une phénoménologie constituante du *donné*.

Pour la conception traditionnelle de la subjectivité, cette situation est impossible et Celan en est tout à fait averti ; il a en effet lu avec beaucoup d'attention le texte *Die Zeit des Weltbildes* dans lequel Heidegger analyse la dualité moderne du rapport sujet/objet à partir de laquelle l'homme s'institue lui-même comme seule mesure certaine de toute objectivité, et il tend dans ses poèmes à supprimer ce rapport dans lequel l'objet est *a priori* conditionné par le sujet. Il note ainsi à propos du poème :

> „*Es geht um die Aufhebung einer Dualität; mit dem Ich des Gedichts ist auch das Du gesetzt; es geht um solches ~~Einssein~~ In-eins-sehen;*"

> [« Il y va du dépassement d'une dualité ; avec le je du poème est aussi posé le toi ; il y va d'un ~~être-un~~ voir-en-un de cette sorte[1] ; »]

Dans le poème „*Einmal*", ce dépassement apparaît comme un anéantissement (*vernichten*) du *je* traditionnel, vers un vrai *je* en devenir (*ichten*), un *je* ouvert qui se déploie cooriginalement dans la rencontre d'un toi – ce qui n'est pas l'affirmation d'une subjectivité au sens classique[2]. Pendant la discussion qui eut lieu au chalet de Todtnauberg, après la promenade lors de la rencontre du 25 juillet 1967, Celan parlera justement avec le penseur de ce dépassement [*Aufheben*] de la subjectivité qui se produit dans le poème[3].

Il n'est donc en rien étonnant de voir Celan qualifier ce dépassement, c'est-à-dire le mouvement de rencontre du je et du tu qui a lieu dans le poème, à l'aide d'une tournure de Heidegger qui n'a elle-même plus rien à voir avec la subjectivité traditionnelle : *Daseinsentwurf* – un mot que le poète emploie dans *Le Méridien* et dans de nombreuses notes préparatoires. Dans la note n° 350, par exemple, où Celan se démarque de la subjectivité de la conscience :

> „*Gedichte sind Daseinsentwürfe – nicht bewußte, sondern zwischen Bewußtlos und Bewußt zustandekommende Entwürfe.*"

1. Paul Celan, *Der Meridian*, TCA, n°546, p. 152.
2. Cf. sur ce point : Henri Meschonnic, *Pour la poétique II. Épistémologie de l'écriture et de la traduction*, Paris, Gallimard, 1973, pp. 374-375 et 387.
3. C'est ce que rapporte un des témoins de l'entretien, Silvio Vietta – cf. H.-G. Gadamer und S. Vietta, *Im Gespräch*, München, W. Fink Verlag, 2002, p. 82.

[« Les poèmes sont des projets d'existence – des projets non pas conscients, mais plutôt se réalisant entre absence de conscience et conscience. »]

Et dans la note n° 490 :

»Im Gedicht wird etwas gesagt, doch faktisch so, daß das Gesagte so lange ungesagt bleibt, als derjenige, der es liest, es sich nicht gesagt sein läßt. Mit anderen Worten: das Gedicht ist nicht aktuell, sondern aktualisierbar. Das ist, auch zeitlich, die „Besetzbarkeit" des Gedichts: das Du, an das es gerichtet ist, ist ihm mitgegeben auf den Weg zu diesem Du. Das Du ist, noch ehe es gekommen ist, da. (Auch das ist Daseinsentwurf.)«

[« Dans le poème quelque chose est dit, et même dit factivement, de sorte que ce qui est dit demeure non dit aussi longtemps que celui qui lit ne se le laisse pas dire. En d'autres termes : le poème n'est pas actuel, mais bien plutôt actualisable. C'est, y compris temporellement, la disponibilité [l'"y-pouvoir-prendre-place"] du poème : le toi vers lequel il est dirigé lui est déjà donné et l'accompagne sur le chemin vers ce toi. Le toi est, avant même qu'il ne soit venu, là. (Cela aussi est projet d'existence.) »]

Cette situation que décrit Celan peut s'expliciter en partie à l'aide de la pensée de Heidegger dont elle porte assez nettement la marque, jusque dans sa terminologie (ce sont tous les acquis majeurs de l'analytique existentiale de *Être et temps* qui sont convoqués dans ces quelques lignes) : le poème est factif en ceci qu'il n'est pas un étant là-devant ; le poème est à faire être : ce qui est dit [1] a à être chaque fois éprouvé par chacun et n'*est* que dans cette expérience singulière où un être humain en vient à se laisser être soi-même le là du poème. Telle est aussi sa temporellité : en tant qu'esquisse projective du *Dasein* [*Daseinsentwurf*], il est pure possibilité, c'est-à-dire chaque fois *à venir* [2]. Et dans la mesure où le *Dasein* est toujours *cooriginal*-

1. Celan parle bien de *das Gesagte*, que Heidegger distingue, dans un passage que le poète a souligné, de « ce dont on parle » (*das Geredete*) – cf. *Was heißt Denken ?*, p. 75 ; trad. cit., p. 122. Sans cette distinction, ce qu'expose Celan ne peut pas avoir de sens : ce dont on parle, en effet, est toujours actuel.

2. Sur la première page de son exemplaire du *Méridien*, Heidegger a d'ailleurs noté : *„die Zeitlichkeit des Gedichts S. 16 ff"* [« la temporellité du poème p. 16 sq. »]. Il s'agit d'un renvoi au passage du discours où Celan aborde le problème de la date et du mode temporel du poème : *„aus seinem Schon-nicht-mehr in sein Immer-noch-zurück"* [« à partir de son déjà-plus dans son toujours-encore-à-nouveau »]. Heidegger a également inscrit une croix en face de cette tournure qui indique comment, en s'adressant à un autre à venir, le poème factivement "est" : chaque fois à nouveau.

lement être-soi-même *et* être-ensemble, le toi auquel s'adresse le poème lui est toujours déjà donné, même si personne n'est effectivement là. Ce que Heidegger nomme l'ouvertude cooriginale du soi-même et des autres, Celan le repense dans le poème comme „*Besetzbarkeit*" : la possibilité, toujours ouverte au sein du poème, qu'un toi y ait sa place. C'est ce qu'il désigne ailleurs grâce à l'image de la « poignée de main ». Or une variante de cette célèbre phrase de la lettre du 18 mai 1960 à Hans Bender dit en toute clarté :

> „*Dichten als Daseinsweise führt letzten Endes dazu, zwischen Gedicht und Händedruck keinen prinzipiellen Unterschied zu erblicken –*"
>
> [« Dire en poème, en tant que manière d'être-le-là, conduit en définitive à ne voir aucune différence de principe entre un poème et une poignée de main [1]. »]

Dans *Le Méridien*, Celan parlera encore de « la proximité d'un ouvert » dont est en quête le poème, ce non-lieu précisément (l'„*U-topie*") qui correspond chez Heidegger à la dimension de la *Lichtung* [allégie] dont le nom n'est autre que le *Da* de *Dasein*. Dans une note préparatoire, enfin, il faisait mention du „*dialektischer Sprung ins Dasein*" [« le saut dialectique dans être-le-là »] [2] – le saut est « dialectique » parce qu'il dépasse l'opposition sujet/objet.

Ces passages posent des problèmes délicats de traduction (pour *Dasein* et *Daseinsentwurf* en particulier), car Celan, au milieu d'une réflexion qui lui est propre, suit néanmoins de très près la lettre des textes de Heidegger. Ce même problème se représente lorsque Celan expose, dans une lettre à Werner Weber, ce qu'il entend par "éthique" :

> »*Sprache, zumal im Gedicht, ist Ethos – Ethos als schicksalhafter Wahrheitsentwurf. (Und wenn es nur diese – gewiß nicht einer kleinräumigen „Subjektivität" zuzuschreibende – Erfahrung gäbe: daß man der*

1. Paul Celan, *Der Meridian*, TCA, n° 437, p. 134. Ne connaissant cette phrase que dans la version adressée à Hans Bender (« Je ne vois aucune différence de principe entre une poignée de main et un poème »), Lévinas pensait pouvoir faire de cette poignée de main le cœur d'une prétendue opposition de Celan envers Heidegger (cf. *Noms propres*, p. 49 sq.) Un examen un peu plus sérieux de tout le travail du poète nous apprend à l'inverse que c'est précisément parce que la poésie de Celan se situe dans l'horizon de pensée du *Dasein* qu'elle peut s'identifier à une poignée de main.

2. Paul Celan, *Der Meridian*, TCA, n° 549, p. 152.

Wahrheit des Gedichts nachleben *muß, – wenn es nur diese Erfahrung gäbe (und es gibt sie!), sie könnte genügen. Aber wieviele sind es denn heute, die solche Aspekte des Dichterischen überhaupt wahrnehmen?*«

[« La parole, et tout particulièrement dans le poème, est ethos – ethos en tant que projection destinale de la vérité. (Et s'il n'y avait que cette expérience – bien entendu pas une expérience à mettre au compte d'une petite "subjectivité" à l'étroit –, à savoir : devoir *revivre* la vérité du poème – s'il n'y avait que cette expérience (et elle existe bien !), cela pourrait suffire. Mais combien sont-ils donc ceux qui aujourd'hui au moins perçoivent ces aspects du poétique [1] ? »]

Celan n'est ici assurément pas très éloigné du passage de la *Lettre sur l'humanisme* dans lequel Heidegger repense en sa primordiale originalité, et à rebours également de toute « petite "subjectivité" à l'étroit », l'éthique depuis sa provenance grecque :

„*Soll nun gemäß der Grundbedeutung des Wortes ἦθος der Name Ethik dies sagen, daß sie den Aufenthalt des Menschen bedenkt, dann ist dasjenige Denken, das die Wahrheit des Seins als das anfängliche Element des Menschen als eines eksistierenden denkt, in sich schon die ursprüngliche Ethik.*"

[« Si donc, conformément à la signification fondamentale du mot ἦθος, l'appellation éthique doit dire qu'elle pense le séjour de l'être humain, alors la pensée qui pense la vérité de l'être comme élément initial de l'être humain en tant qu'eksistant, cette pensée est déjà en elle-même l'éthique dans la primeur de son originalité [2]. »]

Celan, comme Heidegger, a libéré l'éthique du résidu métaphysico-humaniste qui empêche de donner au séjour humain toute son ampleur. L'un et l'autre ont pris la parole au sérieux pour en faire l'assise réelle de toute humanité et ainsi retrouver la hauteur véritablement "éthique" de l'habitation poétique de l'homme sur terre. C'est la parole elle-même qui est *ethos*, dit Celan, dans la mesure où elle est l'élément du rapport de l'être humain à la vérité qui peut seule et *comme telle* – et non à travers le prisme ontique et moral du bien et du mal – donner son site à une éthique.

1. Paul Celan, lettre à Werner Weber du 26 mars 1960, in : *»Fremde Nähe«, op. cit.*, p. 398.
2. Martin Heidegger, GA 9, 356 ; trad. cit., p. 151.

Dialogue et monologue

Venant à être à partir de la parole, le poème fait face à la parole. Ce face à face est indépassable.

Paul Celan [1]

L'opposition du dialogue (Celan) et du monologue (Heidegger) n'a de sens que si on ne quitte pas l'horizon de la subjectivité métaphysique vis-à-vis duquel le poète et le penseur ont tous les deux pris leurs distances ; et cette libération du sujet a d'importantes conséquences par rapport à la parole elle-même, de sorte que monologue et dialogue pourraient bien ne pas s'opposer, mais tout au contraire, s'entre-appartenir.

Rien n'est donc plus hasardeux que de faire du poète un adversaire du penseur sur ce point, et s'il y a chez Celan une opposition à une conception de la parole comme monologue, c'est en rapport aux thèses que développe Gottfried Benn dans ce que Heidegger nommait, lui, l'« étrange conférence "Problèmes de la Lyrique" [2] ». Dans cette conférence à laquelle Celan répond point par point dans *Le Méridien*, Benn déclare en effet :

1. *Der Meridian*, TCA, n°240, p. 104 : *„Aus der Sprache hervortretend, tritt das Gedicht der Sprache gegenüber. Dieses Gegenüber ist unaufhebbar.“*

2. Martin Heidegger, *Unterwegs zur Sprache*, GA 12, 195 ; *Acheminement vers la parole*, *op. cit.*, p. 192. Dans la lettre à Hannah Arendt du 2 octobre 1951, Heidegger écrit également : « J'avoue par ailleurs que Gottfried Benn commence à me décevoir. »

> *„Alles möchte dichten das moderne Gedicht, dessen monologischen Zug außer Zweifel ist.“*
>
> [« Tout le monde voudrait être le poète de ce poème moderne dont le trait monologique est hors de doute [1]. »]

Il faut, en outre, être d'autant plus prudent qu'il n'est pas sûr que Celan ait lu *Acheminement vers la parole* (son exemplaire ne comporte aucun soulignement – ce qui n'est pas non plus la preuve certaine d'une absence de lecture) où apparaît, chez Heidegger, la notion de monologue à partir d'une réflexion inspirée par ce propos de Novalis :

> *„Gerade das Eigentümliche der Sprache, daß sie sich bloß um sich selbst bekümmert, weiß keiner.“*
>
> [« Précisément, ce que la parole a de propre, à savoir qu'elle ne se soucie que d'elle-même, personne ne le sait [2]. »]

Approchant du terme de sa méditation, Heidegger précise que le fait que la parole ne se soucie que d'elle-même n'implique pas du tout une sorte de « solipsisme égoïste [3] » – et le penseur d'ajouter :

> *„Als die Sage ist das Sprachwesen das ereignende Zeigen, das gerade von sich absieht, um so das Gezeigte in das Eigene seines Erscheinens zu befreien.“*
>
> [« En tant que Dite, le déploiement de la parole en son aître est la monstration qui approprie à l'avenance, monstration qui justement *détourne le regard de soi* afin de pouvoir ainsi *libérer* ce qui est montré dans le propre de son apparition [4]. »]

Ce que Heidegger entend par « monstration qui approprie à l'avenance, qui justement *détourne le regard de soi* afin de pouvoir ainsi *libérer* ce qui est montré dans le propre de son apparition », Celan l'appelle : « Ce qui par la nomination est devenu en même temps un *toi.* »

---

1. G. Benn, *Gesammelte Werke in Vier Bänden*, Wiesbaden / München, hrsg. v. Dieter Wellershoff, 1986, Bd. I, p. 528 ; *Un poète et le monde*, trad. Robert Rovini, Paris, Gallimard, 1965, p. 367. Nombre de notes préparatoires au *Méridien* renvoient directement à Benn, et montrent avec quel soin Celan s'est donné pour tâche de lui répondre dans le discours.
2. Martin Heidegger, GA 12, 229 ; *Acheminement vers la parole*, *op. cit.*, p. 227.
3. Martin Heidegger, GA 12, 251 ; trad. cit., p. 251.
4. *Ibid.* (Nous soulignons.)

À l'encontre de Heidegger comme de Celan, Benn parle, lui, du « poème absolu, le poème sans foi, le poème sans espérance, le poème adressé à personne, le poème fait de mots que vous montez pour qu'ils fascinent [1] ».

Poursuivant sa méditation, Heidegger réexpose trois pages plus loin que la parole est monologue en détaillant la *double* signification de ce monologue : d'une part, « la parole *seule* [*allein*] est cela, qui à proprement parler, parle » ; d'autre part, « elle parle *solitairement* [*einsam*] ». « Pourtant, note encore Heidegger, ne peut être solitaire [*einsam*] que ce qui *n*'est *pas* seul ; pas seul c'est-à-dire pas séparé, isolé, sans aucun rapport [2]. » Et il explique enfin la signification de *einsam* [solitaire] comme modalité d'une essentielle *Gemeinsamkeit* [communauté] : « Le même, dans ce qu'a d'unifiant le fait de s'entre-appartenir. »

Le monologue nomme ainsi l'indissoluble entre-appartenance de la parole *et* de l'être humain, dans la mesure où l'homme ne peut parler que s'il est à l'écoute de ce que lui adresse la parole, *et* où la parole n'est elle-même parlante que si l'homme parle [3]. C'est pourquoi l'homme est *en lui-même*, selon la parole de Hölderlin longuement méditée par Heidegger [4], un dialogue [*Gespräch*] – mais

---

1. Gottfried Benn, GW, Bd. I, p. 524; trad. cit., p. 363 : „*das absolute Gedicht, das Gedicht ohne Glauben, das Gedicht ohne Hoffnung, das Gedicht an niemanden gerichtet, das Gedicht aus Worten, die Sie faszinierend montieren*".

2. Martin Heidegger, GA 12, 254; *Acheminement vers la parole*, p. 254.

3. „*Die Sage braucht das Verlauten im Wort*" [« La Dite, il lui faut résonner en mot »], dit aussi Heidegger à l'aide d'un emploi très singulier du verbe *brauchen*. C'est le même emploi de ce verbe que fait Celan quand il écrit dans un sens analogue (*Der Meridian*, TCA, p. 9) : „*Das Gedicht will zu einem Anderen, es braucht dieses Andere, es braucht ein Gegenüber.*" [« Le poème veut aller vers un autre, il lui faut cet autre, il lui faut un vis-à-vis. »] – cf. le vis-à-vis ou face à face [*das Gegenüber*] qu'est la parole dans la note n° 240.

Dans son exemplaire de *Holzwege*, les pages de *La parole d'Anaximandre* où Heidegger parle de *brauchen* sont très soulignées et notamment ce passage (GA 5, 367; trad. cit., pp. 442 sq.) : « *Brauchen* signifie alors : ce qui vient à aître en présence, le laisser venir à aître en tant qu'il vient à aître en présence. » Nous proposons par conséquent d'entendre la phrase de Celan comme suit : Le poème veut aller vers un autre et il le laisse, en son sein même, être autre en tant qu'autre. C'est dans le poème lui-même qu'advient l'altérité – dans le face à face avec la parole.

4. Sur ce point, cf. M. Heidegger, *Approche de Hölderlin*, Paris, Gallimard, 1973, pp. 48-50 (GA 4, 38-40). Le vers de Hölderlin extrait de *Friedensfeier* auquel il est fait allusion est aussi le vers par lequel commence une des premières esquisses du poème *Todtnauberg* (cf. document 7).

un dialogue à partir duquel les êtres humains peuvent eux-mêmes à leur tour être *ensemble* en dialogue, c'est-à-dire s'entre-tenir les uns les autres en étant à l'écoute.

Celan connaît, au moins pour une part, ces textes de Heidegger. Dans *Le Méridien*, juste avant de présenter le poème comme rencontre et dialogue, il écrit :

> „*Das Gedicht ist einsam. Es ist einsam und unterwegs.*"
>
> [« Le poème est solitaire. Il est solitaire et en chemin. [1] »]

Comme Heidegger, Celan pense *einsam* à partir de son étymologie, à savoir la racine indo-européenne **sem-* d'où viennent le grec ἅμα, le français *ensemble* et l'allemand *sammeln* [recueillir, rassembler, récolter – disons : *mettre ensemble*]. En témoigne ce vers extrait du poème intitulé « À l'innommé » : „*Die Einsamkeit sammelt* [2]" (que nous pouvons "traduire" littéralement ainsi : le rassemblement de la solitude rassemble en mettant ensemble).

Pas plus que chez Heidegger, donc, la solitude telle que la pense Celan n'exclut l'altérité. Il n'est par conséquent en rien paradoxal de dire que le poème est solitaire *et* (à entendre presque comme un *c'est-à-dire*) en chemin (vers l'"autre"). Et après ce que nous avons dit du sens véritable du monologue, il n'est pas non plus surprenant, bien que cela soit tout à fait remarquable, de lire également sous la plume de Celan dans une esquisse du *Méridien* :

> »*Ich spreche, da ich von Gedichten sprechen darf, ich spreche, ich weiß, in eigener Sache: so sind Gedichte nun einmal: mono-ton; „keiner wird, was er nicht ist.*"«
>
> [« Je parle, puisque je dois parler de poèmes, je parle, je sais, selon leur propre cause : les poèmes, c'est ainsi, sont : mono-toniques ; "nul ne devient ce qu'il n'est pas" [3]. »]

Parler „*in eigener Sache*" [*pro domo*], cela signifie qu'on ne peut pas parler *sur* les poèmes, et de l'extérieur. La dimension monolo-

1. *Der Meridian*, TCA, p. 9 ; trad. cit., p. 78.
2. Paul Celan, *Gedichte aus dem Nachlass*, *op. cit.*, p. 179.
3. Paul Celan, *Der Meridian*, TCA, p. 32 (§ 31 a) ; cf. aussi *ibid.*, n° 658, p. 169.

gique de la parole l'empêche. C'est la parole elle-même qui est parlante, il faut, chaque fois, en faire l'expérience ; et les poèmes sont, non pas "monotones", mais, pour ainsi dire, μονο-τόνος : ils se modulent en eux-mêmes, seuls ; ils parlent à partir du rythme qui leur est propre – mais *du même coup*, s'adressent à l'autre. Celan a manifestement saisi toute la portée monologique de la parole et il en expose l'indissoluble et irréductible ambivalence dans la note suivante :

> „– i – *Sprache als Sprache des Sprechenden //*
> *der Sprechende als Sprechender der Sprache =*
> *in dieser Antinomik – synthesenlosen – steht das Gedicht.*"
>
> [« – i – La parole en tant que parole de celui qui parle //
> celui qui parle en tant que celui qui parle de la parole =
> dans cette antinomie – sans synthèse – tient le poème[1]. »]

Pas plus que le face à face du poème et de la parole (note n° 240), l'antinomie qui habite le poème ne peut-elle être surmontée ; de même, monologue et dialogue vont-ils de pair au sein du poème – tous les deux ressortissant en définitive au déploiement de la parole :

> *„Richtung (woher, wohin), Sprache –> Selbstgespräch –> Gespräch"*
>
> [« Direction (d'où, vers où), parole –> dialogue avec soi –> dialogue[2] »]

1. *Der Meridian*, TCA, n° 248, p. 105. C'est le second versant de ce phénomène à double face que ne perçoit pas du tout Bernard Fassbind dans son étude pourtant très détaillée de ces questions (cf. *Poetik des Dialogs. Voraussetzungen dialogischer Poesie bei Paul Celan und Konzepte von Intersubjektivität bei Martin Buber, Martin Heidegger und Emmanuel Lévinas*, München, Wilhelm Fink, 1995, p. 89).

Dans l'ensemble de son ouvrage, B. Fassbind ne parvient par ailleurs pas à voir qu'il n'y a aucune contradiction chez Heidegger entre être soi-même, entre être-à-chaque-fois-à-moi [*Jemeinigkeit*] et être-ensemble. Heidegger explique pourtant clairement que ces deux structures existentiales sont des modes *cooriginaux* de l'ouverture du *Dasein* – ce qui pourrait se formuler comme suit avec Celan dans le poème de *Pavot et mémoire* (GW I, 33) intitulé „*Lob der Ferne*" [« Éloge du lointain »] : „*Ich bin du, wenn ich ich bin.*" [« Je suis toi, quand moi-même suis moi. »]

2. Paul Celan, *Der Meridian*, TCA, n° 237, p. 104.

Par ce schéma du poète, on voit comment *la* parole qui, seule, parle, s'actualise en mono-logue, c'est-à-dire chaque fois aussi en parole d'*un seul* – ce monologue n'étant autre qu'un « dialogue de l'âme avec elle-même[1] », un dialogue avec soi « qui parle de la parole » et qui ouvre *en son sein* le dialogue avec l'autre.

Nécessaire est d'insister sur le fait que l'autre n'est pas extérieur au dialogue, comme si Celan visait simplement la situation où deux choses étrangères l'une à l'autre seraient soudainement rassemblées. Le dialogue [*Gespräch*] ne nomme pas une relation établie entre deux choses ou deux êtres, mais le rapport de quelqu'un « qui perçoit, qui est tourné vers ce qui apparaît, qui interroge ce qui apparaît et lui adresse la parole[2] ».

Le dialogue est le rapport de l'être humain à ce qui apparaît dans la mesure où l'homme lui adresse la parole – et plus précisément encore : à proprement parler, *le dialogue n'*est *rien, mais désigne la dimension au sein de laquelle ce qui est vient à apparaître* parce que *la parole lui est adressée. Ge-spräch* veut ainsi dire chez Celan l'appartenance au sein de la parole entre l'être humain et tout ce qui est[3]. C'est en ce sens que Celan peut écrire dans *Le Méridien* :

1. Cette tournure du *Théétète* (189 e) à laquelle le poète fait aussi expressément allusion dans la suite de cette note n° 237 et qui, chez Platon, caractérise la pensée, a attiré l'attention de Celan dans un passage des *Essais et conférences* (GA 7, 108 ; trad. cit., p. 126) qu'il souligne plusieurs fois. Heidegger parle à cet endroit de *Selbstgespräch* [dialogue avec soi]. Dans son propre exemplaire du *Théétète*, le poète a recopié la traduction par Heidegger de la phrase de Platon : „*das sagende Sichsammeln, das die Seele selbst auf dem Weg zu sich selbst durchgeht, im Umkreis dessen, was je sie erblickt*" [« le se recueillir qui est un dire et que l'âme elle-même, en chemin vers elle-même, parcourt de part en part, faisant le tour de ce qu'à chaque fois elle prend en vue »].

2. Paul Celan, *Der Meridian*, TCA, p. 9 ; *Le Méridien & autres proses, op. cit.*, p. 77.

3. Cf. dans l'édition de Tübingen du *Méridien* (pp. 144-148) la partie „*Das Gespräch mit den Dingen*" [« Le dialogue avec les choses »] qui fait suite à celle qui s'intitule „*Das dialogische Gedicht*" [« Le poème dialogique »]. Cf. aussi, dans la même édition, le n° 59, p. 71.

Signalons que la signification que confère Celan au *Gespräch* le rend peut-être tout proche de l'ὁμολογεῖν d'Héraclite tel que le médite Heidegger dans un des derniers textes de *Vorträge und Aufsätze* que le poète a lu et annoté : *Logos (Héraclite, fragment 50).* Dans la note préparatoire n° 522 (*Der Meridian*, TCA, p. 147), Celan écrit par exemple : »*Dichtung ist nicht „Wortkunst"; sie ist ein Horchen und Gehorchen* –« [« La poésie n'est pas "art des mots" ; elle est une écoute qui prête l'oreille et une écoute qui, en prêtant l'oreille s'en remet à ce qu'elle écoute – »] ; à mettre en parallèle avec ces propos de Heidegger (GA 7, 219; trad. cit., p. 258) : „*Das*

„Erst im Raum dieses Gesprächs konstituiert sich das Angesprochene, versammelt es sich um das es ansprechende und nennende Ich. Aber in diese Gegenwart bringt das Angesprochene und durch Nennung gleichsam zum Du Gewordene auch sein Anderssein mit.“

[« C'est seulement dans l'espace de ce dialogue que se constitue ce à quoi la parole s'adresse, que cela est recueilli autour du je qui lui adresse la parole et le nomme. Mais dans ce présent, ce à quoi s'adresse la parole, et qui par la nomination est devenu en quelque sorte un toi, apporte aussi son être-autre. »]

C'est parce que, dans la dimension du dialogue, ce qui est se voit adresser la parole par le je du poète, que cela apparaît en étant recueilli [*versammelt* : Λόγος !] pour être enfin nommé et devenir ainsi, grâce à la parole et dans le poème, *un toi.* Mais *loin de désigner nécessairement l'autre être humain, le toi signifie plus généralement le nom même de ce qui est, dès lors que la parole lui est adressée pour qu'il apparaisse* comme ce qu'il est, *c'est-à-dire non pas comme un objet que le sujet vise au sein de sa propre conscience, mais : dans son être-autre.* Pour cette raison, il faudrait peut-être traduire ce que Celan nomme *das Andere* par « l'altérité » et non par « l'autre » qui fait spontanément penser à un autre être humain. Une des figures de cet *Andere* peut certes être l'autre être humain, mais *das Andere* lui-même reste comme tel non déterminé : c'est l'altérité même qui s'ouvre dans (et qui ouvre) le poème par la parole.

Le dialogue, *Ge-spräch* – le rassemblement de la parole (génitif objectif et subjectif) n'est alors autre que l'ouvert [*das Offene*], dit Celan, la dimension d'entre-appartenance de l'être humain et de ce qui apparaît par la nomination :

„das Ich partizipiert an den Dingen; durch das – ichhafte – Nennen der Dinge wird das Ich und sein Gespräch geweckt“.

[« le je participe aux choses ; par la nomination – propre à un je – des choses, le je et son dialogue est éveillé [1] »].

Hören ist erstlich das gesammelte Horchen. Im Hochsamen west das Gehör.“ [« Entendre, c'est d'abord écouter en prêtant une oreille recueillie. Dans l'écoute qui prête l'oreille, vient à aître l'entente qui est d'appartenance < avec ce qu'elle écoute >. »]

1. Paul Celan, *Der Meridian,* TCA, n° 509, p. 145.

Étant dialogue en ce sens, le poème se déploie du même coup comme *Zeithof* [« enclos de temps »] : dans l'immédiateté de son ici et maintenant, il « laisse parler ce que l'autre a de plus propre : son temps [1] ». Le poème laisse ainsi venir ce qui est dans le mouvement de sa propre venue. Telle est, pour employer un mot que Celan, comme Heidegger, entendent au sens littéral, la perception [*Wahrnehmung*] [2] poétique. Le poème est la dimension dialogique en laquelle la parole du poète prend en garde ce qui est nommé dans sa vérité propre.

1. Paul Celan, *Der Meridian*, TCA, p. 10 ; *Le Méridien & autres proses*, *op. cit.*, p. 78. Le mot *Zeithof*, que Celan a pu lire dans son exemplaire des *Leçons pour une phénoménologie de la conscience intime du temps* de Husserl, n'apparaît pas dans la version définitive du discours, mais dans des esquisses préparatoires : n° 59 et n° 518 : „*im Gedicht stehen die Dinge – Zeithof!*" [« dans le poème se tiennent les choses – enclos de temps ! »].

2. Cf. Paul Celan, *Der Meridian*, TCA, n° 57 (p. 71), n° 432 et 434 (p. 147). Concernant Heidegger, on se reportera entre autres au passage sur le voyant [*der Seher*] que le poète a souligné dans *La parole d'Anaximandre* (*Holzwege*, GA 5, 348 ; trad. cit., p. 419). De ce passage, Celan retiendra ceci dans la note n° 440 des esquisses du *Méridien* : „*Sehen als Gewahren, Wahrnehmen, Wahrhaben, Wahrsein*" [« Voir en tant que s'apercevoir, prendre en garde, accueillir comme vrai (admettre), être vrai »].

Dans la phrase précédemment citée : « le poème de quelqu'un qui perçoit [*Wahrnehmenden*], qui est tourné vers ce qui apparaît, qui interroge ce qui apparaît et lui adresse la parole », André du Bouchet traduit ainsi avec raison „*Wahrnehmenden*" par : qui « prend garde » (*Le Méridien*, Cognac, Fata Morgana, 1995, p. 27).

Les rencontres

J'ai acquis ici, ici aussi en effet, beaucoup d'expérience, j'ai beaucoup appris.

Paul Celan

Entre Celan et Heidegger, c'est parce qu'il y avait un dialogue qu'il put y avoir une rencontre – rencontre, on le voit, d'un enjeu considérable, mais qu'on ne peut guère assimiler, du fait même de la teneur de cet enjeu, à ce que Hans-Georg Gadamer nomme un *pèlerinage* dans son texte intitulé « Le rayonnement de Heidegger [1] ». Pour Celan comme pour Heidegger, l'image est indécente.

Cette première rencontre s'ouvrit sur une lecture publique qui fut une grande réussite : « La lecture de Fribourg a été un succès exceptionnel : 1 200 personnes qui m'ont écouté le souffle retenu pendant une heure, puis, m'ayant longuement applaudi, m'ont écouté encore pendant un petit quart d'heure », écrit le poète à son épouse le 2 août 1967. Pour Celan, très peu à son aise en public, et dont la reconnaissance en Allemagne, où s'était déclenchée la polémique sur l'affaire Goll, ne fut unanime que tardivement, ce genre

1. Hans-Georg Gadamer, « Le rayonnement de Heidegger », trad. Jean Launay, in : *L'Herne Martin Heidegger*, *op. cit.*, p. 143 : « Parmi les nombreux pèlerins qui montaient à Todtnauberg, Paul Celan lui aussi rendit un jour visite au penseur et, de leur rencontre, naquit un poème. » Cette tournure malheureuse ne défigure pas moins le poète que le penseur, car Celan était en ce sens aussi peu pèlerin que Heidegger maître de cérémonie se livrant à ce genre de démonstrations inconvenantes et complètement extérieures à la tâche de la pensée qui le requérait.

d'événements avait de très fortes résonances. Dans ses *Souvenirs de Paul Celan*, G. Baumann raconte par exemple comment, au cours d'une promenade dans la ville, le poète fut très touché de voir ses recueils occuper une bonne place dans les vitrines des principales librairies. Il ajoute qu'il ne jugea pas nécessaire de dire à Celan que Heidegger en était l'instigateur par l'intermédiaire de son ami libraire Fritz Werner.

Pendant que Baumann organisait la venue de Celan à Fribourg, Heidegger lui avait suggéré d'emmener Celan dans la Forêt-Noire le lendemain de la lecture :

> *„Ich kenne alles von ihm, weiß auch von der schweren Krise, aus der er sich selbst herausgeholt hat, soweit dies ein Mensch vermag. Sie deuten in dieser Hinsicht das Hilfreiche einer hiesigen Lesung richtig. Der 24. Juli wäre für mich der beste Termin…*
> *Es wäre heilsam, P. C. auch den Schwarzwald zu zeigen.“*

> [« Je connais tout de lui et suis aussi au courant de la pénible crise dont il s'est lui-même remis, autant qu'il est possible à un être humain de le faire. À cet égard, vous présagez avec raison du secours que serait une lecture ici. Le 24 juillet serait pour moi la meilleure date…
> Il serait salutaire aussi de montrer la Forêt-Noire à P .C. [1]. »]

La pénible crise dont parle Heidegger est une allusion à la tentative de suicide du poète le 30 janvier 1967, ainsi qu'à son internement à l'hôpital psychiatrique Saint-Anne du 13 février au 17 octobre 1967, avec des sorties autorisées à partir d'avril, qui permirent à Celan de se rendre à Fribourg en juillet. C'est dans ce contexte que le penseur songe à l'effet salutaire d'une promenade et d'un dialogue en Forêt-Noire.

Celan d'emblée accepta la proposition qui lui fut faite par le penseur après la lecture, puis, Heidegger parti, il hésita un court moment et confirma à Baumann son acceptation. Le lendemain, donc, les deux hommes se rendirent en Forêt-Noire, à Todtnauberg, dans le chalet (la *Hütte*) de Heidegger, et marchèrent ensemble dans la haute fagne près de Horbach, avant que la pluie ne vienne interrompre la promenade.

Après cette date, le poète et le penseur se sont revus deux nou-

1. Lettre de Heidegger du 23 juin 1967 (cf. document 3).

velles fois à l'occasion d'autres lectures de Celan à Fribourg : le 26 juin 1968 qui fut aussi un grand succès (« Très bonne lecture à Fribourg, devant un public presque aussi nombreux que l'année dernière », écrit le poète à son épouse le 2 juillet 1968) ; et le 26 mars 1970 où eurent lieu deux lectures, dont une privée chez G. Baumann à laquelle assistèrent, parmi d'autres personnes, Heidegger et Birgit von Schowingen, la fille de Ludwig von Ficker que Celan avait en son temps salué à Innsbruck[1], avant d'aller fleurir la tombe de Georg Trakl. Au sujet de cette dernière lecture à Fribourg, Celan écrivit à Franz Wurm, le 27 mars 1970 :

»Gestern, bei Prof. Baumann, Lesung im kleinen Kreise. Heidegger war da, die Tochter Ludwig von Fickers, zwei Assistenten von Prof. Baumann, der eine von ihnen, er stammt aus Brünn, hatte schon vorher meine Gedichte ins „Absolut-Metaphorische" verrückt. Frau Baumann und eine junge Studentin haben wirklich zugehört, auch der andere Assistent (und dessen Frau), auch Prof. Baumann, auch Heidegger.

Ich habe hier, auch hier, manche Erfahrung gewonnen, manchen Einblick.«

[« Hier, chez le professeur Baumann, lecture dans un cercle restreint. Heidegger était là, la fille de Ludwig von Ficker, deux assistants du professeur Baumann, dont l'un d'eux – il est originaire de Brünn – avait, auparavant déjà, dénaturé mes poèmes en les comprenant dans le "métaphorique absolu". Madame Baumann et une jeune étudiante ont vraiment écouté, de même l'autre assistant (ainsi que sa femme), de même le professeur Baumann, de même Heidegger.

J'ai acquis ici, ici aussi en effet, beaucoup d'expérience, j'ai beaucoup appris[2]. »]

1. Dans une lettre à Ruth Lackner du 6 juillet 1948 (citée par I. Chalfen, *op. cit.*, p. 159), Celan raconte sa visite intimidée à l'ami de Trakl.

2. Paul Celan / Franz Wurm, *Briefwechsel*, hg. von Barbara Wiedemann in Verbindung mit Franz Wurm, Frankfurt a. M., Suhrkamp Verlag, 1995, pp. 239-240. L'assistant de G. Baumann qui avait écrit un article sur la métaphore absolue dans lequel il comparait Celan et Mallarmé est Gerhard Neumann, dont Celan avait dit dans une lettre du 25 août 1967 à F. Wurm toujours (*ibid.*, p. 93) : « Dr Neumann – c'est d'ailleurs lui qui nous conduisit, Heidegger et moi à la hutte de la pensée [*Denkhütte*] à (ou plus exactement sur le) Todtnauberg – est un homme charmant – soyez s'il vous plaît aussi bienveillant que possible à son égard. »

Étant donné ce qu'il avait écrit dans *Le Méridien* à propos de Mallarmé, Celan a réagi très violemment contre le texte paru en 1970 et son auteur. L'autre assistant est Jürgen Schröder avec sa femme Ingrid ; l'étudiante est Elisabeth Kurz.

Pour l'été 1970, Heidegger pensait emmener Celan dans les contrées hölderliniennes de la haute vallée du Danube, sur les bords du lac de Constance, à Hauptwil, etc. Paul Celan se donna la mort dans la nuit du 19 au 20 avril 1970. Sur son bureau restait ouverte la biographie de Hölderlin (*Das Leben Friedrich Hölderlins*, Frankfurt am Main, Insel 1967) par Wilhelm Michel à la page 464 où se trouve souligné l'extrait d'une lettre de Clemens Brentano : « Parfois ce génie devient obscur et sombre dans le puits amer de son cœur. » Brentano écrivait alors à Philipp Otto Runge à propos du poème *Die Nacht* publié dans l'*Almanach des Muses* de 1807-1808 de Seckendorf – poème qui n'est autre que la première strophe de ce qui sera la grande élégie sur la nuit et le deuil sacrés du temps de détresse : *Pain et vin.* En plein temps d'indigence et de détresse s'interrompt le dialogue de Paul Celan et de Martin Heidegger, qui demeure donc inachevé.

De toutes ces rencontres, c'est celle de 1967 qui fut la plus considérable, comme en témoigne la naissance du poème *Todtnauberg* dont Celan tint à faire une édition spéciale publiée par Robert Altmann aux éditions Brunidor (Vaduz, Liechtenstein), dans un tirage de grand format limité à cinquante exemplaires numérotés. Paul Celan envoya le n°1 à Heidegger au moment de la parution, le 12 janvier 1968 [1].

Todtnauberg	Todtnauberg
Arnika, Augentrost, der	Arnica, luminete,
Trunk aus dem Brunnen mit dem	boire à la fontaine avec
Sternwürfel drauf,	dessus le dé en étoile,
in der	dans la
Hütte,	hutte,
die in das Buch	elle, dans le livre
– wessen Namen nahms auf	– de qui recueillit-il les noms
vor dem meinen ? –,	avant le mien ? –,
die in dies Buch	elle, dans ce livre
geschriebene Zeile von	écrite la ligne d'un
einer Hoffnung, heute,	espoir, aujourd'hui,
auf eines Denkenden	d'un être qui pense :
kommendes	à venir
Wort	une parole
im Herzen,	au cœur,

1. Cf. dans le document 8, la liste établie par Celan des destinataires du poème.

Waldwasen, uneingeebnet, *Orchis und Orchis, einzeln,*	mousses de forêt, non aplanies, orchis et orchis, épars,
Krudes, später, im Fahren, *deutlich,*	cru, plus tard, en route, clair,
der uns fährt, der Mensch, *der's mit anhört,*	celui qui nous conduit, l'homme, à l'écoute aussi,
die halb- *beschrittenen Knüppel-* *pfade im Hochmoor,*	à demi parcourus les sentiers de rondins dans la fagne des hauteurs,
Feuchtes, *viel.*	humide, beaucoup.

La première rencontre et le poème *Todtnauberg*

Peut-être les poèmes sont-ils des niveaux de projection de ce « lieu hyperuranique », signifiant sans interprétation, par le souffle divin qui leur donne contour et qui leur revient, à eux, les empressés de la condition mortelle, s'ils se tiennent ouverts vers le haut, vers le bas.

Paul Celan [1]

Dans quelles circonstances ce poème a-t-il été écrit ? Il est daté du 1er août 1967 à Francfort, soit à peine une semaine après la rencontre dont tout porte à croire qu'elle s'est très bien passée. En effet, G. Baumann, qui a rejoint les deux hommes après leur excursion au chalet, avoue les avoir trouvés, à son heureux étonnement, d'humeur détendue et enjouée – Celan, confie-t-il, parut libéré de tout poids et ses expressions ne laissaient plus transparaître aucune trace de méfiance [2].

1. Paul Celan, extrait d'une lettre à O. Pöggeler cité par H.-M. Speier dans son texte « Paul Celan, poète d'une nouvelle réalité (Interprétation de *Part de neige*) », trad. Philippe Forget, in : *Contre-jour*, *op. cit.*, pp. 148-149.

2. Gerhart Baumann, *op. cit.*, p. 70. Le souvenir de Silvio Vietta, également présent, est un peu plus nuancé, mais ne fait pas non plus allusion à une quelconque tension. Pendant cette partie de la rencontre, S. Vietta ne se rappelle pas que les deux hommes aient beaucoup parlé ; ils marchaient et Celan cueillait des fleurs dont il connaissait tous les noms en plusieurs langues. (Cf. H.-G. Gadamer und S. Vietta, *Im Gespräch*, p. 82.) Il est assez évident que les propos les plus importants furent échangés après la promenade, au chalet, puis dans la voiture où Celan parle d'« un

Il rapporte également (*ibid.*, p. 72) que Marie Luise Kaschnitz, une amie de Celan, ne reconnut pas le poète à son arrivée à Francfort et se demanda ce qu'avaient pu faire de lui les gens de Fribourg pour l'avoir mis en si bonne forme : « Il n'est plus le même ! » s'exclama-t-elle en le voyant. Par ailleurs, dans une lettre datée du 5 août 1967, Gisèle Celan écrit à son mari :

> « Ce fut une grande joie de savoir que ta lecture, la rencontre avec Heidegger et celle avec Unseld se sont bien passées... si bien. »

Enfin, dans une lettre du 7 août 1968 à son ami le poète Franz Wurm, Celan écrit on ne peut plus nettement :

> „ *Ich bin seit wenigen Tagen aus Deutschland zurück, wo alles gut ging, auch das Zusammentreffen mit Heidegger, mit dem ich ein recht langes und recht deutliches Gespräch geführt und dem ich auch Ihre Grüße übermittelt habe.*"
>
> [« Je suis rentré depuis quelques jours d'Allemagne où tout s'est bien passé, y compris la rencontre avec Heidegger, avec qui j'ai eu un assez long entretien tout à fait clair et auquel j'ai également transmis vos salutations [1]. »]

À propos de ce qui est pourtant devenu, selon les mots de Michel Deguy, « un sommet de légende, celui d'une rencontre au sommet [2] », tous les documents et les témoignages convergent, donc, et nous ne trouvons rien qui puisse justifier l'acharnement d'un commentateur tel que Jean Bollack [3], qui fait de cette rencontre une véritable « descente aux Enfers » savamment préméditée et comme organisée par le poète – rien, sinon une sorte de terro-

---

dialogue grave ». Le seul témoin présent en voiture, Gerhard Neumann, avoue aujourd'hui ne plus se souvenir de ce qui fut dit.

1. Paul Celan / Franz Wurm, *Briefwechsel*, pp. 87-88 (cf. document 5).

2. Michel Deguy, « Paul Celan, 1990 », in : *Les Temps modernes*, n° 529-530, 45ᵉ année, août-septembre 1990, p. 4.

3. Jean Bollack : « Le Mont de la mort : le sens d'une rencontre entre Celan et Heidegger », in : *La Grèce de Personne. Les mots sous le mythe*, Paris, éditions du Seuil, 1997, pp. 349-376. Malgré tous les témoignages existants, Jean Bollack, dans son dernier livre (*L'écrit. Une poétique dans l'œuvre de Celan*, Paris, PUF, « Perspectives germaniques », 2003, pp. 121-123), continue d'exposer une version imaginaire de la rencontre dont il serait le seul à pouvoir pénétrer le sens "caché".

risme herméneutique qui contrevient entièrement aux principes élémentaires d'interprétation tels que les a par exemple exposés Beda Allemann [1], très proche ami de Celan qui l'a lui-même désigné comme éditeur de ses œuvres dans une note testamentaire du 15 décembre 1967 [2].

Pour justifier sa méthode d'interprétation, J. Bollack écrit : « Aucune précision dans l'évocation des objets ne fait obstacle au refaçonnage intégral [3]. » Si l'écriture et la lecture d'un poème consistent dans le « refaçonnage intégral », il n'y a alors en effet plus aucune limite à la « reconstruction » d'un sens [4] qui dépend intégralement de l'arbitraire du lecteur.

D'où un tel refaçonnage, dans son principe aussi bien que dans ses choix de compréhension, tire-t-il sa légitimité ? Celan a lui-

---

1. Beda Allemann, « Problèmes de l'édition critique en cours. À propos de l'édition critique en cours », in : *Contre-jour, op. cit.*, pp. 11-26.

2. Cette note testamentaire a été publiée en français dans le tome II de la correspondance de Celan avec Gisèle Celan-Lestrange, *op. cit.* (p. 574). Beda Allemann, en qui Celan avait une entière confiance (cf. par exemple les lettres à Gisèle du 29 juillet 1965 et du 19 avril 1966), était aussi très lié à Heidegger et excellent connaisseur de Hölderlin. Il est l'auteur en particulier du monumental *Hölderlin und Heidegger* (paru en 1954 ; trad. F. Fédier, Paris, PUF, ^{2}1987) pour lequel Heidegger éprouvait une immense admiration et que Celan a lu.

3. Jean Bollack, *La Grèce de Personne. Les mots sous le mythe, op. cit.*, p. 353. En vertu d'une discrimination dont le principe inavoué nous semble pour le moins fallacieux, Martine Broda, dans un article intitulé « Celan et Benjamin », juge que la méthode de Jean Bollack est tout à fait appropriée lorsqu'il s'agit d'un poème qui concerne Heidegger, mais non justifiée quand le poème renvoie à Walter Benjamin ! *Europe*, n° 851, mars 2000, p. 194 : « À la différence du commentaire que Bollack avait consacré au poème fameux "Todtnauberg", écrit après l'unique rencontre de Celan avec Heidegger, commentaire qui me semble incontournable, parce qu'il balaie définitivement toutes les interprétations apologétiques, car il y en eut, parvenant à démontrer que Celan a attiré Heidegger dans un piège, le traînant sur des lieux de torture en Forêt-Noire, son interprétation du poème consacré à Benjamin m'apparaît tendancieuse. » Dans cette déclaration, tout n'est pas simplement tendancieux, mais *faux* : il n'y a pas eu une unique rencontre avec Heidegger, mais trois ; ce n'est pas Celan qui a attiré Heidegger en Forêt-Noire, mais le penseur qui a invité le poète ; il n'y a pas le moindre lieu de torture dans les environs de Todtnauberg.

Une des raisons pour lesquelles l'interprétation par J. Bollack du poème consacré à Benjamin semble tendancieuse à M. Broda est que, explique-t-elle (p. 194), Bollack est « mal disposé de toujours envers Benjamin ». L'est-il mieux envers Heidegger ? Et M. Broda elle-même ? Il est temps de se mettre à travailler de manière à la fois sérieuse et impartiale, indépendamment des dispositions personnelles de chacun qui n'intéressent personne quand il y va de l'affaire de la poésie ou de la pensée.

4. Jean Bollack, *La Grèce de Personne. Les mots sous le mythe, op. cit.*, p. 457.

même répondu à cette question en 1958 dans une interview réalisée par Harry Neumann :

> „*In meinem ersten Gedichtband habe ich manchmal noch verklärt – das tue ich nie wieder!*"
>
> [« Dans mon premier recueil, il m'arrivait encore de transfigurer les choses – ça, je ne le ferai plus jamais [1]. »]

À l'encontre du refaçonnage, il est donc plus prudent de se fier à un principe simple de Beda Allemann : « On attend du commentateur qu'il rende la poésie compréhensible en tant que poésie [2]. »

Sans la pseudo-rigueur philologique de J. Bollack, mais de façon aussi imaginaire qu'arbitraire, Jorge Semprun, dans *L'écriture et la vie*[3], a également répandu une vision façon roman noir de la rencontre. Celan se serait même jeté dans la Seine parce que aucune parole du cœur ne venait de chez Heidegger. L'obscurantisme est à son comble.

À notre connaissance, seul George Steiner qui, dans la lignée des propos d'E. Ettinger, avait accrédité ce genre de lecture, s'est publiquement excusé après la parution de la correspondance de Franz Wurm et de Paul Celan :

> « Ettinger insinue avec force que l'incapacité de Celan à obtenir du maître la moindre parole responsable sur l'holocauste y est pour une part dans la décision qui amena le poète au suicide. J'ai juste laissé entendre cela publiquement à Paris il y a une dizaine d'années. Nous faisons erreur tous les deux. Une lettre de Celan à Franz Wurm datée du 7 août 1968 (publiée récemment seulement) fait référence à la célèbre visite à Todtnauberg comme ayant été éminemment satisfaisante et amicale. Il n'est pas du tout évident, comme le pense Ettinger, que Celan quitta Heidegger "abattu et brisé" [4]. »

---

1. *Correspondance II*, p. 120, note 10 du n° 94.
2. Beda Allemann, « Problèmes de l'édition critique en cours. À propos de l'édition critique en cours », in : *Contre-jour*, p. 13. On reconnaît ici la compréhension qu'avait Allemann de la „*Dichtungswissenschaft*", qu'il n'entendait pas, à la différence de la *Literaturwissenschaft*, comme une *science* au sens habituel. Avec la *Dichtungswissenschaft*, pensait Allemann, c'est la poésie elle-même qui donne la mesure au savoir qui la prend pour objet et non la science qui, avec ses propres *méthodes*, fait parler la poésie.
3. Paris, Gallimard, « Folio », pp. 369-372.
4. George Steiner, « The new Nouvelle Héloïse », in : *Times Literary Supplement*, 13 octobre 1995.

Plus récemment, grâce à la publication de la correspondance de Celan avec son épouse, quelques autres ont également formulé des jugements qui s'approchent de la réalité – par exemple Alain Finkielkraut dans des pages intitulées « Un jour en Forêt-Noire [1] ».

Pour nous préserver de tous les types de sur-interprétation, nous ferons bien de nous renseigner sur la façon dont Celan comprend la poésie – ainsi, dans une lettre à René Char datée du 22 mars 1962, mais pas envoyée :

> « Pour ce qui dans votre œuvre, ne s'ouvrait pas – ou pas encore – à ma compréhension, j'ai répondu par le respect et par l'attente : on ne peut jamais prétendre à saisir entièrement : ce serait l'irrespect devant l'Inconnu qui habite – ou vient habiter – le poète ; ce serait oublier que la poésie, cela se respire ; oublier que la poésie vous aspire. (Mais ce souffle, ce rythme – d'où nous vient-il ?) La pensée – muette –, et c'est encore la parole, organise cette respiration ; *critique*, elle s'agglomère dans les intervalles : elle dis-cerne, elle ne juge pas ; elle se décide ; elle choisit : elle garde sa sympathie – elle obéit à *la* sympathie [2]. »

Jean Bollack, muni d'une implacable *méthode* (une méthode « contre poésie »), fait preuve d'« irrespect devant l'Inconnu qui habite le poète », en voulant à tout prix « saisir entièrement » et briser ce que Jacques Derrida nomme avec justesse dans *Schibboleth* : le « secret, en retrait, à jamais soustrait à l'exhaustion herméneutique [...], hétérogène à toute totalisation interprétative [3] ».

Quant au poème *Todtnauberg* lui-même, il s'ouvre sur deux noms de fleur dont l'une – arnica – est une plante que Littré dit être « réputée tonique et stimulante », et l'autre, une fleur connue pour sa vertu, dit encore Littré en citant O. de Serres (XVIe siècle), « d'illuminer et d'esclaircir les yeux ». En allemand, cette fleur s'ap-

1. Cf. Alain Finkielkraut, *L'imparfait du présent*, Paris, Gallimard, 2002, pp. 79-81. Ces quelques pages manquent cependant encore de précision ; il semble que la référence principale d'Alain Finkielkraut sur la question soit la biographie de Heidegger par Rüdiger Safranski, qui, de façon générale, ne renvoie presque jamais aux sources primaires et qui comprend de ce fait beaucoup d'inexactitudes.

2. *Paul Celan – Die Goll-Affäre. Dokumente zu einer ›Infamie‹*, zusammengestellt, hg. und kommentiert von Barbara Wiedemann, Frankfurt a. M., Suhrkamp, 2000, p. 574.

3. Jacques Derrida, *Schibboleth*, p. 50. Derrida poursuit ainsi : « Il n'y a pas un sens, dès qu'il y a de la date et *schibboleth*, plus un seul sens originaire. »

pelle *Augentrost* qui signifie littéralement : réconfort des yeux ; nous la connaissons en français sous le nom courant de luminete (qui illumine), et sous le nom scientifique d'*euphraise* (mot que le poète a suggéré pour la traduction française du poème) : du grec εὖ (bien) et φράζειν (faire comprendre, indiquer par des signes ou par la parole ; parler).

« Arnica, luminete », telle pourrait être la réponse à l'étonnement de Marie Luise Kaschnitz en revoyant son ami arrivé de Fribourg – Celan indique par là une revigoration, une stimulation et une entente. De son côté, Heidegger, dans la lettre qu'il envoya au poète, parle d'un *réveil* et d'une *exhortation*, et il semble que les deux hommes se soient bien accordés sur ce plan : ils se sont mutuellement revivifiés. Celan, en outre, fut réconforté, non seulement par rapport à ses propres appréhensions antérieures à la rencontre, mais, plus essentiellement, dans le dialogue intime qu'il menait avec Heidegger au sein de son œuvre. De ce qu'il avait pu tirer de la lecture de l'œuvre, rien ne semble avoir été soudainement démenti par l'entretien avec le penseur lui-même, par cet entretien qui demeure à ses yeux sous le signe de la parfaite *clarté*. L'adjectif *clair* [*deutlich*] est en effet un mot qui apparaît dans le poème, mais aussi dans la lettre à Franz Wurm ou encore dans la lettre que Celan avait envoyée à sa femme le 2 août 1967 :

> « Le lendemain de ma lecture j'ai été, avec M. Neumann, l'ami d'Elmar, dans le cabanon (Hütte) de Heidegger dans la Forêt-Noire. Puis ce fut, dans la voiture, un dialogue grave, avec des paroles claires de ma part. »

Cette stimulation, ce réconfort, cette clarté, n'excluent pas, et font même naître chez Celan, une attente – plus précisément : *un espoir*.

Après cette rencontre, Heidegger est quelqu'un sur qui Celan compte de manière beaucoup plus assurée qu'avant. Le ton qui fut celui de cette journée en Forêt-Noire et que Heidegger évoque au début de sa lettre de janvier 1968, a éveillé chez Celan une confiance dont l'espoir est la manifestation. Comment espérer, en effet, quelque chose de quelqu'un dont on sait qu'il n'y a rien à attendre ? C'est pourquoi le poète écrivit dans le livre d'or de la *Hütte* :

„Ins Hüttenbuch, mit dem Blick auf den Brunnenstern, mit einer Hoffnung auf ein kommendes Wort im Herzen.“

[« Dans le livre du chalet, avec la vue sur l'étoile de la fontaine, avec l'espoir d'une parole à venir au cœur. »]

Cette ligne est reprise presque mot pour mot dans le poème, comme si là était l'essentiel ; et c'est en effet un des points les plus délicats à saisir.

die in das Buch	elle, dans le livre
– wessen Namen nahms auf	– de qui recueillit-il les noms
vor dem meinen ? –,	avant le mien ? –,
die in dies Buch	elle, dans ce livre
geschriebene Zeile von	écrite la ligne d'un
einer Hoffnung, heute,	espoir, aujourd'hui,
auf eines Denkenden	d'un être qui pense :
kommendes	à venir
Wort	une parole
im Herzen,	au cœur,

Ce qui frappe d'emblée, à la lecture de cette strophe, c'est sa rigoureuse articulation temporelle en trois temps bien marqués selon une gradation dans l'accentuation. Il y a en premier lieu le temps de l'avant (*vor*), mis entre tirets, certes, mais cependant évoqué, même si ce n'est que de manière interrogative. Néanmoins, et comme pour passer outre toute tentative de réponse à la question laissée en suspens, la répétition du premier vers ne se fait pas à l'identique et indique ainsi que quelque chose (s') est passé : *le* livre d'avant devient *ce* livre – celui de l'aujourd'hui (*heute*), plus nettement accentué entre deux virgules et tenant lieu de pivot dans le rythme et dans l'enchaînement des vers. Seul sur une ligne, surgit enfin l'à venir (*kommendes*) très fortement appuyé par sa position ainsi que par l'assonance avec *Denkenden*, et sur lequel se concentre presque toute la tension rythmique de la strophe avant sa chute (*im Herzen*).

Dans le souvenir de la faute passée du penseur, cette première rencontre, aujourd'hui, fait virer le temps et ouvre désormais au poète un espoir tout entier tourné vers des paroles à venir.

L'espoir d'une parole et la remontée du nazisme

Il faudrait cependant, pour comprendre ce qui t'est arrivé de salutaire, que je sache ce qui est blessé en toi. Ainsi que ce qui n'est pas complètement blessé et déchiré en nous – nous pour qui la manière dont notre propre peuple s'est aveuglément fourvoyé en se laissant conduire dans l'errance est trop lamentable pour que nous ayons le droit de nous prodiguer en lamentations, et cela malgré la dévastation qui étend son emprise sur notre terre natale et ses hommes désemparés.

Martin Heidegger (1945) [1]

En ce qui concerne l'espoir, deux possibilités syntaxiques sont envisageables : il s'agit soit d'un espoir dans le cœur d'une parole à venir, soit d'un espoir d'une parole à venir au cœur. La première lecture, comme le remarque Otto Pöggeler, est plus triviale [2]. L'espoir, il est vrai, d'où vient-il, sinon du cœur ? Cependant, la grammaire, avec la tournure dative „*im Herzen*" (et non l'accusatif

1. Martin Heidegger, *Abendgespräch in einem Kriegsgefangenenlager in Rußland zwischen einem Jüngeren und einem Älteren*, GA 77, 206 : *„Ich müßte jedoch, um das Heilsame, das Dir geworden, zu begreifen, das kennen, was wund in Dir ist. Und was ist nicht alles wund und zerrissen in uns, denen eine verblendete Irreführung des eigenen Volkes zu kläglich ist, als daß wir daran eine Klage verschwenden dürften trotz der Verwüstung, die über der Heimaterde und ihren ratlosen Menschen lagert."*

2. *Spur des Wortes, op. cit.*, pp. 264-265.

qui marque le mouvement, la direction), semble inciter à cette lecture. Elle nous renseigne alors sur la disposition d'esprit de Celan après la rencontre et le ton sur lequel il attend la parole : celui, avenant, de la cordialité.

Mais en faveur de la seconde lecture pour laquelle opte notamment Beda Allemann, parle la structure rythmique du poème, avec le rejet en fin de strophe. Sur le plan proprement poétique, d'autres motifs encore rendent cette seconde lecture plus riche, plus parlante et enfin plus fidèle à la direction de la poésie de Celan ; ces motifs apparaîtront au fil de la compréhension du sens de cette parole ainsi espérée – sens dont les interprétations proposées jusqu'alors ont été très diverses.

La diversité de ces interprétations tient essentiellement aux différents angles sous lesquels la parole d'espoir est lue. Entre l'angle biographique et l'angle poétique, nous pensons avec Celan que – sans que l'un doive nécessairement exclure l'autre –, lorsqu'il s'agit d'un poème, c'est le poétique qui doit primer. Mais en l'occurrence, rien n'exclut que la parole à venir au cœur ne soit cordialement espérée.

Quant à penser de manière biographique plus ou moins romancée, comme on peut le lire ici ou là, que Celan soit venu en grand inquisiteur demander à Heidegger de s'expliquer sur les dix mois de rectorat et qu'il exige encore après cela une parole de justification, le simple bon sens et le texte du poème l'interdisent. En effet, si comme l'indique Celan à trois reprises, l'entretien fut parfaitement clair, pourquoi attendre encore une parole sur ce qui fut clarifié ?

Par ailleurs, malgré la perception (très aiguë, certes, mais vraisemblablement aussi un peu troublée par l'abondante calomnie) qu'avait le poète de la faute de Heidegger, l'enjeu de cette rencontre se situe avant tout sur le plan du dialogue entre la poésie et la pensée, toutes deux s'exprimant dans une langue qui fut mise à l'épreuve dans le péril du IIIe Reich et dont il s'agit de retrouver la « limpidité ».

La lecture "inquisitoriale" est néanmoins à peu de chose près celle de l'éditeur du poème, Robert Altmann, qui affirme toutefois, très paradoxalement, que la « rencontre fut pour le poète une expérience intérieure d'une grande importance. Le poète et le philosophe s'efforçaient tous deux d'atteindre au sens de l'artiste total et du langage total[1] ». « Artiste total », « langage total » ?! Il est certain que jamais Celan ni Heidegger n'auraient accepté de se voir rangés sous des appellations aussi contraires à leurs entreprises respectives.

En revanche, que le nazisme ait été évoqué (même indirectement), mais pas en référence explicite au passé du philosophe – Celan avait-il besoin de le mentionner lourdement pour que Heidegger y pense ? –, cela est très vraisemblable. Dans la lettre du 2 août 1967 à sa femme, le poète écrit après une phrase que nous avons déjà citée :

> « Puis ce fut, dans la voiture, un dialogue grave, avec des paroles claires de ma part. M. Neumann, qui en fut le témoin, m'a dit ensuite que pour lui cette conversation avait eu un aspect épochal. J'espère que Heidegger prendra sa plume et qu'il écrira q[uel]q[ues] pages faisant écho, avertissant aussi, alors que le nazisme remonte. »

Grave et épochale (en rapport avec l'époque), la conversation le fut dans la mesure où il a sans doute été question de notre époque, de l'époque des Temps modernes, que Heidegger nomme aussi l'« époque des conceptions du monde » dans un texte qui a fortement retenu l'attention de Celan – cette *époque* précisément, au sens grec (ἐπέχειν : retenir, tenir en retrait), en laquelle culmine le retrait de l'être même et dont Heidegger donne cinq manifestations principales, parmi lesquelles figurent le dépouillement des dieux ainsi que le déploiement de la technique moderne sous le visage du règne de la science mathématisée.

Dès 1949, Heidegger avait également identifié un des autres visages de la technique moderne dans « la fabrication de cadavres dans des chambres à gaz et des camps d'extermination[2] ». Là encore, Celan n'a malheureusement pas eu d'écho de ces propos prononcés à l'époque à Brême, mais publiés seulement beaucoup plus tard (1994). Ces paroles d'un Allemand concernant le sort des Juifs dans cette Allemagne par rapport à laquelle Celan était si

1. Cité par Ph. Lacoue-Labarthe (*op. cit.*, p. 152) dans une traduction de Jean-Luc Nancy.

2. Martin Heidegger, *Das Ge-stell* [*Le dis-positif*], GA 79, 27. Cette conférence appartient au même cycle que *Le péril* dont nous avons cité quelques phrases précédemment. Pour la lecture de ces textes difficiles, nous renvoyons de nouveau au texte de G. Guest déjà mentionné en note 1 de la page 27 (et spécialement aux pages 204-219).

méfiant auraient sans doute libéré le poète d'une attente qu'il gardait présente à l'esprit en se rendant à Fribourg.

Néanmoins, cette attente, ou cet espoir qu'exprime de nouveau Celan dans la lettre à son épouse, rend compte d'une confiance envers Heidegger, qui résulte de leur entretien épochal, et confirme la clarté dont parle le poète au sujet des propos échangés dans la voiture. Celan mesurait peut-être secrètement à quel point Heidegger, malgré son erreur au tout début, s'était très vite attaché à « *penser les principes* du nazisme, comme s'il pressentait que la chute de l'hitlérisme ne scellerait pas le surmontement de ce qui l'a rendu possible [1] ». En ce sens, la rencontre dans la Forêt-Noire avait bien quelque chose de *salutaire* pour le poète comme le souhaitait le penseur dans sa lettre à G. Baumann.

Dans son exemplaire de *Was heißt Denken ?*, il soulignera deux ans plus tard ces propos parfaitement clairs, également, de Heidegger :

> « Le péril consiste dans le fait que l'homme d'aujourd'hui a des pensées trop courtes concernant les décisions à venir dont nous ne pouvons rien savoir quant à la forme historiale qui leur est particulière, et qu'ainsi il cherche ces décisions là où elles ne peuvent en aucun cas être prises.
>
> Qu'est-ce qu'a proprement décidé la Seconde Guerre mondiale, sans parler de ses atroces conséquences pour notre patrie [*Vaterland*], et en particulier de la déchirure qui la traverse en son entier ? Cette guerre mondiale n'a rien décidé, si nous prenons ici décision dans un sens si élevé et si ample qu'elle en vient à concerner uniquement le destin d'aître essentiel de l'être humain sur cette terre. Seul ce qui est resté sans décision apparaît un peu plus clairement. Mais ici croît aussi de nouveau le péril que ce qui est sans décision et qui concerne le commandement de la terre en sa totalité se prépare à être décidé – qu'on fasse rentrer de force ce qui est à décider dans des catégories politico-sociales et morales toujours trop étroites et trop courtes dans leur portée et que, sous cette pression, ce qui est à décider soit écarté d'une possible méditation ayant un sens < de la chose > qui porte suffisamment loin [*eine hinreichende Besinnung*] [2]. »

1. F. Fédier, « S'il s'agit vraiment de rendre justice à Heidegger... », in : *L'Infini*, n° 56, Paris, Gallimard, hiver 1996, p. 50. Dans *Zur Seinsfrage* (GA 9, 394 ; trad. cit., p. 210), Heidegger écrit : « Les deux guerres mondiales ni n'ont arrêté le mouvement du nihilisme, ni ne l'ont détourné de sa direction. »

2. Martin Heidegger, *Was heißt Denken ?*, p. 65 ; trad. cit., pp. 108-109.

À l'amorce des bouleversements que connaissait l'Allemagne au début des années 1930, bouleversements dont il était alors impossible de prévoir les conséquences ultimes, Heidegger s'était trompé en pensant pouvoir influer sur l'orientation du mouvement et esquisser un changement à partir de cet événement sans précédent qu'était la publication de *Être et temps*. Il ne fallut ensuite au penseur que quelques mois pour s'apercevoir qu'entre sa propre pensée et la doctrine du pouvoir nazi auquel il se heurtait en tant que recteur, rien ne coïncidait. Ainsi, chez le penseur, cette erreur aura eu pour effet de lui ouvrir brutalement les yeux. À partir de cette date, sa méditation, en approfondissant un mouvement déjà présent – quoique à son insu – dans *Être et temps*, le mènera vers la « pensée de l'histoire de l'estre » [*Geschichte des Seyns*].

En voyant sous ses yeux la doctrine hitlérienne des années 1930 se concrétiser en actes, Heidegger ne l'a pas seulement analysée point par point : ouvertement dans ses cours de 1933-1934, puis, à mots couverts face à la menace croissante [1] (dans les cours consacrés à Nietzsche en particulier), et enfin par-devers lui dans des textes demeurés inédits et en cours de parution depuis 1989 ; il a tout aussi bien médité le phénomène nazi dans son rapport avec le nihilisme, phénomène planétaire qu'il perçoit de plus en plus distinctement à mesure que s'intensifie son dialogue avec Hölderlin et Nietzsche.

Concernant les liens que Heidegger put avoir avec le nazisme dans les années 1933-1934, Victor von Weizsäcker fit observer –

1. Qu'on songe ici, entre autres multiples témoignages, à celui de Georg Picht – élève de Heidegger à partir de 1940 – qui rend compte du fait que les autorités nazies n'étaient pas dupes de la subversion qu'exerçait alors l'enseignement du penseur : « Je ne fus pas surpris lorsqu'un jeune homme vint me trouver et me dit : "Ne m'interrogez pas sur mes sources d'information. Vous mettez votre personne en grand danger si on vous voit aussi souvent avec M. le Professeur Heidegger" » (*Erinnerung an Martin Heidegger*, hrsg. von G. Neske, Pfullingen, Neske, 1977, p. 200). Assez vite, les ouvrages de Heidegger parurent avec de plus en plus de difficultés, parce que les autorités faisaient savoir dans les cercles des revues et des associations qu'il n'était pas souhaitable qu'on parle de Heidegger (*Kant und das Problem der Metaphysik* ne fut pas réimprimé, *Vom Wesen der Wahrheit* n'a pas été mis dans le commerce). À l'automne 1944, enfin, après le débarquement à l'Ouest et les revers à l'Est, le gouvernement hitlérien mobilisa tout ce qu'il était possible de mobiliser. Pour cela, on demanda, dans les universités, d'établir des listes de professeurs selon qu'ils étaient plus ou moins indispensables au travail universitaire. À Fribourg, le nom de Heidegger figurait dans le haut de la liste des « professeurs les moins indispensables au régime » et le penseur dut partir effectuer des travaux de terrassement sur le Rhin.

alors même que le penseur était encore recteur – *la* chose essentielle à Georg Picht qui l'interrogeait avec étonnement sur la manière dont Heidegger avait pu s'identifier avec le régime. Voici sa réponse :

> *„Ich bin ziemlich sicher, daß das ein Mißverständnis ist – so etwas gibt es in der Geschichte der Philosophie noch öfter. Aber Eines hat der Heidegger vor Allen voraus: er merkt, daß hier etwas vor sich geht, von dem die Anderen keine Ahnung haben."*
>
> [« Je suis presque sûr que c'est un malentendu – de tels malentendus sont encore plus fréquents dans l'histoire de la philosophie. Mais il y a une chose pour laquelle Heidegger l'emporte sur tous les autres en les devançant : il se rend compte qu'il se passe ici quelque chose dont les autres n'ont pas idée[1]. »]

La pensée de l'histoire de l'estre pleinement déployée par le penseur dans la seconde moitié des années 1930 ouvre en effet Heidegger à une compréhension du phénomène nazi dont personne n'a encore idée dans la mesure où personne ne réalise alors ce qu'a de proprement unique le nazisme dans l'histoire de l'Occident. L'attitude des démocraties occidentales à Munich (septembre 1938) confirmera cet aveuglement, alors que la Nuit de cristal (novembre 1938) et le pacte germano-soviétique (1939) révèlent un peu plus la nature singulière du phénomène. Ce que perçoit Heidegger dès 1934-1935, c'est la singularité de ce péril qui n'est pas seulement celui d'une répression de plus en plus forte et d'une guerre proche – mais un péril dans lequel il y va de l'estre même et de l'aître de l'être humain, de son habitation sur terre et de tout son rapport au monde.

Le niveau de réflexion auquel se hisse le penseur est alors si éminent qu'il lui permet en outre de voir d'autres phénomènes que le nazisme à la lumière du nihilisme : le communisme et, bien avant Hiroshima, le libéralisme capitaliste dans son extension planétaire. Mais à proprement parler, Heidegger n'a jamais établi de *comparaison* entre ces trois phénomènes dont il savait le caractère respectivement unique en leur genre. La pensée de l'histoire de l'estre permet en revanche de les *situer* tous les trois *quant à leur*

1. Georg Picht, „*Die Macht des Denkens*", in : *Erinnerung an Martin Heidegger*, p. 199.

aître[1], à partir de l'*Ereignis* et par rapport à l'ensemble de l'histoire métaphysique européenne, mais aussi par rapport au destin, c'est-à-dire à l'avenir de l'Occident et donc de toute la planète.

C'est en prenant toute la mesure de cette "situation" [*Erörterung*] à partir de l'*Ereignis* que François Fédier déclare que « la pensée de Heidegger est – à un point que pratiquement personne n'est actuellement en état de mesurer – plus que radicalement non totalitaire et non nihiliste. Je ne dis pas seulement "radical" ; je dis – et je le souligne – *plus que* radical[2] ». La pensée de Heidegger n'est ni *anti*-totalitaire, ni *anti*-nihiliste – ce qui ne serait encore qu'une manière de se placer dans l'horizon métaphysique du totalitarisme et du nihilisme ; elle est *plus que radicalement non* totalitaire et *non* nihiliste parce qu'elle pense et met en question, non pas seulement les racines du totalitarisme et du nihilisme, mais, en deçà de ces racines, l'élément métaphysique au sein duquel elles ont pu croître. Or c'est la pensée de l'histoire de l'estre qui permet de faire apparaître cet élément comme élément – précisément parce qu'elle a elle-même quitté cet élément dans lequel se déploie la métaphysique. Ainsi, tant que nous n'arriverons pas nous-mêmes à une entente de ce que Heidegger pense comme *histoire de l'estre*, son attitude après la guerre ainsi que la signification de tous les textes postérieurs à 1933 nous resteront entièrement incompréhensibles.

Au moment où Heidegger écrit les lignes de *Was heißt Denken ?* que nous venons de lire, la guerre semble terminée depuis sept ans et le penseur observe que personne encore n'a vraiment pris la mesure de ce qui s'est passé, de sorte qu'aucune décision n'a pu être arrêtée. La décision [*Entscheidung*] à laquelle Heidegger fait ici référence n'a pas le sens courant (la décision comme ce qui va mettre en œuvre une action). Elle concerne rien de moins que l'avenir de l'aître de l'être humain ; ainsi elle doit marquer une césure

1. Sur cette question, cf. en particulier la dernière phrase de la page 27 de la conférence *Das Ge-stell* (GA 79, 24-45). À propos de cette phrase aussi brève que difficile, et qui a engendré nombre de contresens chez beaucoup de commentateurs, le lecteur peut se reporter à un des seuls commentaires de langue française à ce jour, qui la traduit et l'étudie avec tout le soin requis : Gérard Guest, « La méchanceté de l'être », in : *Rencontres philosophiques. Actes des journées académiques des professeurs de philosophie*, Académie de Paris, CNDP, 1999, pp. 123-140.

2. François Fédier, *Totalitarismo e nichilismo. Tre seminari e una conferenza*, a cura di Maurizio Borghi, Como-Pavia, Ibis, 2003, p. 160.

(*Scheidung*) pour se séparer (*ent-*) du commencement grec métaphysique de la pensée et préparer un « autre commencement ». Mais cette décision [*Ent-scheindung*] n'est en son fond possible que si est faite la différence [*Unter-schied*] entre être et étant – différence qui est abolie à l'époque nihiliste du règne planétaire de l'efficience [*Machenschaft*] marquée par l'abandonnement de l'être [*Seinsverlassenheit*] [1].

La césure que médite Heidegger tend, elle, à éveiller une pensée qui s'interroge sur le péril qui réside *en l'estre même* et dont les catastrophes du XXe siècle sont, dit le penseur, les symptômes ou les signes [*Merkmale*]. Faute de cette vraie décision à partir de la césure, et si les symptômes sont analysés avec des catégories de pensée insuffisantes face à l'unicité respective du nazisme, du communisme et du libéralisme planétaire de l'ère atomique, si surtout l'analyse s'en tient aux seuls symptômes, il y a grand risque que soit dissimulée et atténuée la véritable signification de ce qui s'est produit pendant la guerre, d'autant plus que cela continue, au moins pour une part, de se produire après 1945, seulement d'une façon moins immédiatement apparente. En effet, écrit Heidegger, « la volonté de volonté ne peut quand même pas, alors qu'elle doit s'installer dans l'étant < pour l'organiser >, apparaître comme ce qu'elle est, à savoir comme anarchie des catastrophes [*Anarchie der Katastrophen*] ; il faut donc qu'elle montre d'autres légitimations [2] ».

Sur ces questions, Celan était un lecteur particulièrement à l'affût et une des raisons fondamentales de son intérêt pour Heidegger tient au fait qu'il est un des rares à avoir très tôt saisi quelque chose de la portée de cette pensée des catastrophes et du péril en l'estre. Par ailleurs l'affaire qui a pour l'essentiel détruit son équilibre psychologique lui a fait prendre conscience en sa personne, et en tant que *juif*, que les principes nazis n'avaient pas disparu avec la fin de la guerre. L'affaire Goll, en effet, qui le mina si profondément, avait

1. Cf. Martin Heidegger, *Überwindung der Metaphysik*, GA 7, 89 ; *Essais et conférences*, p. 104. Lors du cours du semestre d'été 1934 (GA 38), en faisant lui-même le bilan de son échec du rectorat, Heidegger reproche déjà au régime nazi de ne prendre que de fausses mesures – et non de s'engager historialement dans la dé-cision [*Entscheidung*] telle que lui l'entend.

2. Martin Heidegger, *Überwindung der Metaphysik*, GA 7, 88 ; *Essais et conférences*, *op. cit.*, p. 103.

à ses yeux une dimension autre que celle d'une simple polémique, si virulente soit-elle, sur l'authenticité des textes.

Dans une lettre adressée (mais pas envoyée) à Marthe Robert en janvier 1962, Celan dépeint dans les termes suivants ce qu'il appelait « l'infamie » :

> « Madame,
>
> Permettriez-vous à un poète de langue allemande, et qui est juif, de venir vous parler pendant une heure ou deux ?
>
> J'ose vous le demander : je sais que vous ne pourrez rester insensible à ce que je dois vivre depuis un grand moment – : une campagne de diffamation qui, après être passée par des phases aussi incroyables que révélatrices – les choses, en Allemagne, ont beaucoup évolué, l'antisemitisme *[sic]*, sous une forme plus ou moins savamment déguisé *[sic]* par le double jeu (qui se joue à "gauche" (comme ailleurs) – a abouti <, grâce à une belle participation nazie, "philosémite" et <, hélas, > "juive", >… à mon abolition pure et simple comme personne et comme auteur.
>
> Aussi invraisemblable que cela puisse vous {sembler} < paraître >, c'est vrai. […] [1] »

À la même époque, il rédige une lettre similaire adressée à Jean-Paul Sartre, qu'il n'enverra pas non plus ; en voici un extrait :

> « […] J'écris, – j'écris de la poésie, allemande. Et je suis juif.
>
> Depuis quelques années, et surtout depuis l'année dernière, je suis l'objet d'une campagne de diffamation dont l'ampleur et les ramifications dépassent de beaucoup ce que l'on appellerait, à première vue, une intrigue littéraire. Je vous étonnerais sans doute, en vous disant qu'il s'agit là d'une vraie affaire Dreyfus – sui generis bien entendu, mais bien caractérisée. C'est un vrai miroir de l'Allemagne, les voies – "nouvelles" – que sait prendre le nazisme – en collusion patente, dans ce cas, avec une certaine "gauche" à tendance national-bolchéviste, et aussi, comme souvent en pareil cas, avec un nombre considérable de "juifs" – y apparaissent clairement. (Tout cela dépasse d'ailleurs les frontières allemandes.) […] [2] »

Dans l'affaire Goll, à travers la machination diffamatoire et finalement anéantissante – « comme personne et comme auteur »

1. *Correspondance II*, p. 533.
2. *Paul Celan – Die Goll-Affäre. Dokumente zu einer >Infamie<, op. cit.*, p. 544.

insiste le poète –, Celan décelait une nouvelle poussée du nazisme, ou plus exactement, puisque l'infamie vient aussi de parties d'origine juive, des méthodes d'« abolition » nazies. « Le ton nazi survit au vocabulaire nazi », note quelque part le poète [1]. Et dans un fragment non publié intitulé *Erklärung* [*Explication*], il parle encore, à propos des acteurs de l'affaire, des « figures du réveil de l'esprit hitlérien en Allemagne [2] ».

Dans ce contexte, il est impossible que Celan n'ait pas cette affaire toujours présente à l'esprit quand il espère que « Heidegger prendra sa plume et qu'il écrira q[uel]q[ues] pages faisant écho, avertissant aussi, alors que le nazisme remonte ».

Et à cette situation, il faut ajouter également le poids des circonstances historiques d'alors, c'est-à-dire la guerre des Six Jours qui, comme le signale justement Otto Pöggeler, souleva dans le monde une vague de sympathie envers Israël [3]. Celan était aussi très sensible à cette actualité qui le concernait directement et il écrivit le 8 juin 1967 à Franz Wurm : « Israël doit vivre, et à cette fin, il faut employer tous les moyens possibles. Mais penser à un enchaînement de guerres, au marché et au trafic des "grands" pendant que des êtres humains s'entretuent – non, cela je ne peux pas m'y résoudre. » La veille, il avait composé le « poème sur Israël » „DENK DIR“ (dernier poème de *Fadensonnen*) qu'il envoya aussi à son ami et qui s'achève ainsi : « Penses-y : / cela m'advint, / veille de nom, veille de main / pour toujours, / à partir de l'inensevelissable [4]. »

Sans doute Celan n'a-t-il pas demandé à Heidegger son soutien dans l'affaire [5], sans doute aussi, ne pense-t-il pas au nazisme exclusivement par rapport à cette affaire et garde-t-il bien entendu également mémoire du déchaînement de monstruosité dont ses parents furent victimes – mais il reste impensable, d'après la façon dont le poète parle de la rencontre dans les lettres et la manière

1. Paul Celan, *Der Meridian*, TCA, n° 683, p. 173.

2. *Paul Celan – Die Goll-Affäre. Dokumente zu einer >Infamie<*, *op. cit.*, p. 429.

3. O. Pöggeler, *Der Stein hinterm Aug*, *op. cit.*, p. 169.

4. Cf. P. Celan / F. Wurm, *Briefwechsel*, *op. cit.*, pp. 75-80.

5. À cette époque, la dimension publique de l'affaire s'est un peu éteinte, mais Celan, comme au long de toute sa vie, y est toujours très sensible ; le 25 janvier 1967, il avait par hasard rencontré Claire Goll au *Goethe-Institut* de Paris qu'il quitta sur-le-champ et au directeur duquel il envoya un mot le lendemain : « Une maison qui compte madame Goll parmi ses hôtes ne peut pas compter sur ma présence. » (Cf. *Correspondance II*, p. 562.)

dont il évoque la parole à venir dans le poème, qu'il soit venu à Fribourg pour faire le procès du penseur.

Aurait-il flairé, en rencontrant le penseur lui-même, la terrible puissance falsificatrice du on-dit qui entourait la figure de Heidegger et qu'il dut, lui aussi, endurer à sa manière dans l'affaire Goll ? Peut-être, mais c'est surtout la portée épochale de l'entretien et le récit qu'en fait le poète qui empêchent de songer à un Celan venant purement et simplement mettre Heidegger sur le banc des accusés.

Par-donner

La douleur est une forme essentielle du savoir, à l'aune de laquelle l'esprit se sait.

Martin Heidegger [1]

Il reste cependant qu'entre les deux hommes tout ne fut pas dit, et c'est ce qui explique la déception de Celan, non pas juste après la rencontre, mais plus tard et après réception de la réponse de Heidegger.

Aussitôt après le séjour à Fribourg, Gisèle Celan-Lestrange apprend avec une grande joie que la rencontre avec Heidegger s'est « bien passée » – « si bien » précise-t-elle dans sa lettre. Le sens de l'entretien épochal avec le penseur redonne espoir au poète. Mais plusieurs jours après, l'entretien épochal s'éloignant et les obsessions quotidiennes refaisant surface, le poète semble éprouver quelque remord : au-delà – ou en deçà – du dialogue entre la poésie et la pensée, quelque chose est resté en suspens. L'interrogation entre tirets dans le poème revient avec plus d'insistance. Ainsi, dans un texte intitulé « Se tuer à deux », Jean Daive rapporte des propos que Celan lui aurait confiés au sujet de Heidegger après la rencontre :

1. Martin Heidegger / Elisabeth Blochmann, *Briefwechsel 1918-1969*, Marbach am Neckar, hrsg. von Joachim W. Storck, 1990, p. 85 ; Martin Heidegger, *Correspondance avec Elisabeth Blochmann*, trad. Pascal David, Paris, Gallimard, 1996, p. 313 : *„der Schmerz ist eine wesentliche Form des Wissens, gemäß der der Geist sich weiß"*.

« Je voulais l'entendre me dire pardon et le convaincre de le dire publiquement[1]. »

En se rendant à Fribourg, Celan n'allait pas seulement rencontrer Martin Heidegger, il allait aussi voir un Allemand ; et c'est en un sens moins le penseur que l'homme allemand qui a déçu après coup le poète – cet Allemand dont il attendait aussi une parole dans le même esprit que celles déjà inscrites dans des textes datant de presque vingt ans ; cet Allemand dont il souhaitait aussi se voir adresser des paroles envoyées alors à Jaspers :

> « Les faits que je rapporte là ne peuvent disculper de rien ; ils ne peuvent que faire voir combien, d'année en année, à mesure que la malignité du mal se découvrait, croissait aussi la honte d'y avoir un jour contribué directement et indirectement.
>
> Mais quand j'essayais ensuite, avec les connaissances et les moyens dont je disposais, d'en avoir une intelligence historiale, le fond des choses me désespérait. Dans les années 1937 et 1938, j'étais au point le plus bas. Nous voyions la guerre venir, nos deux fils à peine adultes menacés à bref délai, eux qui n'étaient l'un et l'autre ni dans les H[itler] J[ugend] ni dans une organisation étudiante du parti. De telles menaces rendent l'être humain plus clairvoyant ; puis ce furent les persécutions contre les Juifs, et tout alla à l'abîme [2]. »

Heidegger n'a pas écrit en ces termes au poète ; Celan, de son côté, ne pouvait pas s'adresser au penseur de la même manière que Jaspers dans sa lettre du 6 février 1949 – c'est-à-dire en demandant point par point des explications dans l'espoir de renouer une ancienne amitié. Lorsque Heidegger fait part de sa honte à

1. Jean Daive, « Se tuer à deux », in : *Fin*, n°14, Paris, Pierre Brullé Éditeur, novembre 2002, p. 7.

2. Martin Heidegger / Karl Jaspers, *Briefwechsel 1920-1963*, Frankfurt am Main/München, Zürich, Vittorio Klostermann/Piper, 1990, p. 201 ; trad. Claude-Nicolas Grimbert, in : *Correspondance avec Karl Jaspers*, lettre du 8 avril 1950, Paris, Gallimard, 1996, p. 183. La période de 1937-1938 pendant laquelle Heidegger tente d'avoir une « intelligence historiale » de ce qui se passe alors est la période au cours de laquelle il rédige *Apports à la philosophie* (GA 65) qui est le premier ouvrage d'un ensemble dans lequel Heidegger en comptait quatre autres : *Besinnung* (GA 66), *Über den Anfang* (GA 70 à paraître), *Das Ereignis* (GA 71 à paraître) et *Die Stege des Anfangs* (GA 72 à paraître). C'est dans cet ensemble, dont la rédaction s'étend de 1936 à 1944, que Heidegger déploie pleinement la pensée de l'histoire de l'estre et de l'autre commencement.

Jaspers, les deux hommes se connaissent depuis environ trente ans, ont été amis, se sont éloignés en 1933 et se réécrivent depuis 1949. Par ailleurs, en 1945, Jaspers alors considéré comme une des autorités morales de l'Allemagne en ruine avait été appelé (y compris du propre vœu de Heidegger) à donner son avis sur le « cas Heidegger » dans le cadre de la dénazification – avis qu'il donne sans complaisance et avec une certaine fermeté dans la lettre du 22 décembre 1945 à Friedrich Oehlkers. Jaspers demanda cependant que Heidegger ne soit pas empêché de poursuivre son travail, « avec comme justification ses productions reconnues et l'attente de ce qui va naître encore d'important [1] ». Lors d'un réexamen, Jaspers écrira le 5 juin 1949 au recteur de l'université de Fribourg :

> « C'est pour l'Europe et pour l'Allemagne un devoir [*Pflicht*] qui découle de la reconnaissance de qualités et de possibilités intellectuelles que de veiller à ce qu'un homme comme Heidegger puisse travailler en paix, poursuivre son œuvre et la publier [2]. »

Entre Paul Celan et Martin Heidegger, la situation est très différente, mais parce que le poète et le penseur connaissaient mutuellement leurs œuvres respectives, on a tendance à croire qu'ils se connaissaient aussi comme hommes. Or, contrairement à ce qui existe entre Jaspers et Heidegger, le poète et le penseur n'avaient au mieux que des échos l'un sur l'autre : Celan sans doute sur la réserve toute paysanne du penseur et Heidegger sur la fragilité psychologique du poète à peine sorti de l'hôpital pour son arrivée à Fribourg. La veille de la visite à Todtnauberg, ils s'étaient vus dans un climat certes très favorable après la lecture, mais quelques heures à peine et entourés de monde. On imagine mal, dans ces circonstances, comment Celan et Heidegger auraient pu aborder d'emblée et sans vraiment se connaître une question aussi intime et aussi lourde que celle du pardon.

En outre, Celan ne pouvait pas se présenter à Heidegger dans l'intention de lui faire dire une parole qui demande pardon, et il ne savait pas même à l'avance dans quel but précis il venait – mais *il*

---

1. Martin Heidegger / Karl Jaspers, *Briefwechsel 1920-1963*, p. 273 ; trad. cit., p. 421.
2. *Ibid.*, p. 275 ; trad. cit., p. 423.

fallait qu'il vienne, en vertu d'une urgence qui aura transcendé toutes ses hésitations.

La parole qui demande pardon ne peut pas elle-même être demandée. Celan souffre après coup de cette essentielle impossibilité qui l'empêchera toujours d'être définitivement en paix avec le penseur, car le poète avait besoin de ce pardon : en tant que plus extrême possibilité du don, il aurait parachevé ce don que lui fut la pensée de Heidegger.

On ne peut pas *organiser* une demande de pardon comme on organise une rencontre, et nous n'avons pas le droit d'imaginer par illusion rétrospective qu'en se rencontrant pour la première fois le poète et le penseur savaient en toute conscience ce qu'ils avaient à se dire. Il y avait trop à dire – et ce trop-plein ne désigne pas seulement la multitude des sujets à aborder. Il y a trop-plein parce que la poésie et la pensée, essentiellement inactuelles, se rencontrent tout à coup dans une déconcertante actualité : le 25 juillet 1967, le matin, dans la Forêt-Noire. Comment cette actualité, cette *date*, peut-elle soudainement maintenir ensemble l'avenir et la provenance d'une immémoriale destination ?

Sous le poids d'une telle interrogation, on ne s'étonne pas de voir Celan et Heidegger commencer par les gestes les plus simples, ceux-là seuls qui sont à même de recueillir le plus inhabituel et de laisser être l'inouï : marcher ensemble, regarder le paysage, cueillir des fleurs le long du chemin. C'est ce que Heidegger nomme *das Mitgehen* [l'accompagnement], cette manière d'être ensemble dans laquelle être et aller ne trouvent leur sens qu'à partir de la dimension commune d'ouvertude que libère le fait d'être ensemble – c'est le *mit* qui donne au *gehen* sa tonalité. Ainsi vont deux promeneurs – dit Heidegger dans un cours [1] – qui, au détour d'un chemin débouchant sur une vue splendide, font, tout à coup dans ce saisissement, l'épreuve en silence du simple fait d'être vraiment ensemble et non seulement côte à côte.

Ce n'est qu'après la promenade que les deux hommes arrivant au chalet commencent vraiment à parler, d'abord de leur propre travail de poète et de penseur, puis, dans la voiture, de questions de plus en plus amples et, vraisemblablement, de plus en plus décisives historialement. La journée s'achève ainsi, après une sorte de cres-

1. Martin Heidegger, *Einleitung in die Philosophie*, GA 27, 86.

cendo. Une partie du chemin a été parcourue, peut-être la moitié, peut-être plus, peut-être moins – l'essentiel est que ce chemin a été amorcé. Aristote dit quelque part qu'une fois fait le premier pas, c'est plus de la moitié du chemin qui est déjà parcourue. Rien ne peut être linéaire en matière de cheminement. Et la moitié est aussi le point de contact d'où surgit l'entre-deux de toute vraie rencontre. C'est ce chemin de l'entre-deux qui porte aussi le plus loin.

Après la rencontre et avec un certain temps de recul, Celan arrive à dire qu'il aurait également souhaité convaincre le penseur de dire publiquement pardon, comme s'il avait voulu lui faire comprendre que ce pardon, du simple fait qu'il aurait été demandé, aurait été favorablement accueilli par les lecteurs et qu'il aurait ainsi également libéré son œuvre de la suspicion qui l'entourait – suspicion dont le poète lui-même arrivait à se défaire relativement à l'œuvre qu'il connaissait bien, mais qui le tiraillera sans cesse eu égard à l'homme avec lequel il n'eut pas le temps de faire vraiment connaissance, ni de clarifier l'affaire du rectorat comme le purent Karl Jaspers ou Hannah Arendt qui, suite, elle aussi, à une sombre période de doutes aux États-Unis, aura pu écrire le 9 février 1950 après ses retrouvailles avec Heidegger : « Cette soirée et cette matinée apportent sa confirmation à toute une vie [1]. »

La demande de pardon n'a pas eu le temps de venir et la clarification sur le sens de l'engagement du penseur en 1933 n'eut pas lieu ; peut-être eussent-elles été faites si les deux hommes avaient pu continuer de se voir plus longuement et faire plus intimement connaissance en dehors des cadres qui furent chaque fois ceux de leurs rencontres ultérieures (des lectures publiques) – au fil d'un séjour dans la haute vallée du Danube, par exemple, comme le projetait Heidegger.

Cette béance concerne les deux hommes que furent Paul Celan et Martin Heidegger et elle ne peut en aucun cas nous autoriser, nous, à préjuger de quoi que ce soit – ni quant aux contradictions du poète et à la légitimité ou non de son exigence, ni quant au sens de l'œuvre du penseur et à la justification ou non de sa pudique réserve.

1. Hannah Arendt / Martin Heidegger, *Briefe 1925-1975*, aus den Nachlässen hrsg. von Ursula Ludz, Frankfurt a. M., Vittorio Klostermann, 1998, p. 75 ; *Lettres et autres documents 1925-1975*, trad. Pascal David, Paris, Gallimard, 2001, p. 78.

Celan lui-même ne s'est pas positionné comme censeur par rapport à Heidegger dont la pensée demeura toujours, entre les deux hommes, le terrain premier pour leur dialogue au sein du voisinage de la poésie et de la pensée. Ce dialogue est inachevé et il faut nous garder de donner un sens purement fictif à son inachèvement en nous imaginant l'issue qui aurait été la sienne s'il avait pu se poursuivre comme cela était prévu.

Un malentendu

Dans le domaine de la pensée il n'y a pas de déclarations d'autorité. La seule mesure qui vaille pour la pensée vient de ce qu'il s'agit d'y penser.

Martin Heidegger [1]

Toute sa vie durant, Celan se sera senti traqué – traqué par le passé qu'il ne pouvait oublier, traqué parce que *lui* (pourquoi lui et pas ses parents qu'il avait en vain tenté de mettre à l'abri ?) avait survécu. Cela peut expliquer pour une part les contradictions qui le déchiraient et certains comportements parfois assez brusques, ou sa perception de l'affaire Goll qui n'aura cessé de raviver ce sentiment de persécution. Mais la montée du nazisme qu'il éprouve alors en sa personne, de manière contextuelle, comme un nouvel avatar menaçant de la terreur des années fascistes, n'est pas comparable au phénomène que Heidegger médite sans relâche depuis le milieu des années 1930.

Pour Heidegger, c'est l'histoire de l'estre et le destin de l'Occident (et donc de toute « l'humanité européenne » comme disait Husserl) qui sont en jeu ; pour Celan, c'est une résurgence du sentiment de persécution : il s'agit, dit-il, d'« une vraie affaire

1. Martin Heidegger, *Entretien avec le* Spiegel, GA 16, 681 ; *Écrits politiques*, trad. François Fédier, Paris, Gallimard, 1995, p. 270 : „*Im Bereich des Denkens gibt es keine autoritativen Aussage. Die einzige Maßgabe für das Denken kommt aus der zu denkenden Sache selbst.*“

Dreyfus » ; à Nelly Sachs, il écrivait le 20 février 1960 : « Quotidiennement l'infamie vient m'assaillir, quotidiennement, croyez-moi [1]. »

Il y a sur ce plan une réelle différence entre Heidegger et Celan, qui permet d'élucider en partie la différence d'entente qu'il y a, au moins à première vue, entre le penseur et le poète, concernant la « parole à venir au cœur ».

Comme l'indique la lettre à Gisèle du 2 août 1967, Celan attendait une parole *immédiate*, dans l'urgence que représentait à ses yeux la menace de la remontée du nazisme en Allemagne. Et il attend, ainsi qu'il est dit dans le poème *Todtnauberg*, une parole qui vient d'« un pensant » – non pas, donc, quelque propos anecdotique, mais, comme le laisse entendre la tournure impersonnelle „*eines Denkenden*", une réponse pensive.

Avait-il perçu, lors de l'entretien épochal, plus prestement encore que dans les textes qu'il connaissait, toute l'ampleur de la méditation de Heidegger sur l'« époque du nihilisme accompli », et la place que ces questions occupent dans sa pensée de la technique, du règne de l'efficience [*Machenschaft*] et de la désappropriation [*Enteignis*] de l'être mise en corrélation avec l'anéantissement de l'homme par l'homme, dans un contexte où la différenciation entre la guerre et la paix s'abolit en un nouvel ordre du monde comme totalité, que Heidegger nomme *die Unwelt* : l'im-monde [2] ?

Le grand nombre de soulignements, dans son exemplaire, de cette vaste méditation sur le nihilisme qu'est le texte de *Essais et conférences* consacré à la parole de Nietzsche « Dieu est mort », confirme qu'il était particulièrement sensible à ces questions. Il souhaitait, en tout état de cause, que la réponse de Heidegger *fasse écho* à cet entretien épochal et que l'écho du penseur puisse ainsi retentir comme un *avertissement* contre la nouvelle montée du nazisme.

---

1. Paul Celan / Nelly Sachs, *Briefwechsel*, p. 29 ; trad. cit., p. 26.

2. Cf. Martin Heidegger, GA 69, 180-181 et *Vorträge und Aufsätze*, GA 7, 91 sq. (trad. cit., pp. 106 sq.). Sur l'abolition nihiliste de la différence entre la guerre et la paix, cf. aussi un passage de *Was heißt Denken ?* (bas de la page 31 ; trad. cit., p. 62) que Celan a relevé dans son exemplaire. Dès sa lecture en 1954 de *Einführung in die Metaphysik*, le poète avait noté „*Nihilismus*" en face d'une phrase qu'il souligne doublement (GA 40, 212 ; trad. cit., p. 206) : « Dans l'oubli de l'être, uniquement s'affairer à la poursuite de l'étant – voilà le nihilisme. »

De ce point de vue, Celan ne pouvait être que déçu, car depuis son erreur de 1933, qui fut aussi sa première et dernière tentative d'avoir une incidence directe sur des événements contemporains [1], Heidegger s'était définitivement retiré de la sphère publique pour se consacrer exclusivement à « tenter de penser jusqu'au cœur de la destination » (*Avant-propos au poème « Todtnauberg »*). Des paroles publiques sur le ton de l'avertissement, Heidegger n'en prononça plus jamais après sa démission du rectorat ; tout au plus prit-il à de rares exceptions sa plume après 1945 pour démentir telle ou telle calomnie concernant son rapport à Husserl notamment. Et c'est seulement en 1966, après un premier refus, qu'il finit par accepter, grâce à l'insistance de son ami Erhart Kästner, un entretien avec le *Spiegel*, à la condition, cependant, que le texte ne soit publié qu'après sa mort. Or nous savons que Heidegger évoqua en présence du poète cet entretien dans lequel l'interrogation sur le nihilisme est abordée [2]. Dans l'esprit de Heidegger, la mention de cet entretien où il s'est également exprimé sur les circonstances et le sens de son rectorat, sur nombre de fausses accusations, ainsi que sur l'essentielle impossibilité pour la pensée d'agir immédiatement sur le monde, est manifestement une manière discrète mais précise de répondre par avance à des interrogations dont il pouvait à bon droit supposer qu'elles taraudaient le poète. C'est néanmoins l'excessive discrétion d'un penseur se consacrant désormais uniquement à son travail qui a déçu le poète dans son attente plusieurs semaines après la rencontre.

L'entretien avec Heidegger fut « tout à fait clair », confie Celan à Franz Wurm, dans la mesure où les deux hommes purent s'accorder sur la tournure nihiliste de l'époque. Mais avec sa femme, le poète évoque des « paroles claires de *ma* part » (nous soulignons). C'est là probablement que le malentendu trouve son origine : non pas quant au sens épochal de l'entretien, mais relativement à la

1. À savoir : en assumant la charge de recteur pour entreprendre, à partir d'une nouvelle entente du savoir, une réforme de l'Université qu'il prépare *depuis la fin des années 1910* (cf. « Sur l'essence de l'Université et des études académiques » (1919) – GA 56/57, 205-214) et, à cette fin, en adhérant au parti nazi « dans la conviction que c'est en passant par là qu'il sera possible d'apporter au mouvement dans son entier assainissement et clarification », ainsi qu'il l'écrit à son frère au lendemain de son adhésion (GA 16, 93).

2. Cf. Christoph Schwerin, „*Bitterer Brunnen des Herzens. Erinnerungen an Paul Celan*“, *op. cit.*, p. 80.

manière d'y faire face, c'est-à-dire relativement à la réponse directe que Celan attend au sujet de questions sur lesquelles le poète et le penseur se comprennent.

Or ce malentendu tient lui-même essentiellement à la place qu'ils ont respectivement accordée dans leur œuvre à la vie personnelle et à la façon dont ils l'ont fait.

Heidegger, tout entier absorbé par une unique « pensée qui demeurera un jour comme une étoile au ciel du monde[1] », ne cède aucune place à sa vie personnelle, parce que sa vie elle-même est la pensée et cette pensée, dit Hannah Arendt dans son hommage à l'occasion des quatre-vingts ans de Heidegger, « prend son essor comme passion à partir du simple fait d'être-au-monde... ». Quelques lignes auparavant, l'auteur de *La vie de l'esprit* écrit encore :

> « Nous sommes tellement habitués aux vieilles oppositions de la passion et de la raison, de l'esprit et de la vie, que l'idée d'un penser *passionné*, dans lequel Penser et Être-Vivant deviennent un, nous étonne quelque peu. Heidegger a lui-même une fois exprimé cette fusion – d'après une anecdote bien attestée – en une formule lapidaire, lorsqu'il dit au début d'un cours sur Aristote, en lieu et place de l'introduction biographique d'usage : "Aristote naquit, travailla et mourut."[2] »

En ce sens, on peut dire de Heidegger ce que Norbert von Hellingrath déclarait au sujet de Hölderlin dans sa conférence sur *La démence de Hölderlin* : « La vie est entièrement absorbée par l'œuvre et l'œuvre est la vie[3]. »

Chez Heidegger, l'œuvre est la vie, tandis que chez Celan, c'est

1. Martin Heidegger, *Aus der Erfahrung des Denkens*, GA 13, 76 ; *À l'expérience de penser*, in : *Questions III*, trad. André Préau, Paris, Gallimard, 1984, p. 21. Dans son exemplaire de *Was heißt Denken ?* (p. 20 ; trad. cit., p. 47), Celan a souligné cette phrase de Heidegger : « Chaque penseur ne pense qu'une unique pensée. »

2. Hannah Arendt / Martin Heidegger, *Briefe 1925-1975*, p. 184 ; trad. cit., p. 181. La phrase de Heidegger au début du cours sur Aristote est aujourd'hui publiée dans les *Grundbegriffe der aristotelischen Philosophie*, GA 18, 5 : « Relativement à la personnalité d'un philosophe, une seule chose nous intéresse : il est né à tel ou tel moment, il a travaillé et mourut. Il ne sera rien dit ici de la personne qu'était le philosophe ou des choses analogues. »

3. Norbert von Hellingrath, « La démence de Hölderlin », trad. Marie-Joseph Moeglin, in : *Friedrich Hölderlin 1770-1843*, textes réunis et présentés sur l'initiative de l'Institut allemand par Johannes Hoffmeister et Hans Fegers, Paris, Sorlot, 1943, p. 219.

tout autrement que s'articule le rapport non moins intense entre vie et œuvre, car c'est la vie qui devient œuvre. En effet, la vie personnelle – le fait même d'être en vie – est la substance première de sa poésie, à tel point que sa personne *fait corps* – au sens littéral – avec la poésie. « Je me sens très seul, je suis très seul – avec moi-même et mes poèmes (ce que je tiens pour une seule et même chose) », écrit-il à Adorno le 17 mars 1961 pour s'excuser de ne pas assister à deux de ses conférences au Collège de France.

Cela ne signifie pas que la poésie de Celan est simplement anecdotique, mais que chaque expérience vécue est une mise en résonance du poète, de sorte que pour lui, comme pour la Lucile de Büchner, « la parole a quelque chose de personnal » (*Le Méridien*, § 6 c) – „*Etwas Personhaftes*" dit Celan à l'aide d'un néologisme, et non „*persönlich*" [personnel], car, bien que nourri de la biographie, le poème n'est justement pas personnel. Celan s'en explique dans une note :

> „*Die Gegenwart des Gedichts ist – und das <hat> nichts mit biographischen Daten zu <tun>, das Gedicht ist Lebensschrift – die Gegenwart des Gedichts ist die Gegenwart einer Person.*"
>
> [« La présence du poème est – et cela n'<a> rien à <voir> avec des données biographiques, le poème est écriture de vie – la présence du poème est la présence d'une personne[1]. »]

Dans le poème, la parole se fait personne[2] en se faisant voix :

> „*Das Sinnliche, Sinnfällige der Sprache ist das Geheimnis der Gegenwart einer Stimme (Person)*"
>
> [« Ce qui est sensible, ce qui tombe sous le sens dans la parole est le secret de la présence d'une voix (personne)[3] »]

1. Paul Celan, *Der Meridian*, TCA, n° 305, p. 113.

2. Cf. Paul Celan, *Der Meridian*, TCA, n° 306 : „*Im Gedicht: Vergegenwärtigung einer Person als Sprache, Vergegenwärtigung der Sprache als Person –*" [« Dans le poème : présentification d'une personne en tant que parole, présentification de la parole en tant que personne – »].

3. Cf. Paul Celan, *Der Meridian*, TCA, n° 862. Sur les occurrences et le sens de la voix chez Celan, on peut se reporter à l'étude de Marko Pajević : « Les voix et Paul Celan », in : *Paul Celan. Poésie et poétique*, sous la direction de Rémy Colombat, Jean-Pierre Lefebvre et Jean-Marie Valentin, Paris, Klincksieck, 2002, pp. 225-241.

La voix n'est pas un son quelconque ; c'est un bruit « σημαντικός » dit Aristote dans le *De Anima* (420 b 32), parce qu'il est propre à ceux qui ont une ψυχή. La voie est pleine de sens et donne à entendre ce qui est le plus propre de chacun. Mais la voix, dans sa vibration, est toujours aussi ce qui nous est le plus autre ; ainsi, nous sommes chaque fois surpris d'entendre notre propre voix parce qu'on y fait l'expérience de soi-même comme autre.

Pour Celan, c'est le poème qui est la voix, c'est lui qui donne une voix à la parole de sorte que la personne qui parle dans le poème n'est plus personne – ni Celan, ni quelqu'un d'autre. Le personnal qui parle dans la voix du poème est l'essentiellement autre de toute personne au sens courant (sens subjectif) – il est : *Niemand*; et l'identité de *ce* (et non plus "cette") "personne" demeure à jamais secrète. C'est ce secret qui est au cœur du poème :

> „*Geheimnis der Person*
> *Darum sucht, wer das Gedicht zerstören will, die Person zu vernichten.*"
>
> [« Secret de la personne
> C'est pourquoi celui qui veut détruire le poème cherche à exterminer la personne[1]. »]

C'est dans le poème, par la parole, que la personne est proprement à demeure (*heim*) et garde son secret. Ainsi, jamais Celan n'est autant *soi* que dans un poème ; et parce que le poème n'est pas une introspection du *moi*, mais une expérience de soi [*Selbst*], tout lecteur peut venir y faire à son tour la « rencontre de soi-même » [*Selbstbegegnung*]. La voix n'est pas d'abord ce qui sort de la bouche pour se perdre dans le bavardage ambiant, mais le souffle qui entre en chacun ; « il n'est pas possible d'émettre une voix [φῶνειν] ni pendant l'inspiration ni pendant l'expiration, mais seulement dans la retenue du souffle », dit encore Aristote[2]. Il y a toute une "pneumologie" (au sens littéral) de la voix que Celan connaît parfaitement et qui acquiert chez lui une signification poétique très forte : la voix du poème est entonnée au moment exact où le souffle de chaque lecteur se met à virer – *Atemwende*. Et c'est dans ce tour-

1. Paul Celan, *Der Meridian*, TCA, n° 142, p. 91.
2. Aristote, *De Anima*, 421 a 2-3.

nant du souffle que chacun devient à son tour personne (*Person* et *Niemand*).

Détruire le poème, c'est donc faire taire la voix, c'est littéralement ex-terminer la personne, détruire le cadre et expulser la personne hors des limites au sein desquelles elle est vraiment personne et ainsi la réduire à néant.

Le péril des temps modernes

la partie de clinquantes avec la mort
peut commencer.

Paul Celan [1]

Le malentendu que nous pouvons aujourd'hui discerner entre les deux hommes, n'apparaît au poète qu'à la réception de la lettre de Heidegger, qui dit néanmoins plusieurs choses essentielles que Celan ne manqua pas de relever, mais qui en dit encore trop peu eu égard à ce que le poète attendait.

Lors de la conversation elle-même, en revanche, ponctuée de silences et de regards, et à travers tout ce qui lui donna sa tonalité, Celan mesura peut-être très concrètement le poids de phrases qu'il avait pu lire – dans *Pourquoi des poètes ?* par exemple, qu'il lut attentivement début juillet 1953 :

> « La science moderne et l'État totalitaire, dans la mesure où ils s'ensuivent nécessairement du déploiement de la technique, sont du même coup sa suite. Il en est de même pour les formes et les moyens mis en œuvre pour l'organisation de l'opinion publique mondiale et des représentations quotidiennes des hommes. Non seulement, dans l'élevage et l'exploitation, la vie est objectivée par une technique, mais l'attaque de la physique nucléaire sur les phénomènes de la vie comme telle est en plein développement. Au fond, c'est ce qu'a d'essentiel la

1. Paul Celan, „*Landschaft*", in : *Atemwende*; « Paysage », in : *Renverse du souffle, op. cit.*, p. 61 : „*das Klinkerspiel gegen den Tod / kann beginnen*".

vie elle-même en son aître qui doit se livrer à la pro-duction technique[1]. »

Le poète lui-même méditait avec inquiétude le sens de ce déploiement du règne de la technique et en particulier de l'entrée de notre monde dans l'ère du nucléaire. Le 10 mai 1957, il avait lu avec intérêt la conférence sur « Le principe de raison » dans laquelle Heidegger laisse entendre qu'à l'ère atomique, les êtres humains sont en péril de ne plus être à même [*vermögen*] de mourir [*sterben*], de ne plus pouvoir assumer leur être-mortel. Or *Sterben* [mourir], Heidegger l'explique dès *Être et temps* (§ 49), ne désigne pas le simple arrêt des fonctions vitales [*verenden*], mais la manière proprement humaine d'être en rapport avec sa mort et par conséquent de pouvoir l'assumer. En ce sens, mourir est la possibilité humaine la plus extrême, au point que l'homme, comme le savaient déjà les anciens Grecs, peut être appelé *le mortel.* Il faut donc comprendre que les propos de Heidegger ont un sens très fort : ne pas être capable de mourir, c'est proprement être privé de son humanité la plus radicale.

Telle est la menace en son fond nihiliste de l'ère atomique – et c'est également ainsi que Heidegger avait caractérisé l'extermination dans les camps nazis :

> „*Hunderttausende sterben in Massen. Sterben sie? Sie kommen um. Sie werden umgelegt. Sterben sie? Sie werden Bestandstücke eines Bestandes der Fabrikation von Leichen. Sterben sie? Sie werden in Vernichtungslagern unauffällig liquidiert.*“
>
> [« Des centaines de milliers de gens meurent en masse. Meurent-ils ? Ils perdent la vie. Ils se font abattre. Meurent-ils ? Ils font partie intégrante d'un stock de pièces mises à disposition pour la fabrication de cadavres. Meurent-ils ? Ils sont liquidés sans qu'il y paraisse dans des camps d'extermination[2]. »]

Face à ce péril, Heidegger, dans un passage de »*...dichterisch wohnet der Mensch*[3]*...*« que Celan a souligné, pense la poésie comme mesure [*Maß-nahme*] à partir de laquelle l'être de l'homme est

1. Martin Heidegger, GA 5, 290 ; *CHEMINS qui ne mènent nulle part*, p. 348.
2. Martin Heidegger, GA 79, 56.
3. Martin Heidegger, GA 7, 200 ; *Essais et conférences*, p. 235.

octroyé et préservé ; étant accordé à *cette* mesure, l'être humain est alors « à même de mourir sa mort en tant que mort » écrit-il.

En rapport avec cette même question, Celan a marqué d'un trait toute la page 177 de la conférence *Das Ding*[1] dans son exemplaire de *Vorträge und Aufsätze*, et a inscrit en bas : *„Der Mensch = der Sterbliche"* [« L'homme = le mortel »].

Le poème, « ces paroles d'infini où il n'est question que de l'être-mortel [*Sterblichkeit*] et du pour rien [*Umsonst*] », comme dit Celan dans *Le Méridien*, doit garder sauve cette mortellité de l'homme :

> *„Die Dunkelheit des Gedichts = die Dunkelheit des Todes. Die Menschen = die Sterblichen. Darum zählt das Gedicht, als das des Todes eingedenk bleibende, zum Menschlichsten am Menschen. Das Menschliche ist aber nicht, das haben wir inzwischen ausgiebig erfahren, das Hauptmerkmal der Humanisten."*

> [« L'obscurité du poème = l'obscurité de la mort. Les hommes = les mortels. C'est pourquoi le poème, en tant qu'il garde mémoire de la mort, compte parmi ce qu'il y a de plus humain en l'homme. Mais l'humain, nous en avons entre-temps largement fait l'épreuve, n'est pas la caractéristique principale des humanistes[2]. »]

Auschwitz fut un crime contre l'humanité, c'est-à-dire aussi un crime contre l'être-mortel de l'être humain, un crime contre la finitude – un crime contre la poésie.

Mais selon cette perspective, Celan le sait et en fait l'épreuve, il se pourrait que l'être-mortel de l'être humain soit toujours en péril, quoique d'une autre façon, à l'ère atomique. Au début des années 1960, il écrit au sujet d'un poème habité par la mort à son ami Erich Einhorn qui vit à Moscou :

> *»In meinem letzten Gedichtband („Sprachgitter") findest Du ein Gedicht, „Engführung", das die Verheerungen der Atombombe evoziert. An einer zentralen Stelle steht, fragmentarisch, dieses Wort von Demokrit: „Es gibt nichts als die Atome und den leeren Raum; alles anderee ist Meinung." Ich brauche nicht erst hervorzuheben, daß das Gedicht um*

1. Martin Heidegger, *Vorträge und Aufsätze*, GA 7, 180 ; *Essais et conférences*, pp. 212-213. (Cf. le fac-similé n°11.)

2. Paul Celan, *Der Meridian*, TCA, n° 130, p. 89.

> *dieser Meinung – um der* Menschen *willen, also gegen alle Leere und Atomisierung geschrieben ist.«*
>
> [« Dans mon dernier recueil de poèmes (*Grille de parole*), tu trouveras un poème, "Strette", qui évoque les ravages de la bombe atomique. En un passage central figure, sous forme fragmentaire, cette parole de Démocrite : "Il n'y a rien que les atomes et l'espace vide ; tout le reste est opinion." Je n'ai pas besoin de souligner que le poème est écrit au nom de cette opinion – au nom des *hommes*, donc, contre tout vide et toute atomisation [1]. »]

L'extermination de son peuple et de sa famille, malgré ce qu'elle a d'absolument unique, n'a pas empêché Celan, tout au contraire, de voir que le mal prit d'autres visages après la guerre. Le poète fut du reste aussi directement menacé par le retour, après l'occupation allemande, des Soviétiques en avril 1944 à Czernowitz, qui renouvelèrent les exactions et les déportations commencées lors de leur première arrivée le 28 juin 1940. Dès cette époque, des lois antisémites avaient été promulguées et Celan avait alors perdu plusieurs amis. Pour se protéger de la menace soviétique après la guerre, le poète, qui s'appelait alors Paul Antschel, adopta en 1946 la nouvelle graphie de son nom et il finit par s'enfuir clandestinement via l'Autriche fin novembre 1947. Arrivé enfin à Paris, il fut pour le moins troublé par le climat stalinien qui régnait au sein de ce qu'il appelle, dans les ébauches de lettre à Marthe Robert et à Jean-Paul Sartre, « une certaine gauche », et tout sa vie durant, il continuera à faire face au stalinisme. Il s'en explique ainsi dans une lettre du 28 décembre 1966 à Hugo Huppert (auteur d'un livre sur Maïakovski dans lequel Celan avait relevé avec emportement la citation de Staline défendant le poète) à qui il refuse une dédicace :

> « [...] Vous savez qu'un de mes recueils de poèmes [*die Niemandsrose*], que je devais signer pour vous, comme vous en aviez aimablement exprimé le souhait, est dédié à la mémoire d'Ossip Mandelstam et qu'il évoque aussi la mémoire de Marina Tsvetaïeva ; par-delà, il essaie, comme les poèmes et les traductions qui l'ont précédé, de tenir tête à tout ce qui est stalinien [2]. »

---

1. Paul Celan / Erich Einhorn : *Briefe*, hg. von Marina Dimitrieva-Einhorn, in : *Celan-Jahrbuch* 7 (1997-1998), p. 33 ; *Correspondance P. Celan / E. Einhorn*, lettre du 10 août 1962, in : *Europe, Paul Celan*, n° 861-862, p. 58.
2. Cf. *Correspondance II*, p. 339.

L'expérience de ces deux périls que furent le nazisme et le stalinisme, la persécution dans l'affaire Goll et l'entrée de son époque dans l'ère atomique ont doué Celan d'une perception très aiguë de toutes les formes de mal au XXe siècle, et on trouve ainsi dans l'édition critique du *Méridien* une section intitulée „*Zeitkritik*" dans laquelle, notent à juste titre les éditeurs, « la *technique* moderne joue un rôle spécifique, en étant constamment considérée à partir de la perspective polémique tributaire de la conception celanienne de la "poésie" [1] ». C'est à partir de cette conception de la poésie que Celan a pu également s'exprimer en ces termes à propos du règne de la computation universelle qui s'annonce avec l'ère de la technique :

> „*Jedes Gedicht ist der Anti-Computer, auch das vom Computer geschriebene.*"

> [« Chaque poème est l'anti-ordinateur, même le poème écrit par l'ordinateur [2]. »]

L'ordinateur ne pense pas, il n'a pas non plus de mains en lesquelles se rassemble la singularité de chaque être humain. En tant que machine de computation, l'ordinateur effectue de manière programmée une mise en ordre aveugle et totale qui réduit tout ce qui est à une uniformisation binaire dans laquelle tout s'évalue à l'identique. Or rien n'est moins pro-grammé qu'un poème qui s'écrit selon le geste aléatoire de la parole que trace la main en ornant la page de lettres.

La poésie est bien pour Celan, comme pour Heidegger, l'étalon à l'aune duquel seul peut vraiment se mesurer l'humanité de l'homme.

---

1. *Der Meridian*, TCA, p. 263. Les réflexions concernant la théorie de l'information (n° 604 et 613), la cybernétique (n° 606 et 644), la notion de signe (n° 611) ou d'engagement (n° 643, 656 et 659), l'humanisme (n° 130 et 679), qui portent à plusieurs reprises la marque de sa lecture de Heidegger, sont aussi une manière de s'attaquer aux soubassements de l'affaire Goll.

La fréquence des soulignements dans tous les exemplaires du poète confirme également que Celan était concerné par la réflexion de Heidegger sur le caractère très spécifique de la science moderne qui a pris son essor depuis Descartes et qui est à mettre en corrélation avec le déploiement de la technique moderne. Notons en particulier que le texte *L'époque des « conceptions du monde »*, dans lequel Heidegger analyse l'apparition de la science moderne à partir du tournant qu'est la naissance du rapport sujet/objet, est couvert de marques de lecture.

2. Propos cité par Marko Pajević, in : « Le travail du sens de l'Homme. La poétique de Paul Celan », in : *Po&sie*, n° 94, Paris, Belin, 2000, p. 112.

La machination et le règne de l'efficience

HÉRISSÉES DE MICROLITHES
des mains
offrantes-offertes.

Paul Celan [1]

Toujours en rapport avec la question de la technique, il faut citer un des documents les plus saisissants du dialogue de Celan avec Heidegger, qui prouve une nouvelle fois que le poète avait sur certains points une compréhension très approfondie.

Il s'agit ici du règne de la notion de faire [*machen*] sur lequel Celan s'interroge, à partir d'une dé-struction implicite de la ποίησις grecque, dans la très impressionnante lettre du 18 mai 1960 à Hans Bender. En voici un large extrait :

« Je me souviens de vous avoir dit en son temps que le poète, sitôt que le poème est effectivement *là*, était libéré de son initiale complicité [*Mitwisserschaft*]. Cette idée, je la formulerais aujourd'hui peut-être différemment, ou plutôt, je tenterais de la différencier ; mais sur le fond, je suis toujours de ce même – ancien – avis.

Certes, il y a ce que l'on désigne aujourd'hui si volontiers et en y prenant si peu garde, comme *métier* [*Handwerk*]. Mais – permettez-moi ce raccourci de la pensée et de l'expérience –, le métier est,

1. Paul Celan, *Lichtzwang*; *Contrainte de lumière*, trad. Bertrand Badiou et Jean-Claude Rambach, Paris, Belin, 1996, p. 19 : „*MIT MIKROLITHEN GESPICKTE / schenkend-verschenkte / Hände*".

comme la propreté [*Sauberkeit*] en général, la condition requise pour toute poésie. Ce métier ne roule certainement pas sur l'or – qui sait s'il roule même sur quelque chose [1]. Il a ses abîmes [*Abgründe*] et ses profondeurs [*Tiefe*] – quelques-uns (ah, je n'en fais pas partie) ont même un nom pour cela.

Le métier [*Handwerk*] – c'est l'affaire des mains. Et ces mains, à leur tour, n'appartiennent qu'à *un seul* homme, c'est-à-dire à une âme unique et mortelle qui, avec sa voix et son mutisme cherche un chemin.

Seules des mains vraies écrivent de vrais poèmes. Je ne vois aucune différence de principe entre une poignée de main et un poème. Et qu'on ne nous ramène pas le "*poiein*" et les choses de ce genre. Avec ses proximités et ses lointains, ce mot signifiait quand même autre chose que dans son contexte actuel.

[...]

"Comment fait-on des poèmes ?"

Il y a des années, j'ai pu pendant un temps voir de près, puis plus tard, avec un peu d'éloignement, observer précisément, comment le "faire", en passant par la fabrication, vire peu à peu à la machination [*Machenschaft*]. Oui, il y a aussi *ça*, vous le savez peut-être. – Cela ne vient pas par hasard [2]. »

Comme le laisse entendre le début, cette lettre de 1960 fait suite à une première lettre adressée le 18 novembre 1954 au même destinataire [3]. Celan répondait alors à Hans Bender qui lui demandait

1. Celan joue ici sur un proverbe d'une manière que la traduction ne peut pas rendre : „*Handwerk hat einen goldenen Boden*" signifie : « Il n'est si petit métier qui ne nourrisse son homme. » Littéralement l'expression dit : « Le métier a un sol doré. » Et c'est sur l'existence même de ce sol que le poète s'interroge : « qui sait s'il a même un sol », que nous avons rendu par « qui sait s'il roule même sur quelque chose ». Le premier mot de la phrase suivante accentue cette mise en question avec le terme *Abgrund* – littéralement : ce qui est privé de sol, de fond.

2. Paul Celan, GW III, 177-178 ; *Le Méridien & autres proses, op. cit.*, pp. 43-45. La lettre figure également dans son intégralité en allemand et en français dans l'ouvrage déjà cité de Martine Broda (pp. 107-110). Sur son interprétation, M. Broda commet un contresens partiel, en voulant un peu cavalièrement, dit-elle, « en finir (une fois pour toutes ?) avec le prétendu heideggérianisme de Celan ».

Il y a pourtant dans telle ou telle tournure du *Méridien* quelques restes évidents de « heideggérianisme », au sens littéral, chez Celan, mais cela ne présente aucun intérêt réel. Il y a en revanche à la fois plus modestement et plus essentiellement un dialogue de Celan avec Heidegger. Pourquoi s'obstiner à refuser ce dialogue qui doit nous donner à penser ?

3. Cette première lettre du 18 novembre 1954 à Hans Bender, à la différence de la seconde, ne figure pas dans les *Gesammelte Werke*, mais se trouve reproduite en allemand dans l'ouvrage déjà cité de Robert André (pp. 170-171).

s'il existait un „*Handwerk zum Gedicht*". À cette époque, il comprend la question dans un sens courant : existe-t-il un métier (un savoir-faire) pour écrire des poèmes ? Et il répond à H. Bender qu'il n'y a pas réellement de méthode consciente, mais une expérience chaque fois unique de la parole en train de surgir (*in statu nascendi*), suite à laquelle disparaît la complicité du poète.

Or c'est à peu près au même moment (l'automne 1954) que Celan lit le cours *Qu'est-ce qui appelle à penser ?*, dans lequel Heidegger travaille la signification primordiale de *Handwerk*. Dans son cahier de notes de lecture (II, 12), Celan inscrit en référence au cours de Heidegger quelques phrases à propos de ce mot (cf. facsimilé n°1). Mais dans la première lettre à H. Bender, il n'y a encore aucune trace de ce qui éveilla son attention à la lecture du cours. Dans la seconde lettre, en revanche, Celan a présent à l'esprit l'ensemble de la méditation heideggerienne concernant la τέχνη, la ποίησις, l'œuvre, le *Handwerk*, le faire et l'art, telle qu'elle est développée dans *Introduction à la métaphysique*, *L'origine de l'œuvre d'art*, *La lettre sur l'humanisme*, *Qu'est-ce qui appelle à penser ?*, *La question de la technique*, pour ne citer que des ouvrages que le poète a lus.

Au début de cette seconde lettre, Celan se souvient de sa première réponse : sur le fond, il n'a pas changé de position, mais il apporte une nuance en différenciant son ancien avis. Et cette nuance repose tout entière dans la différenciation du sens de *Handwerk* que Celan ne comprend plus comme simple savoir-faire ou métier, mais, avec Heidegger, comme *œuvre de la main*.

La pensée, dit Heidegger, est œuvre de la main [1]. Avec cette phrase culmine la dé-struction de la pensée comprise comme τέχνη, c'est-à-dire l'interprétation technique de la pensée comme processus théorique au service du faire. Celan, à sa manière, entend parfaitement Heidegger sur ce point lorsqu'il écrit dans la lettre cette phrase que nous avons déjà rencontrée : « Je ne vois aucune différence de principe entre une poignée de main et un poème. »

Quant au « "*poiein*" et les choses de ce genre », qu'évoque le poète, c'est l'avatar *moderne* de la ποίησις grecque, à savoir l'idée selon laquelle on peut *faire* de l'art, c'est-à-dire le "fabriquer" ou le

1. Martin Heidegger, *Der Ursprung des Kunstwerkes* [*L'origine de l'œuvre d'art*], in : *Holzwege*, GA 5, 3 ; trad. cit., p. 15. C'est un passage que Celan a souligné. Cf. aussi dans *Was heißt Denken ?* (p. 53 ; trad. cit., p. 92), les deux formulations analogues que Celan a également soulignées.

créer consciemment. Or telle n'est pas, laisse comprendre Celan avec raison, la signification originalement grecque de la ποίησις ni de la τέχνη, qui désignent d'abord – et avant toute espèce de "faire" –, répète constamment Heidegger, des modes de *mise en œuvre de la vérité.* C'est pourquoi la question « Comment fait-on des poèmes ? », qui reprend presque littéralement le titre d'un livre de Maïakovski que Celan possédait (*Wie macht man Verse*[1] *?*), n'a, au fond, pas de sens.

Dans une note préparatoire au discours *Le Méridien* que Celan met lui-même en relation avec la lettre à Hans Bender, on peut lire :

> *„Es ist heute zur Mode geworden, sich die Frage zu beantworten, wie man Gedichte macht; man sollte sich eher fragen, wie man dazu kommt, sich eine solche Frage zu stellen –"*
>
> [« C'est aujourd'hui devenu une mode de répondre à la question < qui demande > comment on fait des poèmes ; on devrait d'abord se demander comment on en vient à poser une telle question[2] – »]

En mettant en question le bien-fondé du titre de Maïakovski, Celan en profite pour répondre également à Gottfried Benn déclarant dans sa conférence « Problèmes du lyrisme » : « Un poème n'advient [*entsteht*] en général que très rarement – un poème est fait [*gemacht*][3]. »

C'est donc la notion même de faire que le poète récuse – et par suite aussi, comme on le voit dans *Le Méridien,* celle d'*art*[4] –, ainsi que cela se confirme dans le paragraphe suivant de la lettre : « Il y a des années, j'ai pu pendant un temps voir de près, puis plus tard, avec un peu d'éloignement, observer précisément, comment le "faire", en passant par la fabrication, vire peu à peu à la machination [*Machenschaft*]. »

Sous cet angle, il est toujours en parfait accord avec Heidegger qui s'est interrogé sur la prééminence du faire à l'ère de la technique

1. Cf. *Der Meridian,* TCA, n° 563, p. 154.
2. Paul Celan, *Der Meridian,* TCA, n° 562, p. 154.
3. Gottfried Benn, GW, Bd. I, p. 495 ; trad. cit., p. 340.
4. Dans l'édition diplomatique du *Méridien,* les notes concernant la réflexion du poète sur l'art, l'expression et le faire, sont rassemblées dans une rubrique intitulée à juste titre „*Kunstfeindlichkeit*" [« hostilité à l'art »].

où l'efficience s'est instituée comme étalon unique dans ce que le penseur nomme *die Machenschaft* [le règne de l'efficience]. Mais chez Heidegger, le mot *Machenschaft* n'a plus du tout son sens courant, il désigne une des guises du déploiement de l'être comme *Gestell* [dis-positif]. Dans la lettre de Celan, au contraire, il a non seulement son sens habituel, mais vise quelque chose de très précis.

Cette lettre est à nouveau très caractéristique de la différence entre Celan et Heidegger : sur l'essentiel de la réflexion, le poète et le penseur sont voisins, mais ce qui, avec Heidegger, est une mise en question radicale des temps modernes en tant que tels dans leur signification historiale, devient chez Celan une source de méditation sur la singularité de son destin personnel – ce qui implique toujours aussi la poésie elle-même.

Dans le cas de la seconde lettre à H. Bender, ce que nous n'avons pas encore dit à son propos – et que fait très justement remarquer Barbara Wiedemann en commentant la lettre qui prend place dans son imposant ouvrage sur l'affaire Goll [1] –, c'est qu'elle constitue une réponse indirecte aux accusations de plagiat lancées par Claire Goll. En avril 1960, l'affaire avait atteint un de ses sommets.

Dès lors plusieurs points de la lettre apparaissent sous un nouveau jour : écarter l'idée de faire – à partir de laquelle seulement la notion de faussaire peut avoir un sens – est aussi une manière pour Celan de revendiquer l'authenticité de ses propres textes. D'où l'insistance marquée sur la propreté et la vérité, ainsi que sur la singularité (« ces mains, à leur tour, n'appartiennent qu'à *un seul* homme, c'est-à-dire à une âme unique et mortelle… »).

Quant au « contexte actuel », pour Celan, c'est en l'occurrence peut-être moins directement cette époque de l'être où règne l'efficience, que la polémique qui l'anéantit.

Dans cette lumière, la lettre apparaît comme une justification : c'est parce qu'on ne peut pas *faire* des poèmes, qu'on ne peut pas non plus les plagier – et Celan d'insister sur la dégénérescence du faire en machination [2] ici entendue au sens courant, ainsi que le suggère le « *ça* » de la phrase suivante : « Oui, il y a aussi *ça*, vous le

1. *Paul Celan – Die Goll-Affäre. Dokumente zu einer ›Infamie‹*, pp. 404-408.

2. Cf. *Der Meridian*, TCA, n° 564, p. 154 : « Le faire. La façon —> machination. J'ai observé un tel cas soit-disant "lyrique". »

savez peut-être », dit-il à H. Bender, en visant la machination odieuse dont il est la victime[1] et très précisément Claire Goll qui "refit" certains textes posthumes de son mari pour fournir une preuve à ses accusations.

Celan enfin termine : « Cela ne vient pas par hasard » – en établissant un lien entre ce qui lui arrive et la portée philosophique du déploiement du règne du faire ; comme si l'affaire Goll, en un sens, était aussi une des manifestations symptomatiques du nihilisme propre à l'époque de la technique. Au sujet de la revue munichoise dans laquelle Claire Goll publia « Des choses inconnues à propos de Paul Celan », le poète écrit : « Cette "revue" suit notamment une orientation résolument anti-nazie. Elle s'oppose aussi à la bombe atomique, c'est-à-dire à l'extermination de l'humanité. Elle s'occupe elle-même de l'extermination de l'humanité. Le meurtre moral est aussi un meurtre[2]. » L'affaire Goll prend ainsi place dans le cadre de l'extermination planétaire (sous toutes ses formes, c'est-à-dire aussi, comme y insiste Heidegger après la guerre, sous des formes inapparentes) qui caractérise le nihilisme.

Par-delà le contenu proprement dit de la lettre, ce texte est particulièrement intéressant dans la mesure où il permet d'observer une nouvelle fois comment Celan entremêle des réflexions d'une portée philosophique beaucoup plus vaste – et d'une portée qu'il a, pour une grande part, très bien comprise – et une défense tout à fait "personnelle" dans le cadre de l'infamie qui l'a harcelé toute sa vie durant[3]. Et c'est un entremêlement similaire qui se produit lorsque le poète manifeste l'espoir de voir le penseur prendre sa plume « alors que le nazisme remonte ».

1. Cf. *Der Meridian*, TCA, n°564 : « Il y a aussi ça. C'est une sorte de jeu "littéraire" de l'infâme… »

2. *Paul Celan – Die Goll-Affäre. Dokumente zu einer >Infamie<*, *op. cit.*, p. 420.

3. Dans ses exemplaires de Heidegger se trouvent aussi des passages soulignés, dont on peut deviner que Celan les lisait de manière directement personnelle – ainsi, dans le *Nietzsche II*, par exemple (GA 6. 2, 213-214) : « À leur tour, les expériences fondamentales du penseur ne proviennent ni de sa disposition < naturelle >, ni de la formation qu'il a reçue – elles adviennent à partir de la vérité de l'être qui vient à aître en présence, et dans le domaine de laquelle être amené à même soi [*übereignet werden*] constitue ce que l'on connaît ordinairement et exclusivement de manière historico-biographique et anthropologique comme étant l'"existence" » ; cf. aussi dans *Was heißt Denken ?*, *op. cit.* (p. 34) : « Pour sauver l'homme en son aître, la psychologie prise en elle-même, comme la psychothérapie, ne peut rien. »

Du fait de cette persécution, et de manière presque obsessionnelle, Celan ne peut pas ne pas toujours ramener la méditation philosophique sur le terrain de sa propre vie. Quant à Heidegger, c'est l'inverse : tout ce qui est personnel disparaît dans une pensée de son époque qui engage tous ses contemporains et ce n'est que très exceptionnellement, avec des interlocuteurs tout à fait intimes tels Hannah Arendt, Elisabeth Blochmann ou Karl Jaspers, qu'il lui arrive de faire des confidences sur la honte qu'il porte depuis le rectorat, ou l'inquiétude qu'il éprouve après la guerre dans l'attente du retour de ses fils retenus prisonniers dans des camps russes jusqu'en 1949.

Poésie et biographie

> *La poésie, dit Valéry quelque part, est la parole* in statu nascendi, *la parole se déployant librement... Certes, notre conscience contribue aussi à ce libre déploiement, notre souvenir et notre expérience y participent aussi – mais dans quelle mesure ? Est-ce qu'une introspection précise et méthodiquement conduite pourrait apporter ici plus de clarté ?*
>
> Paul Celan [1]

Revenons à présent à l'espoir du poète après la rencontre avec Heidegger. Celan manifeste des inquiétudes multiples : la remontée du nazisme à travers l'affaire Goll, ainsi que le règne de la technique à travers la menace du vide atomique et la puissance croissante du faire et de la machination. Il sait, pour l'avoir lu dans ses textes, que Heidegger est concerné au premier chef par ces questions, aussi a-t-il bon espoir dans la venue d'une parole – et d'une parole „*(ungesäumt kommendes)*", avait-il écrit entre parenthèses dans la première rédaction du poème : « (à venir dans l'immédiat) ». Une esquisse préalable à la rédaction définitive (cf. document 7) accentue même cette attente, en particulier par rapport au nazisme ; Celan parle alors de *souffrir l'unique, le dernier délai de la*

1. Paul Celan, lettre à Hans Bender du 18 novembre 1954, citée par Robert André, *op. cit.*, pp. 170-171.

pensée. Mais le ton de cette formule, qui retentit presque comme un appel d'urgence, n'apparaît qu'une fois, avant que le poème prenne vraiment forme, et il disparaît de toutes les versions ultérieures et plus encore de la version définitive publiée juste après la mort du poète dans le recueil *Lichtzwang* [*Astreinte de lumière*] en juin 1970. Pour cette dernière version, en effet, Celan ôta la parenthèse qui figure encore dans l'édition séparée à tirage limité.

La comparaison des différents états du poème [1], des toutes premières esquisses jetées sur le papier à la dernière édition, montre qu'au fil de la rédaction, son inflexion a changé, comme si l'immédiateté de l'urgence cédait le pas à quelque chose de plus ample, peut-être aussi de plus lent et de plus essentiel.

Ignorant l'existence de la lettre de Heidegger au poète, on a longtemps pensé que le retrait de la parenthèse était lié à ce qu'on crut être une absence de réponse de la part du penseur. Mais à présent muni de tous les documents, il faut se demander si la suppression de cette incise n'a pas une autre signification.

Car il existe deux réponses de Heidegger : la première est la lettre du 30 janvier 1968 ; la seconde est l'*Avant-propos au poème « Todtnauberg »* non daté et retrouvé par Hermann Heidegger dans les papiers de son père.

Heidegger n'a pas envoyé ce texte à Celan, peut-être l'a-t-il même écrit après 1970 – c'est là une manifestation très significative de ce qu'il nomme lui-même dans les derniers développements de sa pensée : *die Scheu* [la pudeur], qui est notamment une des modalités les plus intimes du rapport à l'autre [2]. Songeons par exemple à ce que le penseur écrivit en souvenir de Marcelle Mathieu qui l'avait accueilli en Provence :

> „*Und die Scheu? Eine kostbare Spur davon hat sie uns hier in Freiburg zurückgelassen, als sie bei einem beabsichtigten Besuch, vor unserem Haus stehend, nicht wagte zu läuten – und wieder wegging.*
>
> *So ist bisweilen das Nichtvollzogene mächtiger und bleibender als das Gewagte und Verwirklichte.*"

1. Cf. Paul Celan, *Lichtzwang*, TCA, pp. 48-51.
2. Lire par exemple la lettre du 29 mai 1925 de Heidegger à Hannah Arendt dans laquelle, dès cette époque, la pudeur tient une place centrale.

[« Et la pudeur ? Elle nous en a laissé une précieuse trace ici, à Fribourg : alors qu'elle avait prévu une visite, elle s'était arrêtée devant notre maison, n'osant pas sonner, puis elle s'en était allée.

Tel, parfois, qui n'a pas été achevé est plus puissant et plus solide que le risqué et le réalisé [1]. »]

Cette pudeur, enfin, fait signe vers l'attitude générale, ou plus exactement la *tonalité fondamentale*, de Heidegger par rapport à la poésie comme telle, à savoir vers une exemplaire retenue [*Verhaltenheit*], en vertu de laquelle la poésie n'est jamais mesurée à l'aune du langage courant ; la poésie n'est pas pour Heidegger une source d'informations. Elle n'est pas non plus "servante de la philosophie". « La poésie... est l'éveil et le retour à soi de l'individu en son aître le plus propre, grâce à quoi il remonte, en s'y ressourçant, jusqu'au fondement de son être-le-là [2] », écrit le penseur.

Est-ce que cet *Avant-propos* aurait répondu à l'appel du poète ? Nous ne pouvons le savoir. Pour répondre, il faudrait pouvoir être *sûr* de ce qu'entendait Celan par *parole à venir* dans le poème ; or la poésie, justement, doit être inlassablement relue à neuf parce qu'elle se soustrait à cette figure rassurante de la vérité qu'est la certitude. Telle est sa force proprement in-quiétante ; telle est la façon dont elle nous requiert, en nous obligeant à sortir de l'assurance somnambulique dans laquelle nous laissons quotidiennement tout échapper – tel est aussi le plus vieux sens de la poésie *lyrique* (*Mémoire*, mère des Muses), dont Celan est, d'une manière très spécifique, un des derniers héritiers. Nous y reviendrons.

D'après la lettre à Gisèle du 2 août 1967 précédemment citée et au regard de ce que nous savons désormais des inquiétudes du poète, il est permis de supposer que Celan pensait bien alors à une réponse méditative sur l'époque des Temps modernes que lui-même nommait à sa façon l'époque de l'« absence de toi », et il attendait que cette parole pensive d'un allemand *lui soit personnellement adressée.*

---

1. Martin Heidegger, « Le souvenir de Marcelle Mathieu », GA 16, § 274, p. 732 ; trad. F. Fédier, in : René Char, *Œuvres complètes*, Paris, Gallimard, « Bibliothèque de la Pléiade », p. 1249.

2. Martin Heidegger, *Hölderlins Hymnen. »Germanien« und »Der Rhein«*, GA 39, 8 ; *Les hymnes de Hölderlin :* La Germanie *et* Le Rhin, trad. Julien Hervier et François Fédier, Paris, Gallimard, 1988, p. 19.

Le 24 janvier 1968, tandis que Werner Weber proposait à Celan de faire paraître le poème dans la *Neue Zürcher Zeitung*, Celan demandait à Franz Wurm s'il fallait qu'il attende, avant la publication, « une parole de "celui de la montagne" [1] ». Le poème ne parut finalement pas dans le journal, car Celan ne voulait pas que cette publication, qui pourrait à tort passer pour une « prise de position » de sa part, « dispense celui de la montagne d'une réponse [2] ». Le poète, qui ne souhaite pas donner une tournure publique à un dialogue qui les concerne intimement tous les deux, attend une réponse avec une confiance mêlée d'anxiété ; il souhaite surtout que Heidegger prenne librement la parole, sans que des éléments extérieurs viennent infléchir sa réponse. La lettre du penseur fut écrite le 30 janvier, après un délai d'une quinzaine de jours dû à une violente grippe.

On peut ainsi lire le sens de la parole espérée dans le poème à partir du contexte strict de la rencontre, c'est-à-dire à partir de la biographie ; et ce type de lecture semble pouvoir trouver sa justification dans les propos suivants de Celan :

> « (Je n'ai jamais écrit une ligne qui n'eût à voir avec mon existence – je suis, tu vois, un réaliste, à ma manière [3].) »

Cette déclaration ne doit cependant pas nous égarer. Celan ne confesse pas que ses poèmes seraient la simple mise en vers de certains événements vécus. Il parle par ailleurs d'*existence*, ce qui ne correspond pas au pur déroulement de faits chronologiquement mesurables dans une vie [4]. C'est pourquoi le poète ironise sur le mot « réaliste ».

---

1. Paul Celan / Franz Wurm, *Briefwechsel*, *op. cit.*, p. 131.
2. *Ibid.*, p. 134.
3. Lettre à Erich Einhorn du 23 juin 1962, in : *Europe*, *Paul Celan*, n° 861-862, p. 57. Relativement à ce passage, Marina Dmitrieva-Einhorn note dans sa présentation de la correspondance *(ibid.*, p. 51) : « C'est sans doute là une allusion au culte du réalisme en vogue dans la littérature soviétique et au refus du "modernisme" dont relevait aussi l'œuvre de Celan, selon les poncifs soviétiques. »
4. Cf. par exemple cette note relative au *Méridien* (TCA, n° 21, p. 57) : „... *von solchen Daten und Augenblicken schreiben wir uns her, schreibt sich das Gedicht her. / Das läßt sich weder von den Kalendern noch von den Horologien ablesen...*" [« ... depuis de telles dates et instants nous nous écrivons, s'écrit le poème. / Cela ne se laisse pas lire à partir des calendriers et des horloges... »]

Dans son commentaire du poème « Eden », Peter Szondi pose à ce sujet une question essentielle : « Dans quelle mesure le poème est-il déterminé par des éléments qui lui sont extérieurs, et cette détermination extérieure est-elle évincée par la logique propre du poème [1] ? » Or, P. Szondi, bien que connaissant le détail des circonstances biographiques qui ont déterminé la genèse du poème, ne se livre justement pas à une interprétation génétique à partir du vécu (un type d'interprétation auquel Celan était lui-même opposé). Et il expose, avec beaucoup de justesse, le but de son commentaire de manière suivante : « Aussi son intention ne peut-elle être de rapporter les mots aux dates et aux circonstances, d'où surgissent, ensemble, ces quatorze vers, mais de *reproduire l'acte de la cristallisation* [2]. » Cette « cristallisation » proprement poétique est précisément ce qui empêche que le poème soit compris à partir de ce qui lui est extérieur.

Hans-Georg Gadamer, qui s'est aussi penché sur les questions d'interprétation dans son commentaire d'*Atemkristall*, remarque à son tour très simplement dans sa postface que « celui qui ne comprend pas davantage du poème que ce que le poète peut aussi dire sans écrire ce poème en comprend trop peu [3] ». Entre comprendre trop peu et trop comprendre, c'est-à-dire sur-interpréter, il faut trouver la juste mesure, dont le poème est, en définitive, le seul dépositaire.

Lorsque, depuis le XIXe siècle en général, et chez Celan tout particulièrement, la poésie n'obéit plus à des règles formelles strictes de composition, il est encore plus manifeste que chaque poème se donne à lui-même sa propre loi, livrant ainsi à chaque fois au lecteur de nouveaux préceptes herméneutiques – telle est l'*abyssale liberté* du poème, qui est à la fois la "condition de possibilité" de sa lecture par un autre.

1. Peter Szondi, « Eden », in : *Poésies et poétiques de la modernité*, édité par Mayotte Bollack, Lille, Presses Universitaires de Lille, 1982, p. 205.

2. *Ibid.*, p. 203. Nous soulignons.

3. H.-G. Gadamer, *Qui suis-je et qui es-tu ? Commentaire de* Cristaux de souffle *de Paul Celan*, trad. Elfie Poulain, Le Méjan, Actes Sud, 1987, p. 124. Au début du commentaire, il note également (*ibid.*, p. 14) : « Lorsque le poète communique ses motifs privés et occasionnels, il en vient à faire basculer du côté personnel et contingent ce qui a trouvé son équilibre sous la forme d'une construction poétique, alors que cet élément contingent et cet élément personnel ne s'y trouvent pas. »

Dans le cas d'un poète lyrique comme Celan, chez qui la singularité et l'unicité sont érigées en principes absolus de sa poétique, l'*individuation de la parole actualisée*, pour reprendre ses propres termes, joue un rôle essentiel. Mais cette parole est tout autant actualisée qu'*actualisable*, comme dit aussi Celan. Pour apprécier le sens de cette individuation, donc, le recours à la biographie n'est certes pas d'aucune utilité, mais à la condition qu'il n'oblitère pas la parole qui se donne dans le poème et qui est sa seule raison d'être.

En ce sens, on peut parler avec Bertrand Badiou d'*écriture autobiographique*, mais comme il l'expose lui-même, selon une entente tout à fait singulière :

> « Cela pose le problème de l'écriture autobiographique elle-même, dans le sens où les poèmes de Celan sont toujours strictement autobiographiques, avec une volonté d'enfouir le biographique, c'est-à-dire d'écrire de façon tellement biographique que l'on n'a plus besoin de connaître les événements réels qui ont présidé à l'écriture, puisque l'écriture en est la trace la plus singulière et la plus violente. D'une certaine façon l'écriture autobiographique de Celan congédie sa biographie[1]. »

Une *écriture autobiographique qui congédie la biographie* – toute la question herméneutique soulevée par la poésie de Celan peut se résumer dans ce paradoxe proprement lyrique. C'est déjà ce même paradoxe que J. Derrida avait étudié dans *Schibboleth*[2] en posant le problème de la date – un problème que Heidegger avait lui-même rencontré au fil d'un commentaire du mot „*Jetzt*" qui ouvre l'hymne de Hölderlin *L'Ister* (« À présent viens, Feu ! ») :

> « Pour le "à présent" de sa poésie, il n'y a pas de date [*Datum*] conforme au calendrier. Il n'est d'ailleurs besoin ici d'aucune date. Car cet "à présent" qui est appelé et qui lui-même appelle, est lui-même en un sens original une date [*ein Datum*], ce qui veut dire : un donné, un don ; donné justement par l'appel[3]. »

1. « Au cœur d'une correspondance. Entretien avec Bertrand Badiou », in : *Europe, Paul Celan*, n° 861-862, pp. 201-202. Sur le même sujet et dans la même revue, on se reportera également à la contribution de Marko Pajević (pp. 151-163) : « Le poème comme "écriture de vie". »

2. Cf. en particulier les pages : 13, 21, 32, 40, 65-68.

3. Martin Heidegger, *Hölderlins Hymne »Der Ister«*, GA 53, 8.

Chez Celan, la date du poème se retire tandis que celui-ci se donne ; le je ouvre sa singularité pour donner lieu à l'autre ; l'écriture autobiographique enfouit la biographie. Certes, « le poème garde mémoire de ses dates », dit *Le Méridien*, mais avant tout : « il parle ! » Et parlant ainsi, il peut dès lors parler en son nom propre : „*in seiner eigenen, allereigensten Sache*" ; et ce n'est en même temps qu'à cette condition qu'il parle à l'autre : « Mais je pense... qu'il fait partie depuis toujours des espérances du poème que, précisément de cette façon, il parle aussi *au nom de l'étranger* – non, je ne peux plus employer ce mot à présent –, que précisément de cette façon, il parle *au nom d'un autre*[1]... » C'est „*gerade auf diese Weise*" (« précisément de cette façon » : en parlant en son nom propre) que le poème parle aussi au nom de l'autre, « qui sait, ajoute le poète, peut-être au nom du *tout autre* ». Monologue, nous l'avons vu, est aussi dialogue : « Je parle en alternant la première et la deuxième personne ; en nommant tantôt l'une, tantôt l'autre, je veux dire le *même* », écrit le poète[2].

Une autre note de Celan est à ce sujet très significative :

> „*!! Nirgends von der Entstehung des Gedichts sprechen; sondern immer nur vom entstandenen Gedicht !!*"
>
> [« !! Ne parler nulle part de l'origine du poème ; mais toujours uniquement du poème < une fois > advenu !![3] »]

L'origine du poème, en *ce* sens (*Entstehung* et non *Ursprung* qui nomme ce à partir de quoi jaillit le poème : la langue mère), c'est la manière dont le poème advient et, pour ainsi dire, sa date de naissance également. Or c'est cette date dont il ne faut pas parler, sans doute aussi parce que en dernière instance, elle renvoie à la date dont on ne *peut* pas parler : „*ICH HÖRE, DIE AXT HAT GEBLÜHT, / ich höre, der Ort ist nicht nennbar*", dit un poème du recueil *Schneepart* : « J'ENTENDS, LA HACHE A FLEURI, / j'entends, le site n'est pas nommable. »

C'est cette date que le poème efface pour s'adresser en un destin [*Geschick*]. La vraie date du poème est *Geschenk* [don offert]. Telle est la *Schicklichkeit* ou "décence" de la poésie chez Celan, pour

1. Paul Celan, *Der Meridian*, TCA, p. 8 ; *Le Méridien & autres proses*, p. 74.
2. *Ibid.*, TCA, n° 34, p. 64.
3. *Ibid.*, TCA, n° 165, p. 94.

employer un mot dans la frappe que lui a conférée Hölderlin et qui s'entend comme en sourdine dans la seconde lettre à Hans Bender. Le poème est adressé [*schicken*] à l'autre, étant admis que, du même coup, ceux qui sont attentifs s'y disposent [*schicken sich*]. Et cette adresse assure au poème sa "pérennité" ; non pas comme un acquis définitif, mais, au contraire, du fait même de son "événementialité [1]" dans ce qu'elle a de plus *éphémère* dit Celan [2] – à entendre au sens littéral comme : ce qui *chaque jour* offre à nouveau la possibilité d'une rencontre.

Comme y invite Celan, la tâche du lecteur et de l'interprète est ainsi d'actualiser à chaque fois, *dans le texte* – et non en référence à ce qui lui est extérieur –, le poème, de donner à entendre ce qu'il dit à partir de ce dont il parle.

Le précepte herméneutique le plus lumineux et le plus sûr, c'est encore le poète lui-même qui l'a énoncé :

> „*Gedichte sind* [...] *ein Versuch, sich mit der Wirklichkeit auseinanderzusetzen, ein Versuch, Wirklichkeit zu gewinnen, Wirklichkeit sichtbar zu machen. Wirklichkeit ist für das Gedicht also keineswegs etwas Feststehendes, Vorgegebenes, sondern etwas in Frage Stehendes. Im Gedicht ereignet sich Wirkliches, trägt Wirklichkeit sich zu. Davon ergibt sich für den Lesenden zunächst die Bedingung, das im Gedicht zur Sprache Kommende nicht auf etwas zurückzuführen, das außerhalb des Gedichts steht. Das Gedicht selbst ist sich, sofern es ein wirkliches Gedicht ist, der Fragwürdigkeit seines Beginnens wohl bewußt; an ein Gedicht mit unverrückbaren Vorstellungen heranzugehen, bedeutet also zumindest eine Vorwegnahme dessen, was im Gedicht selbst Gegenstand einer – in keiner Weise süffisanten – Suche ist.*“
>
> [« Les poèmes sont [...] une tentative pour s'expliquer avec la réalité, une tentative pour atteindre la réalité, pour rendre visible la réalité. La réalité pour le poème n'est donc en aucune façon quelque chose d'établi, de donné à l'avance, mais bien plutôt quelque chose

---

1. En rapport à cette notion d'événementialité qui l'intéressait tout particulièrement, signalons que Celan a relevé avec un « – i – » dans son cahier (II, 12) et dans son exemplaire de *Einführung in die Metaphysik* (p. 65), le mot *Geschehnis* qu'emploie Heidegger dans la phrase suivante : « Pour la philosophie, au contraire, l'objet n'est pas donné d'abord ; elle n'a pas le moindre objet du tout. Elle est un événement [*Geschehnis*] que l'être (au sein de l'être ouvert qui lui revient) doit chaque fois à neuf amener à se laisser déployer dans son advenue [*erwirken*]. »

2. Paul Celan, lettre à Hans Bender du 18 novembre 1954.

qui reste en question. C'est dans le poème qu'advient du réel, qu'a lieu la réalité. De là s'ensuit pour ceux qui lisent une condition première : ne pas ramener ce qui vient à la parole dans le poème à quelque chose d'extérieur au poème. Le poème lui-même, pour autant que c'est un poème réel, est tout à fait conscient du caractère étrange et digne de question de son entreprise ; ainsi, aborder un poème avec des représentations immuables signifie pour le moins anticiper sur ce qui dans le poème lui-même est l'objet d'une quête (jamais satisfaite d'elle-même) [1]. »]

1. Paul Celan, lettre du 17 février 1958, in : *Hermes. Schülerzeitung des Alten Gymnasiums*, n° 3-4, Brême, avril 1958.

Ce dont parle *Todtnauberg*

Parle –
Mais ne sépare pas le non du oui.
Donne à ta parole le sens :
donne-lui l'ombre.

Paul Celan[1]

Que dit le poème *Todtnauberg*?

Nombre de commentateurs se sont intéressés à ces vers, mais il apparaît que dans la majorité des cas, la question qui guide ces interprétations est plutôt la suivante : de quoi parle le poème *Todtnauberg*?

Celan, qui répugnait à s'exprimer sur ses textes, écrivit le 30 janvier 1968 à propos de *Todtnauberg* qu'il lui était difficile « de parler de ce poème[2] ». Cette difficulté tient sans doute à l'événement dont parle le poème : la rencontre avec un penseur qu'il a longuement médité, chez qui il a trouvé nombre d'intuitions essentielles pour sa propre poésie, et dont par ailleurs il ne peut oublier le bref passé politique. Le poème parle donc, non sans une certaine douleur, d'un double rapport fondamentalement ambigu à un penseur et à un homme allemand.

1. Paul Celan, „*Sprich auch du*", in : *Von Schwelle zu Schwelle*; « Parle aussi toi », in : *De seuil en seuil, op. cit.*, p. 105 : „ *Sprich – / Doch scheide das Nein nicht vom Ja. / Gib deinem Spruch auch den Sinn : / gib ihm den Schatten.*"

2. Cette lettre adressée à un destinataire inconnu est citée par Robert André, *op. cit.*, p. 221.

On peut dès lors s'accorder avec presque tous les commentateurs pour repérer les signes de cette ambiguïté, qui jalonnent le poème « où se mélangent la sérénité et l'impatience[1] », et qui le rythment jusque dans sa disjonction syntaxique.

Ainsi, plantée dans un sol qui n'est pas sans aspérités („*uneingeebnet*"), il n'y a pas seulement la plante qui revivifie (« arnica »), mais aussi l'*Augentrost* – à la fois le réconfort des yeux et la fleur qui, dans la mémoire du poète, rappelle le camp de travail[2]. Taillé dans la fontaine de Heidegger, il y a également le « dé en étoile », qui n'évoque pas seulement la proximité de la source et la « lointaine charge du ciel nocturne[3] », mais aussi cet horrible *schibboleth* qui servit à démarquer son peuple. Puis vient l'interrogation inquiète, au moment même où le poète inscrit son nom dans le livre d'or du chalet, dont il se demande si des meurtriers n'ont pas pu aussi le signer avant lui. Enfin, les sentiers eux-mêmes, les *Knüppelpfade*, renvoient aussi bien aux *Holzwege* que le poète a médités (dans une première rédaction, Celan avait d'ailleurs écrit : *Knüppelwege*) et aux sentiers renforcés par des rondins parcourus avec Heidegger dans un terrain humide et boueux, que, comme le laisse supposer la coupure du mot, aux sentiers terribles des camps sur lesquels frappaient les gourdins. Ce sont des sentiers pensifs dans la fagne des hauteurs [„*Hochmoor*"] et des sentiers monstrueux dans la boue du « marécage d'hommes » [„*Menschenmoor*"] que nomme aussi Celan dans un poème non publié[4].

Par ce jour de pluie, on le sait, les sentiers étaient tellement humides que la promenade dut être interrompue, de sorte que le poème semble s'achever dans cette douleur („*Feuchtes, / viel*" [« Humide, / beaucoup »]), dans cette humidité de l'œil plein de larmes qu'évoque aussi le poème „*Engführung*" [« Strette »] : „*Zum / Aug geh, / zum feuchten –*" [« Vers / l'œil va, / vers l'humide – »].

Mais c'est peut-être l'endurance même de la souffrance [*Leiden*] de « ce qui est pleuré » [„*das Geweinte*"] qui a conduit [*leiten*] Celan

1. Gerhart Baumann, *op. cit.*, p. 74.

2. Sur *Augentrost*, cf. la lettre à Gisèle du 30 septembre 1962 (*Correspondance I*, p. 142).

3. Clemens von Podewils, « Nominations / Ce que m'a confié Paul Celan », trad. cit., p. 119.

4. Cf. Paul Celan, „*Mitternacht*" [« Minuit »], in : *Gedichte aus dem Nachlass*, *op. cit.*, p. 56 et 312.

vers le penseur, comme vers cette bouche, dans « Les vignerons [1] », cette « bouche tardive » [„*Spätmund*"] de l'autre qu'atteint le poème dans le brasillement réconfortant d'un bout de chandelle, et dont « enfin la lèvre s'humecte [*sich feuchtet*] ».

Tous ces signes ont leur sens, et le poète ne cherche pas à les dissimuler ; il fait, crûment, la douloureuse expérience de leur duplicité. Mais ce qui était *cru* au premier abord, dit aussi Celan, cela s'est *clarifié* pendant le trajet en voiture, lors de l'entretien épochal dont parlera le témoin, Gerhard Neumann, celui qui est « à l'écoute aussi » – d'où la possibilité de l'espoir d'une parole à venir.

Todtnauberg est également, à partir de son ambiguïté même, le poème d'une clarification par rapport à Heidegger ; une clarification dont le poète – selon son propre aveu – a du mal à parler. Peut-être, note Robert André, « parce que le poème en donne plus à lire qu'il [Celan] ne lui est possible d'en dire [2] ».

---

1. Paul Celan, „*Die Winzer*", in : *Sprachgitter*, GW I, 140 ; « Les vignerons », trad. J.-P. Lefebvre, in *Choix de poèmes*, *op. cit.*, p. 119.

2. Robert André, *op. cit.*, p. 221.

L'obscurité du poème en tant que poème

Le poème vient obscur au monde ; il vient au monde comme résultat d'une individuation radicale, comme morceau de parole, de sorte que, c'est-à-dire dans la mesure où la parole peut se faire monde, où la parole se charge de monde.

Paul Celan[1]

Mais si tous les signes que nous avons relevés permettent certainement, en corrélation avec la biographie, de gagner une certaine *clarté* eu égard à ce dont parlent ces vers, il n'est pas certain que cette clarté épuise le sens du poème dans sa portée et sa réalité proprement poétiques. De manière très significative, Celan n'a rien raconté de l'arrière-plan biographique du poème à André du Bouchet qui le traduisit et à qui il dicta même le premier jet d'une traduction[2]. Et comme il le dit dans *Le Méridien* en citant Pascal[3], il ne prétend à aucune clarté, mais renvoie plutôt à une *obscurité congénitale au poème en tant que poème.* Dans une note, il met l'accent sur cet « en tant que poème » :

1. Paul Celan, *Der Meridian*, TCA, n° 64, p. 73 : *„Das Gedicht kommt dunkel zur Welt; es kommt, als Ergebnis radikaler Individuation, als ein Stück Sprache zur Welt, somit, d. h. sofern Sprache Welt zu sein vermag, mit Welt befrachtet.*"

2. Cf. *»Fremde Nähe«, op. cit.*, p. 544.

3. Paul Celan, *Der Meridian*, TCA, p. 7 : « ... permettez-moi de citer un mot de Pascal, un mot que j'ai lu il y a quelque temps chez Léon Chestov : "Ne nous reprochez pas le manque de clarté puisque nous en faisons profession !" » (*Le Méridien & autres proses, op. cit.*, p. 72).

„*Das Gedicht ist als Gedicht dunkel.*"

[« Le poème est, en tant que poème, obscur[1]. »]

Si le poème est considéré comme autre chose qu'un message signifiant à décrypter, il doit alors demeurer en tant que tel essentiellement obscur. Et dans la même note préparatoire du *Méridien*, Celan évoque en ces termes le problème de l'obscurité :

> »*Ich spreche nicht vom „modernen" Gedicht, ich spreche vom Gedicht heute. Und zu den wesentlichen Aspekten dieses Heute – meines Heute, ich spreche ja in eigener Sache – gehört seine Zukunftlosigkeit: ich kann Ihnen nicht verschweigen, daß ich die Frage, in Richtung auf welches Morgen das Gedicht sich hinbewegt, nicht zu beantworten weiß; wenn das Gedicht an ein solches Morgen grenzt, so besitzt es Dunkelheit. Die Geburtsstunde des Gedichts, meine Damen und Herren, liegt im Dunkel.*«
>
> [« Je ne parle pas du poème "moderne", je parle du poème aujourd'hui. Et le défaut de futur fait partie des aspects essentiels de cet aujourd'hui – de mon aujourd'hui, car je parle en mon nom propre – : je ne peux pas vous passer sous silence que je ne sais pas répondre à la question : dans la direction de quel lendemain se meut le poème ? ; quand le poème touche à un tel lendemain, il renferme alors de l'obscurité. L'heure de naissance du poème, Mesdames et Messieurs, repose dans l'obscur. »]

La clarté que nous pensons acquérir en tentant de reconstituer, dans le poème, les circonstances de son aujourd'hui doivent lentement céder le pas à l'obscurité qui gagne le poème dès qu'il s'adresse à l'avenir d'une possible rencontre. S'il y a, comme dit ailleurs Celan, une „*Gleichursprünglichkeit des Dunkels im Gedicht*" [« une cooriginalité de l'obscur dans le poème[2] »], si l'heure de naissance du poème repose dans l'obscur – si, en d'autres termes, Celan ne peut pas parler de ses poèmes, c'est parce que *ce qu'ils disent* vient de beaucoup plus loin que d'une circonstance biographiquement localisable.

À proprement parler, les poèmes viennent du lointain [*Ferne*] et s'ouvrent à l'étranger [*Fremde*] pour qu'une rencontre soit possible

1. Paul Celan, *Der Meridian*, TCA, n° 108, p. 85.
2. *Ibid.*, n° 120, p. 87.

avec le tout autre [*das ganz Andere*]. Or cette rencontre, dit Celan, est abyssale, parce qu'on marche alors, comme Lenz, sur la tête, avec le ciel en abîme [*Abgrund*] en dessous :

> *„Das Gedicht hat, wie der Mensch, keinen zureichenden Grund. (Daher seine spezifische Dunkelheit, die in Kauf genommen werden muß, wenn das Gedicht als Gedicht verstanden sein soll.*
>
> *Vielleicht auch: das Gedicht hat seinen Grund in sich selbst; mit diesem Grund ruht es im Grundlosen."*

> [« Le poème n'a, comme l'être humain, pas de fond < qui porte > suffisamment. (D'où son obscurité spécifique à laquelle il faut se résigner si le poème doit être compris en tant que poème.)
>
> Peut-être aussi : le poème a son fond en lui-même ; avec ce fond, il repose dans le sans-fond [1]. »]

L'obscurité est le surgissement, dans le dire du poème, de l'abîme ou sans-fond qui se déploie à la faveur de l'essentielle „*Befremdung*" ["estrangement"] que produit la parole. Et c'est à partir du sans-fond de cette étrangèreté que le « Je passé par l'étranger » [„*befremdetes Ich*"] [2] peut, dans l'obscurité, s'adresser à un autre :

> *„Das ist, glaube ich, wenn nicht die kongenitale, so doch wohl die der Dichtung um einer Begegnung willen aus einer – vielleicht selbstentworfenen – Ferne oder Fremde zugeordnete Dunkelheit."*

> [« Sinon congénitale, au moins conjointe à la poésie dans le dessein d'une rencontre à partir du lointain ou de l'étranger – projeté par soi peut-être – , telle est, je crois, l'obscurité [3]. »]

1. Paul Celan, *Der Meridian*, TCA, n° 123, p. 88.
2. *Ibid.*, p. 7 ; *Le Méridien & autres proses*, *op. cit.*, p. 72.
Dans son exemplaire de *Vorträge und Aufsätze* (GA 7, 205 ; trad. cit., p. 241), Celan a souligné le commentaire de quelques vers de *En bleuité adorable* de Hölderlin, dans lequel Heidegger écrit : « Le dire poétique des images recueille en les rassemblant en un la clarté et l'écho des phénomènes célestes, l'obscurité [*das Dunkel*] et le silence de l'étranger [*das Schweigen des Fremden*]. » Et quelques lignes plus bas, également soulignées par le poète : « "… l'ombre de la nuit" – la nuit elle-même est l'ombre, cette obscurité [*jenes Dunkle*] qui ne peut jamais devenir pure ténèbre, parce qu'en tant qu'ombre, elle demeure confiée à la lumière, projetée par elle. La mesure que prend la poésie, s'adresse en tant que l'étranger [*schickt sich als das Fremde*], en lequel l'invisible [*der Unsichtbare*] ménage son propre aître, dans la familiarité des aspects du ciel. »
3. Paul Celan, *Der Meridian*, TCA, p. 7 ; *Le Méridien & autres proses*, *op. cit.*, p. 72.

Outre le repérage des signes et l'analyse de ce dont parle le poème, il nous faut désormais, à nous lecteurs du lendemain – hommes, qui sommes à l'écoute aussi –, tenter de pénétrer *dans* cette obscurité, qui est aussi la *phénoménalité* propre du poème [1], et, sans prétention à la clarté, nous laisser saisir par l'expérience de ce que dit le poème *en tant que poème* – au risque de nous laisser nous-mêmes rencontrer par l'étranger. À Israel Chalfen qui venait demander des explications à propos d'un poème, Celan répondit en 1961 : « Continuez de lire. Il suffit de lire et de relire, et le sens apparaîtra de lui-même [2]. »

1. Cf. Paul Celan, *Der Meridian*, TCA, n° 57, p. 71.
2. Israel Chalfen, *Paul Celan. Biographie de jeunesse*, *op. cit.*, p. 13.

Ce que dit *Todtnauberg*

l'unique espoir : que le poème puisse une fois encore, erratique, être là –

Paul Celan [1]

C'est dans cette perspective que Beda Allemann s'est interrogé sur le sens de l'*espoir d'une parole à venir* : cet espoir nommerait l'espoir de tout poème, celui d'appeler une réponse chez un lecteur à une date ultérieure, un peu au sens où, dit encore Allemann, Kleist écrivait à sa sœur Ulrike le 5 octobre 1803 : « Je m'efface devant quelqu'un qui n'est pas encore là et je m'incline, un millénaire à l'avance, devant son esprit [2]. »

En rapport avec la méditation sur la date, figure dans *Le Méridien* cette interrogation essentielle :

„*Und welchen Daten schreiben wir uns zu?*"

1. Paul Celan, *Der Meridian*, TCA, n°187, p. 97 : „*die einzige Hoffnung: das Gedicht möchte noch einmal, erratisch, da sein* –"

2. Beda Allemann, « *Heidegger und die Poesie* », in : *Neue Zürcher Zeitung*, 15 avril 1977. Heidegger cite aussi cette phrase de Kleist à la fin de son entretien avec R. Wisser (GA 16, 710) et nous savons par l'assistant du penseur, F.-W. von Herrmann, qu'après la lecture du 24 juillet 1967, il parla avec le poète du fait que sa propre pensée était, comme il le dira également dans l'*Avant-propos au poème « Todtnauberg »*, une *préparation à*. (Cf. O. Pöggeler, *Der Stein hinterm Aug*, *op. cit.*, p. 185.)

Gerhart Baumann engage aussi son interprétation de *Todtnauberg* dans cette direction (*op. cit.*, p. 74).

[« Et en vue de quelles dates nous écrivons-nous[1] ? »]

La vraie date du poème n'est pas sa date de composition, mais un nombre illimité de dates à venir – la date est une direction.

Dans la mesure où elle nous vient de celui que Celan a choisi pour être responsable de l'édition de ses œuvres complètes, il ne peut guère nous surprendre que la lecture d'Allemann a le grand mérite d'être parfaitement fidèle au *sens* (c'est-à-dire aussi à la *direction* si chère au poète) de la poésie de Celan dans son mouvement de destination à l'autre :

> „*Das Gedicht kann* [...] *eine Flaschenpost sein, aufgegeben in dem – gewiß nicht immer hoffnungsstarken – Glauben, sie könnte irgendwo und irgendwann an Land gespült werden, an Herzland vielleicht. Gedichte sind auch in dieser Weise unterwegs: sie halten auf etwas zu.*"
>
> [« Le poème [...] peut être une bouteille jetée à la mer, abandonnée avec la foi – qui n'est certes pas toujours forte d'espoir – qu'elle pourrait quelque part un jour s'échouer sur une terre, la terre du cœur peut-être. De cette manière-là aussi, les poèmes sont en chemin : ils se tiennent ouverts à destination de quelque chose[2]. »]

Cet extrait du *Discours de Brême*, qui s'inspire pour une part du texte *De l'interlocuteur* de Mandelstam et dans lequel nous retrouvons l'*espoir* et le *cœur*, peut éclairer le passage en question dans *Todtnauberg* : tout poème porte en lui, écrite, la ligne de l'espoir de parvenir sur la terre du cœur – tel est l'« unique espoir ». Le poème est cette ligne. L'*espoir d'une parole d'un être qui pense à venir au cœur* désigne alors l'événement même du poème – cet espoir inscrit dans le livre qu'est la langue mère, et donc à chaque fois dans *un* livre (« ce livre ») qui parle en son nom propre, singulièrement, est lui-même la poignée que tend l'être qui pense, l'être humain, et qui garde mémoire – celui qui a une main qu'il tend à l'autre en le remerciant de faire place au poème.

Dans une note préparatoire au *Méridien*, Celan écrit :

1. Paul Celan, *Der Meridian*, TCA, p. 8 ; *Le Méridien & autres proses*, p. 74.
2. Paul Celan, GW III, 186 ; *Le Méridien & autres proses*, *op. cit.*, p. 57.

„– *i – Besetzbarkeit*
Die Form – Leer Hohl- form – des Gedichts, ist das auf das Gedicht wartende Herz des Dichters.“

[« – i – Disponibilité [Y-pouvoir-prendre-place]
La forme – forme vide, forme en creux – du poème, est le cœur du poète attendant le poème [1]. »]

La *Besetzbarkeit*, nous le savons, c'est la structure du poème dans la mesure où, en tant que projet d'existence [*Daseinsentwurf*], il ouvre en lui-même la dimension au sein de laquelle ce qui est peut venir prendre sa place en tant que toi – c'est aussi la forme *dialogique* du poème, *vide* et en *creux*, donc, parce qu'elle donne accueil et s'ouvre à.

Cette ouverture, cette dimension, dit la note, est aussi *le cœur du poète*, ce cœur qui n'attend qu'une seule chose : le poème et du même coup son actualisation chaque fois neuve par un autre à qui il est adressé. Le rythme cardiaque du poète n'est autre que le rythme du poème en tant qu'il met en résonance celui qui le lit en se laissant dire ce que le texte lui adresse.

Dans cette lumière, l'*espoir d'une parole à venir au cœur* est alors bien, non seulement l'événement du poème, mais sa forme elle-même, puisqu'elle déploie, par la parole, l'espace du dialogue au sein duquel chacun, chaque fois, et en tant que toi, vient à être celui qu'il est.

Todtnauberg – ce poème nomme peut-être ainsi le lieu "u-topique" de la possibilité même de tout poème.

Todtnauberg : ce lieu de la langue allemande où la parole, ayant regagné sa limpidité, peut *nommer* à nouveau et donner accueil.

« Ce mot de "limpidité", écrit Podewils, on n'en épuise pas les résonances en le réduisant à celui de *clarté*. Il s'agit en effet de diaphanéité – de cette transparence où la source même se met à paraître à travers l'eau d'une fontaine [2]. »

Dire en poème, dans la mesure où la poésie est, explique Heidegger, „*ursprüngliches Sprechen*“ [parole qui jaillit à partir de ce

1. Paul Celan, *Der Meridian*, TCA, n° 777, p. 188.
2. Clemens von Podewils, « Nominations / Ce que m'a confié Paul Celan », trad. cit., p. 119.

qui fait primordialement jaillir] [1], c'est parler en puisant à la source.

Todtnauberg : *„der / Trunk aus dem Brunnen mit dem / Sternwürfel drauf“* [« boire à la fontaine avec / dessus le dé en étoile »].

Boire à la fontaine, c'est boire à la source même de la parole, c'est parler à même la source qu'est la parole, dans la fraîcheur de sa limpidité. Quand le contact avec la source est perdu, la limpidité se trouble et la parole ne nomme plus ; elle déforme et défigure, elle dis-loque – et la parole n'a plus lieu.

> « Les paroles ne sont pas des termes qui, comme tels, sont comparables à des seaux et à des tonneaux d'où nous puisons un contenu disponible là-devant. Les paroles sont des sources [*Brunnen*] que le dire creuse davantage, des sources qu'il faut toujours chaque fois trouver et creuser à neuf, qui sont facilement ensevelies, mais qui de temps en temps aussi jaillissent sans qu'on y prenne garde. Sans un retour continuel et chaque fois neuf aux sources, les seaux et les tonneaux restent vides, ou leur contenu éventé [2]. »

Cette lecture, rigoureusement “immanente” (*„in seiner eigenen Sache“*) de *Todtnauberg*, ou faut-il dire, avec Beda Allemann, *strictement poétique*? – cette lecture du poème *en tant que poème* s'offre à tout « interlocuteur providentiel [3] ». *« Ut poesis... poesis ! »* déclare un jour Celan au directeur des Éditions Insel [4]. C'est même seulement parce que, comme l'a également écrit Celan, ce qui vient à la parole dans le poème ne se laisse pas ramener à quelque chose d'extérieur au poème, que le poème peut chaque fois, de nouveau, s'adresser à un lecteur, à un autre, dans ce que Celan nomme à propos du poème sa *prétention à parler chaque fois une unique fois* [*„Anspruch auf Einmaligkeit“*] [5].

---

1. Dans son cahier de travail (II, 12), Celan a noté sous un « – i – » cette tournure de Heidegger qu'il entend en écho avec une formule de Valéry recopiée à côté : « vgl. langage à l'état naissant (Valéry) ». À la même époque, il emploie cette formule dans sa lettre à Hans Bender du 18 novembre 1954. On la trouve enfin reprise dans des notes préparatoires au discours *Le Méridien* (cf. *Der Meridian*, TCA, n° 239 et 259).
2. Martin Heidegger, *Was heißt Denken ?*, p. 89 ; trad. cit., p. 142.
3. Ossip Mandelstam, *De l'interlocuteur*, in : *De la poésie*, trad. Mayelasveta, Paris, Gallimard, « Arcades », 1990, p. 64.
4. Lettre à Gotthard de Beauclair du 7 février 1960, in : *»Fremde Nähe«*, p. 278.
5. Lettre du 18 novembre 1954 à Hans Bender.

Le poème fait disparaître dans l'obscurité la rencontre du 25 juillet 1967 en même temps qu'il en perpétue – selon son propre sens et vers une autre date – la portée. C'est le poème lui-même, comme le suggère Axel Gellhaus, qui devient « rencontre *dans* la parole [1] ». Todtnauberg n'est plus Todtnauberg, le village de la Forêt-Noire, mais : *Todtnauberg* – ce lieu u-topique où chacun peut venir prendre *sa* place, et qui fait désormais date d'une autre manière.

Toute lecture, à son tour, est ainsi à chaque fois *une* date – répétable en même temps qu'unique, avec sa providence et sa limite : *datée.* Chaque lecture est à la fois le poème en entier et jamais tout le poème : expérience tou-jours renouvelée d'une essentielle finitude. Aller boire, chaque fois, à la fontaine, et recommencer, encore ; le poème est à lui-même la quête inlassable de sa propre réalité – expérience limite à partir du sans-fond de la parole. « Humide, / beaucoup. » À même l'abîme de la source, tout vacille, à nouveau ; il n'y a même plus de plan („*uneingeebnet*") où prendre appui. Rien que des mots qui errent par strates sur la page – aucun verbe quasiment, pas de sujet qui parle ; juste un possessif, un nom parmi d'autres noms, chaque lecteur parmi tous les autres, et un im-personnel – l'être humain – qui pense.

C'est l'humain aussi qui nous conduit – personne, toujours à l'écoute. Il faut apprendre à marcher avec personne, à demi, dans l'entre-deux du dialogue que déploie le poème. « Chemins à demi – et les plus longs. » Marcher sur ces chemins, c'est marcher sur la tête avec l'étoile en abîme sous les pieds. – Venir à soi sur les mains : « *le secret de la rencontre* [2] ». Obscurité toujours phénoménale.

---

1. Axel Gellhaus, »*... seit ein Gespräch wir sind...*«. *Paul Celan bei Martin Heidegger in Todtnauberg*, Spuren 60, Deutsche Schillergesellschaft, Oktober 2002, Marbach am Neckar, p. 13 (nous soulignons).

2. En face de cette expression du *Méridien*, Heidegger note dans son exemplaire du discours (p. 18) : „*in welcher Gegend?*" [« dans quelle contrée ? »]. Sur le mot *Gegend*, cf. Martin Heidegger, *Gelassenheit*, Pfullingen, Neske, 1959, pp. 39 sq. (trad. André Préau, in : *Questions III*, p. 191). Heidegger l'emploie pour désigner la contrée elle-même en retrait, qui libère toute possibilité d'encontre en laissant être.

Vers la fin du discours, Celan déclare chercher « dans la lumière de l'utopie » : « la contrée [*Gegend*] d'où viennent Reinhold Lenz et Karl Emil Franzos, ces deux rencontres que j'ai faites sur le chemin qui m'a mené ici et chez Georg Büchner. Je cherche aussi, puisque je suis à nouveau là où j'ai commencé, le lieu de ma propre provenance ». Cette contrée n'est en fait aucun lieu, mais comme dit le poète, le méridien lui-même – la parole. Dans son exemplaire, Heidegger a également souligné

Retirer la parenthèse – « (immédiatement à venir) » – pour la version définitive, n'est peut-être rien d'autre que l'acte par lequel la poésie efface sa circonstance pour ouvrir le poème à sa propre phénoménalité dans une actualisation chaque fois singulière et le laisser être, selon *sa* guise, « un don offert à ceux qui sont attentifs. Un don offert qui porte avec lui un destin[1] ».

Au sujet d'un recueil de traduction qu'il projetait de faire, Celan fit savoir à Klaus Reichert qu'il ne voulait pas inscrire les dates des poèmes : « Les dates de composition compliquent trop les choses, elles sont aussi trop biographiques…[2] »

---

cette occurrence (p. 23) de *Gegend* et noté en marge : „*Unterwegs zur Sprache* 1959" [« *Acheminement vers la parole* 1959 »]. Il s'agit sans doute d'un renvoi à la seconde conférence du cycle intitulé „*Das Wesen der Sprache*" (GA 12, 168 sq. ; trad. cit., pp. 162 sq.). Dans ce texte, en effet, Heidegger se met en chemin vers la parole dans la contrée à partir de laquelle se déploie le voisinage de la poésie et de la pensée.

1. Paul Celan, lettre à Hans Bender du 18 mai 1960. C'est également pour effacer sa circonstance biographique que, dans la cinquième strophe, Celan écrit *„im Fahren"* [« en route »] à la place de *„im Wagen"* [« en voiture »] qui figure dans les ébauches.

2. *»Fremde Nähe«*, *op. cit.*, p. 390.

Le voisinage de la poésie et de la pensée

Dire en poème, c'est, au sens strict du terme, prendre la mesure ; et c'est seulement par cette prise de mesure que l'être humain reçoit la mesure de son aître dans toute son ampleur.

Martin Heidegger[1]

Comment Heidegger a-t-il reçu ce poème ? Précisément comme la manifestation d'un destin, et même d'une urgence [*Not*]. Il en fut, rapporte H. W. Petzet, « profondément ému[2] ». Il fut heureux sans doute de voir leur rencontre nommée en poème, cette rencontre dont il savait (en témoigne la constante prévenance qu'il manifesta à l'égard du poète lors de leurs rencontres) qu'elle n'était pas sans en coûter, pour une part, à Celan. Il fut *réveillé*, aussi, comme dit la lettre du 30 janvier 1968.

Todtnauberg rendait un écho de ce dialogue entre la poésie et la pensée qu'il méditait destinalement depuis des années à partir de Hölderlin, de Trakl, de Rilke, de George, mais que, presque dix ans auparavant, il avait en vain tenté d'ouvrir avec Celan et Ingeborg Bachmann, lorsqu'il avait exprimé le souhait de voir recueillis

1. Martin Heidegger, *Vorträge und Aufsätze*, GA 7, 200 ; trad. cit., p. 235 : „*Das Dichten ist die im strengen Sinne des Wortes verstandene Maß-Nahme, durch die der Mensch erst das Maß für die Weite seines Wesens empfängt.*" C'est un passage que Celan a souligné.

2. Heinrich Wiegand Petzet, *Auf einen Stern zugehen*, Frankfurt a. M., Societäts-Verlag, 1983, p. 209.

quelques-uns de leurs poèmes dans l'hommage préparé à l'occasion de ses soixante-dix ans.

Ce dialogue entre la poésie et la pensée n'est pas un vœu pieux de Heidegger, et encore moins une espèce de fuite plus ou moins mystique hors de la philosophie.

Ce dialogue est l'urgence propre à notre temps, et avec lui sont en jeu la rigueur de la pensée, l'être de la parole et l'habitation de l'homme. À l'époque où tout est rendu méconnaissable [*verstellt*] par la mise en réseau totale qui dispose (*Ge-stell*) de ce qui est comme autant de pièces remplaçables [*Bestandstücke*] au sein d'un stock disponible [*Bestand*], à l'époque où les hommes eux-mêmes deviennent ressources humaines et où la manifestation des dieux s'explique par une modification dans les lobes temporaux droits du cerveau – à cette époque du déploiement irrépressible de la technique comme figure de la vérité, le dialogue entre la poésie et la pensée libère la possibilité pour le monde qu'il apparaisse comme monde.

Traditionnellement, on oppose la philosophie, cette science première, œuvre de la raison, et la poésie, cette libre rêverie, œuvre de l'imagination. Cette opposition repose sur une distinction métaphysique entre la partie rationnelle et la partie sensible de l'homme – distinction qui renvoie elle-même à la définition de l'être humain comme *animal rationale.* Mais si l'homme est pensé à partir du *Dasein* en lui, comme dit Heidegger, si donc l'homme n'est plus essentiellement un animal rationnel, mais cet étant qui a pour caractéristique d'être dans un rapport ententif à son être, c'est-à-dire d'ek-sister, qu'advient-il de ces oppositions ? Et si, de surcroît, ce rapport qu'est l'homme – rapport à double sens entre l'être et lui – est entre-tenu par la parole dans un primordial *Ge-spräch* (entretien) ? Répondre à ces questions radicales nous conduirait bien au-delà de notre propos [1].

Pour lors, disons simplement : dès que l'être humain est pensé

1. Pour une esquisse de réponse, nous renvoyons à une étude de F.-W. von Herrmann, « Poétiser et penser le temps de détresse. Sur le voisinage de Heidegger et de Hölderlin » parue en français dans : *L'enseignement par excellence. Hommage à François Vezin, op. cit.*, pp. 73-90. Du même auteur, on pourra se reporter en allemand à : *„Nachbarschaft von Denken und Dichten als Wesensnähe und Wesensdifferenz“*, in : *Wege ins Ereignis. Zu Heideggers „Beiträgen zur Philosophie“*, Frankfurt a. M., Vittorio Klostermann, 1994, pp. 223-245.

comme *Dasein*, l'opposition métaphysique entre la philosophie et la poésie cède nécessairement le pas à ce que Heidegger nomme „*die Nachbarschaft von Denken und Dichten*" – le voisinage de la pensée et, faute d'autre mot, de la "poésie".

Mais ce voisinage qui est proximité n'abolit pas pour autant ce que Heidegger nomme aussi, dans *Acheminement vers la parole*, « la différence délicate mais claire » entre la pensée et la poésie [„*die zarte aber helle Differenz*"] [1]. La différence est délicate, ténue, parce que la poésie et la pensée sont les deux guises primordiales selon lesquelles parle la parole et, en ce sens, la poésie est toujours pensante et la pensée "poétique" – toutes deux ayant trait à une essentielle harmonie. Cette différence est néanmoins claire, parce que aucune confusion n'est possible dans la manière dont parle chacune de ces paroles : „*Das Denker sagt das Sein. Der Dichter nennt das Heilige*[2]." Le penseur dit l'être, il parle à partir de son retrait en faisant apparaître tout ce qui est dans l'allégie. Le penseur ne parle pas de l'étant, mais dit ce qui au cœur de chaque étant n'est jamais étant et il laisse ainsi s'allégir l'ajointement inapparent de tout ce qui est. La pensée est l'allégie elle-même et elle abrite dans son dire le retrait de cet ajointement en y pensant.

Quant au poète, écrit Heidegger, il nomme „*das Heilige*" qui se traduit habituellement par "sacré", mais qui n'a rien à voir avec l'idée romaine de *sacer*. Est *heilig*, en effet, ce qui est *heil* [sauf], et le dictionnaire étymologique *Duden* signale qu'en allemand du Nord, dans la langue parlée, *heil* s'emploie au sens de „*ganz*" [entier]. Le terme courant *heilfroh* (*tout à fait* content) garde aujourd'hui encore ce sens. *Heil*, donc, comme l'anglais *whole* auquel il est apparenté, fait signe en direction d'un *tout entier*. Le poète nomme l'entièreté de tout ce qui est – autrement dit, c'est par la parole du poète que le monde apparaît comme *monde* : non pas comme somme des étants, mais comme ajointement harmonique (qui n'est pas nécessairement "harmonieux"). Le poète ne crée pas le monde comme Dieu fit être la Création (ἐποίησε, dit le texte des Septante) ; le poète dit en poème [*dichtet*] et laisse ainsi

1. Martin Heidegger, *Unterwegs zur Sprache*, GA 12, 185 ; trad. cit., p. 180.
2. Martin Heidegger, *Nachwort zu »Was ist Metaphysik?«*, GA 9, 312 ; *Postface à* Qu'est-ce que la métaphysique ?, in : *Questions I*, p. 83.

apparaître – nomme – tout ce qui est dans l'entièreté de son rythme. Le poète est accordé à ce rythme dont il donne à entendre la tonalité en étant traversé par elle. Ainsi, c'est dans la parole du poète que le monde est gardé sauf[1].

1. Sur le rapport entre parole, poème et "sacré", on peut se reporter à l'importante lettre de François Fédier au poète Robert Marteau, in : F. Fédier, *Regarder Voir*, *op. cit.*, pp. 165-172.

L'art en question

L'art, c'est l'artificiel, l'affecté, le synthétique, le fabriqué : c'est le grincement, loin de l'homme et de la créature, que font les automates : c'est, ici déjà, la cybernétique...

Paul Celan [1]

La cybernétique transforme la parole en moyen d'échange de nouvelles, et avec lui, les arts en instruments eux-mêmes actionnés à des fins d'information.

Martin Heidegger [2]

Ni les poètes ni les penseurs ne se servent de la parole ; ils ek-sistent en elle, ils se tiennent en elle et en elle ils soutiennent, chacun à leur manière, le rythme du monde. C'est donc d'abord dans l'entente qu'a l'être humain de la parole que se décide le sens de son rapport à l'être et que se joue l'apparition de tout ce qui est.

---

1. Paul Celan, *Der Meridian*, TCA, n° 376, p. 124 : *„Kunst, das ist das Künstliche, Erkünstelte, Synthetische, Hergestellte: es ist das menschen- und kreaturferne Knarren der Automaten: es ist, schon hier, Kybernetik...*"

2. Martin Heidegger, *Das Ende der Philosophie und die Aufgabe des Denkens*, in : *Zur Sache des Denkens*, *op. cit.*, p. 64 ; *La fin de la philosophie et la tâche de la pensée*, trad. Jean Beaufret et François Fédier, in : *Questions IV*, p. 116 : *„Die Kybernetik bildet die Sprache um zu einem Austausch von Nachrichten. Die Künste werden zu gesteuert-steuernden Instrumenten der Information.*"

Dans cette perspective, Heidegger fait par exemple observer que, tant que la parole resterait comprise comme moyen d'expression [*Ausdrucksmittel*], la menace de la voir dangereusement dégénérer en moyen de pression [*Druckmittel*] pointerait sans cesse : « La parole devient moyen d'expression. En tant qu'expression, la parole peut tomber jusqu'au niveau du simple moyen de pression », écrit-il dans *« ... l'homme habite en poète*[1]*... »* que Celan a lu le 30 août 1959.

Le poète était aussi méfiant envers la notion d'expression et il insiste souvent sur le fait que « le poème n'est en aucun cas, comme d'aucuns le croient, le résultat de quelque "art d'expression" [*Ausdruckskunst*] [2] ». Et en rapport avec cette question, Celan relève ces propos de Heidegger dans son exemplaire de *Was heißt Denken ?* :

> « D'après la représentation courante, tous deux [penser et poétiser] ont besoin de la parole uniquement pour qu'elle soit leur élément [*Medium*], et en tant que moyen d'expression [*Ausdruckmittel*], tout comme la sculpture, la peinture, la musique se meuvent et s'expriment dans l'élément de la pierre et du bois, de la couleur, du son. Mais la pierre, le bois, la couleur et le son révèlent vraisemblablement aussi une autre manière d'aître au sein de l'art dès que nous arrivons à nous libérer de l'art comme esthétique, c'est-à-dire vu sous l'angle de l'expression et de l'impression : l'œuvre comme l'expression et l'impression comme expérience vécue [*Erlebnis*].
>
> La parole n'est ni seulement le champ de l'expression, ni seulement le moyen d'expression, ni même seulement les deux ensemble. Poétiser et penser n'utilisent jamais simplement la parole pour s'exprimer [*aussprechen*] avec son aide, mais poétiser et penser sont la manière initiale, essentielle et du même coup ultime dont la parole parle à travers l'être humain[3]. »

La dernière phrase du premier paragraphe est trois fois soulignée dans la marge par le poète, parce que Celan observe que l'abandon de la notion d'expression va de pair pour Heidegger avec une interrogation sur la notion d'art tel qu'il est pensé par les catégories de l'esthétique. Or cette interrogation coïncide avec ce que Celan nomme pour sa part dans *Le Méridien „eine radikale In-Frage-*

1. Martin Heidegger, *Vorträge und Aufsätze*, GA 7, 193-194 ; trad. cit., p. 227.
2. Paul Celan, *Der Meridian*, TCA, n° 556, p. 153.
3. Martin Heidegger, *Was heißt Denken ?*, p. 87 ; trad. cit., p. 139.

Stellung der Kunst" [« une mise en question radicale de l'art »] qu'il décèle chez « le poète de la créature » qu'est Büchner et qui l'amène aussi à rompre avec l'esthétique. Ainsi, dans cette note violemment ironique contre les intellectuels engagés et les esthètes :

„*Das Gedicht hört ebensowenig auf das Hüh der Engagierten, wie es auf das Hott der Ästheten – die Kybernetiker unter ihnen sind mitgemeint – hört*„

[« Le poème répond aussi peu au hue, en avant ! des engagés qu'à celui des esthètes – parmi lesquels, on compte les hommes de la cybernétique[1] – »]

Cette mise en question est telle qu'il n'est plus seulement possible d'*élargir l'art*, déclare Celan dans un passage que Heidegger a souligné dans son propre exemplaire du *Méridien* (p. 20). Entre l'art et la poésie, dit Celan dans une note, « il y a besoin d'un saut[2] ». Face à l'inquiétante [*unheimlich*] tête de Méduse de l'art qui est une forme de *Selbstvergessenheit* [oubli de soi], le poète cherche une voie vers « le naturel de la créature » en ce qu'elle a de fragile et de singulier.

Relativement au problème de l'art, donc, les deux hommes constatent par leurs soulignements respectifs que leur réflexion se recoupe, bien que l'ancrage de leur questionnement ne soit pas tout à fait le même ; en outre, cette mise en question, chez Celan et chez Heidegger, est de façon générale aussi liée à la méditation sur le règne de l'efficience [*Machenschaft*] évoquée à propos de la lettre à Hans Bender.

« En opposition à l'art de Benn[3] » et à la conception du lyrisme qui en découle, Celan pense l'art comme une manière de *faire*, qui « met le je à distance », qui implique « une sortie hors de l'humain » et qui neutralise ainsi ce qu'a de personnel la parole qui parle dans le poème. Fabriquer de manière artistique un poème, c'est nier ce qu'il y a d'humain en lui ; c'est aussi laisser le champ libre aux machinations de Claire Goll et finalement anéantir l'être humain tout court.

---

1. Paul Celan, *Der Meridian*, TCA, n° 644, p. 167.
2. *Ibid.*, n° 4, p. 49.
3. *Ibid.*, n° 550, p. 152 : „*im Gegensatz zur Bennschen Artistik*".

Quant à Heidegger, c'est dès la conférence de 1935 sur *L'origine de l'œuvre d'art* qu'il mène à bien la dé-struction de la conception métaphysique de l'art comme objet de l'esthétique pour le repenser à partir de la *mise en œuvre de la vérité* – un thème qui, en témoignent les soulignements dans la conférence, intéressait particulièrement le poète, dans la mesure où cette mise en œuvre n'est en aucune manière l'œuvre d'un faire, mais : *Geschehnis* [événement qui soudain a lieu, avènement] [1].

Dans le prolongement de cette réflexion sur la mise en œuvre et l'avènement, le penseur ira jusqu'à s'interroger, dans une lettre à Jan Aler de novembre 1970, sur le sens de l'œuvre à l'ère du déploiement de la technique :

> „*In welchem Verhältnis steht ein Werk der Kunst zu den Produkten der Produzenten- und Konsumgesellschaft? Sind in ihr noch Werke im Sinne eines gestiftet Bleibenden möglich?*"
>
> [« Dans quel rapport une œuvre de l'art se tient-elle envers les produits de la société de production et de consommation? Dans cette société, des œuvres au sens de ce qui demeure en étant instauré sont-elles encore possibles [2] ? »]

L'expression « ce qui demeure en étant instauré » renvoie au dernier vers du poème „*Andenken*" [« Mémoire »] de Hölderlin : „*Was bleibet aber, stiften die Dichter.*" [« Mais ce qui demeure, les poètes l'instaurent. »] C'est surtout à la fin de *L'origine de l'œuvre d'art* que Heidegger médite le sens de ce vers, dans un passage presque entièrement souligné par Celan – notamment cette phrase :

> „*Kunst als Dichtung ist Stiftung in dem dritten Sinne der Anstiftung des Streites der Wahrheit, ist Stiftung als Anfang.*"
>
> [« L'art comme manière de dire en poème est instauration dans ce troisième sens : initiation de la lutte de la vérité, instauration initiante en tant que commencement [3]. »]

---

1. Cf. Martin Heidegger, *Holzwege* (GA 5, 41 ; trad. cit., p. 59). Celan inscrit un « – i – » triplement souligné et note dans la marge „(*das Gedicht als Geschehnis*)" [« (Le poème en tant qu'avènement) »]) en face de cette phrase soulignée de Heidegger : « L'ouvert sans retrait de l'étant n'est jamais un simple état là-devant, mais bien plutôt un avènement [*Geschehnis*]. »
2. Martin Heidegger, GA 16, 724.
3. Martin Heidegger, GA 5, 64 ; trad. cit., p. 87.

L'art, selon toutes ses modalités, est en son aître *Dichtung* : dire en poème. Mais *Dichtung* ne doit pas ici s'entendre au sens étroit que Heidegger distingue du sens large [1]. Ainsi, la musique, la peinture, la sculpture, la danse, etc., sont aussi, en leur aître, des manières de dire en poème au sens large qui se comprend d'abord à partir de l'étymologie commune à *dichten* et à dire : la racine indo-européenne **deik-* qui désigne le fait de montrer (comme dans le grec δείκνυμι). L'art n'est donc pas essentiellement l'œuvre d'un faire (un ποιεῖν – l'art n'est pas "poésie" !), mais une manière de montrer en faisant apparaître. Dans *L'inspiration du poète* de Nicolas Poussin, c'est bien son in-*dex* que pointe Apollon.

En effet, le peintre fait apparaître des couleurs, le pianiste donne à entendre des notes. Mais s'agit-il seulement de cela ? En réalité, il en va encore tout autrement, dans la mesure où dans un morceau de musique, par exemple, les notes n'apparaissent, ne se donnent à entendre que parce que plus initialement quelque chose *se* montre. Et ce qui se montre ainsi dans ce que donne à entendre le musicien, c'est le *se montrer* lui-même qui tend toujours à échapper.

Prenons l'exemple de la musique pour laquelle l'enseignement phénoménologique du chef d'orchestre Sergiu Celibidache permet de dégager ce phénomène. Jouer ou diriger un morceau, explique-t-il, consiste à supprimer ce qui isole chaque note dans sa différence avec les autres, à « réduire », dit-il dans un langage de lointaine inspiration husserlienne, de sorte que chaque note se voit intégrée dans un tout entier [*ein Ganzes*]. Ne reste plus alors aucune note isolée, mais un ensemble de « rapports [*Beziehungen*] qui ne peuvent être éprouvés qu'à travers la transcendance » [2]. La transcendance elle-même est l'acte par lequel tous les rapports sont dépassés et intégrés dans une unité [*Einheit*] qui ne peut plus se découper en parties indépendantes et dans laquelle toutes les tensions sont résolues. Et dès lors que « la structure est vécue comme un tout entier [3] », le morceau ne s'écoule plus, mais s'entend comme en un

---

1. Heidegger établit à deux reprises cette distinction à la fin de *L'origine de l'œuvre d'art*, à savoir, dans l'édition qu'avait Celan de *Holzwege* : à la page 60 (qui est entièrement soulignée d'un trait vertical en marge par le poète) et à la page 62 dans un paragraphe également marqué d'un trait par le poète [= GA 5, 60-61 ; trad. cit., pp. 81-83 et GA 5, 62 ; trad. cit., p. 84].

2. *Celibidache. Man will nichts – man läßt es entstehen*, Texte zum Film, hrsg. von Jan Schmidt-Garre, München, PARS, 1992, p. 77.

3. *Ibid.*, p. 76.

instant (instant qui n'est pas un moment dans le temps, mais l'instance originale du temps), dans lequel, à rebours de toute temporalité linéaire, la fin est éprouvée comme étant le commencement. « La musique ne dure pas, elle n'a rien à faire avec le temps de l'horloge [1] », déclare le Maestro. « La musique n'*apparaît* pas non plus dit-il encore, car elle n'est pas quelque chose [2]. »

Un phrasé juste, celui à chaque fois unique de A. B. Michelangeli ou de S. Richter par exemple, fait signe [φϱάζειν] à sa manière vers l'unité transcendante du morceau, de sorte que l'on n'entend plus simplement des notes, mais, dans une ekstatique contemporanéité, la com-position elle-même, en vertu de laquelle chaque note répond à toutes les autres. Le rapport incessant entre les notes et le *se montrer* lui-même (la com-position, l'unité transcendante) à la faveur duquel chaque note apparaît *vraiment*, est l'événement [*Geschehnis*] chaque fois unique et neuf que Heidegger nomme « allégie » [*Lichtung*]. C'est ainsi que l'« harmonie inapparente » (Héraclite) s'allégit en chaque note, si bien que, dit encore Celibidache, « la musique n'est pas seulement belle, elle est vraie [3] ». Et le Maestro de préciser ce saut hors de l'esthétique : « Les gens parlerons toujours de beauté : "Ah, comme c'était beau, maître ! Comme c'était magnifique !" Ils ne voient pas que le son est ce qui véhicule jusqu'à la vérité [*das Vehikel zur Wahrheit*]. Le son porte la beauté jusqu'à la vérité [4]. »

C'est en ce sens que tout art est, en son aître, *dire en poème* : « L'art, en tant que mise en œuvre [*Ins-Werk-Setzen*] de la vérité, est *Dichtung* », écrit en effet Heidegger [5]. Dans tout art, quand l'œuvre dit en poème *et* quand ceux à qui elle s'adresse ont eux-mêmes un rapport "poétique" [*dichtendes Bezug*] à l'œuvre, s'allégit la vérité, c'est-à-dire la lutte qu'est la vérité dans sa tension entre ce qui apparaît et le *se montrer* lui-même qui, n'étant *rien*, s'abrite en retrait. En poésie, cette lutte advient entre les mots et le rythme, en peinture entre les couleurs, les formes et l'espace pictural, etc. Et dans cette lutte, disait Héraclite (fragment 54), c'est toujours l'harmonie

1. *Celibidache. Rencontres avec un homme extraordinaire*, textes réunis par Stéphane Müller et Patrick Lang, Paris, K Films Éditions, 1997, p. 30.
2. *Celibidache. Man will nichts – man läßt es entstehen*, *op. cit.*, p. 24.
3. *Celibidache. Rencontres avec un homme extraordinaire*, *op. cit.*, p. 31.
4. *Celibidache. Man will nichts – man läßt es entstehen*, *op. cit.*, p. 40.
5. Martin Heidegger, *Der Ursprung des Kunstwerkes*, GA 5, 62 ; trad. cit., p. 84.

inapparente (la composition, le rythme, l'espace) qui est plus forte [κρείττων] que l'harmonie apparente.

Dans la mesure où l'art est *Dichtung* en ce sens, il est aussi, écrit Heidegger dans la seconde partie de la phrase, *Stiftung als Anfang* : « instauration en tant qu'emprise de l'initial ».

En parlant de *Stiftung* [instauration], Heidegger met l'accent sur le sens ancien du verbe *stiften*, à savoir : *ins Werk setzen* [mettre en œuvre], qui parle encore dans des expressions telles que „*Verwirrung stiften*" [provoquer la confusion]. L'instauration n'a donc rien de fixe ou d'établi – rien de *monumental*, bien que ce soit d'elle dont il faut à chaque fois garder mémoire. En tant que mise en œuvre, l'instauration est et demeure un événement [*Geschehnis*] riche dans son évenir de tout ce qui avient destinalement en lui. L'évenir de cet avenir (ce dernier mot se rencontre encore comme verbe dans le *Lexique de l'ancien français* de Frédéric Godefroy) n'est autre que l'histoire [*Geschichte*] elle-même comprise comme événement en lequel se destine l'allégie de la vérité. – « L'art est histoire en ce sens essentiel qu'il fonde l'histoire », écrit le penseur [1]. Heidegger nous aura enseigné qu'"histoire de l'art" il ne peut y avoir que si on y entend d'abord un génitif subjectif : c'est l'art en tant que mise en œuvre de la vérité qui laisse advenir l'événement qu'est l'histoire, et non la technique historisante qui peut, en vertu de principes non élucidés et extérieurs à l'art lui-même, analyser et classer les œuvres reléguées au rang de biens culturels.

On comprend dès lors en quel sens la *Dichtung* [dire en poème] qui est essentiellement la mise en œuvre de la vérité est en son aître *Stiftung* [instauration]. Mais cette instauration, expose Heidegger à la fin de *L'origine de l'œuvre d'art* (titre que l'on peut désormais comprendre dans son entière signification : le jaillissement primordial qu'est l'art en tant que mise en œuvre de la vérité), s'articule triplement en : *Schenkung* [don offert], *Gründung* [fondation] et de ce fait, *Anfang* [emprise initiale, "commencement"]. Le penseur donne à nouveau à entendre toutes les résonances de sens du verbe *stiften* qui, dans le domaine ecclésiastique en particulier, signifie à la fois *schenken* („*eine Masse schenken*" : offrir une messe) et *gründen* („*eine Kirche stiften*" : fonder une église).

1. Martin Heidegger, GA 5, 65 ; trad. cit., p. 88.

L'art, en son instauration, est un don offert dans la mesure où quelque chose dans sa mise en œuvre excède l'étant qu'est aussi toute œuvre. C'est ce surcroît [*Überfluß*] qu'est la mise en œuvre de la vérité qui s'offre dans l'événement de l'œuvre d'art.

Dans la lettre à Hans Bender du 18 mai 1960, Celan écrivait à son tour :

> *„Gedichte, das sind auch Geschenke – Geschenke an die Aufmerksamen. Schicksal mitführende Geschenke.“*
>
> [« Les poèmes sont aussi des cadeaux offerts – cadeaux offerts à ceux qui sont attentifs. Des cadeaux qui portent avec eux un destin. »]

En allemand, la tournure est bien plus serrée dans la mesure où *Gedicht* et *Geschenk* se répondent littéralement : ce qui est rassemblé dans le dire poétique est aussi ce qui est rassemblé dans l'offrir. En tant que don, le poème est essentiellement caractérisé par un surcroît ontologique et sémantique : il est plus qu'un étant et plus qu'un signe informatif. Le poème est à lui-même sa propre altérité dans la différence ; il n'est pas le texte écrit que l'on peut recueillir dans des ouvrages, mais la vacance qu'ouvre ce texte dès lors que survient le surcroît de la parole qui se met à parler. Et c'est à cette condition qu'il peut porter avec lui un destin [*Schicksal*], c'est-à-dire quelque chose qui n'est pas un étant ni aucune espèce de *fatum*, mais un advenir qui vient s'adresser à (*schicken* est de la même famille que *geschehen*). En tant qu'il porte un destin, le poème est un "avoir lieu", un événement – il n'est pas une chose, ni même ce dont il parle, mais l'avoir lieu dans la parole de ce dont il parle. Et il ne peut y avoir lieu que si un espace se prête à cet événement : l'espace de mise en résonance (*Dasein*) qu'est l'homme qui prête attention.

Pour que le poème ait lieu, il doit donc recueillir le surcroît qu'est la vérité qui se met en œuvre en s'offrant et doit lui-même à son tour s'offrir à l'être humain. Rien n'est moins certain pour le poème comme pour toute œuvre d'art que ce double mouvement qui constitue leur événement. En ce sens, l'art n'a plus rien du savoir-faire de la τέχνη, il est étranger à toute forme de fabrication et de maîtrise, et abrite en son aître la plus intime finitude. C'est ici que Heidegger quitte le terrain de la pensée grecque de l'art qui a prévalu jusqu'alors et que Celan rompt absolument avec la tentative mallarméenne de vaincre le hasard mot par mot, ainsi qu'avec la poésie de Benn conçue comme « produit d'art » [*Kunstprodukt*].

Dans l'événement de son instauration, dont nous retiendrons ici surtout la première caractérisation qu'en donne Heidegger, le poème s'offre et s'adresse à l'être humain en le convoquant dans la parole. En dernière instance, comme le souligne Celan dans son exemplaire, c'est « la parole elle-même qui est poème [*Dichtung*] au sens essentiel [1] », parce que c'est en elle que tout a lieu. C'est en elle que s'allégit la vérité de l'estre, que se manifeste ce qui est et que l'homme advient à lui-même. C'est donc de toute urgence qu'il faut la prendre en garde, et c'est précisément pour cette raison que Heidegger, dès l'instant où il voit le péril surgir sous son vrai visage – début 1934, malheureusement pas dès janvier 1933 –, commence à méditer sans relâche son être ; le premier cours thématiquement consacré à la parole est ainsi significativement professé par le penseur lors du semestre d'été 1934 (*La logique comme question en quête de l'aître de la parole*), immédiatement après l'échec du rectorat. Il marque une césure décisive dans l'itinéraire de Heidegger et rend également compte de sa rupture irréversible avec le régime. Rüdiger Safranski dépeint ainsi l'événement dans sa biographie du penseur : « Un grand nombre de personnalités se réunissent pour assister au premier cours : dignitaires du parti, notables, collègues ; les étudiants sont en minorité. On est très curieux de savoir ce que va dire Heidegger au lendemain de sa démission. Ce cours est un événement national. Heidegger se fraie un chemin à travers l'amphithéâtre bondé, surtout peuplé de chemises brunes, monte sur l'estrade et déclare qu'il a changé de sujet : *Je vais donner un cours de logique. La logique vient de logos. Héraclite a dit…* […] Dès la deuxième heure de cours, il ne reste plus dans l'amphithéâtre que des auditeurs s'intéressant à la philosophie [2]. »

À partir de la fin de la guerre, c'est avec la conscience de plus en plus claire que le péril, bien que sous une autre forme, demeure après 1945, qu'il poursuit cette méditation par laquelle il tend à éveiller une écoute pour la parole telle qu'elle est parlée par les poètes.

Il s'agit là de l'un des enjeux majeurs du dialogue entre la poésie et la pensée, à partir duquel ne doit pas seulement prendre

1. Martin Heidegger, *Der Ursprung des Kunstwerkes*, GA 5, 62 ; trad. cit., p. 84.
2. Rüdiger Safranski, *Heidegger et son temps*, Paris, Grasset, 1996, pp. 298-299.

source une nouvelle entente de la parole, mais du même coup un autre rapport de l'être humain au monde.

Comme en témoigne la seconde partie de l'*Avant-propos au poème « Todtnauberg »* consacré à la parole, c'est sous le signe de ce dialogue (avec toute sa portée) que Heidegger comprend le sens de la rencontre avec Celan : comme un « réveil » et une « exhortation » à le poursuivre. Le penseur doit être à l'écoute – en effet, dit Heidegger : « Le destin du monde s'annonce dans la poésie sans qu'il soit déjà manifeste comme histoire de l'être[1]. »

C'est aussi sous le signe du voisinage de la poésie et de la pensée que Celan, dans l'esquisse de lettre de 1954, s'était engagé dans le dialogue avec Heidegger – lui-même étant confronté au fait que « sans cesse s'ouvrent ces infranchissables abîmes entre pensée et parole » ainsi qu'il l'écrit la même année à Hanne et Hermann Lenz[2].

1. Martin Heidegger, GA 9, 339 ; *Lettre sur l'humanisme*, *op. cit.*, p. 101.

2. Paul Celan / Hanne und Hermann Lenz, *Briefwechsel*, hrsg. von Barbara Wiedemann in Verbindung mit Hanne Lenz, Frankfurt a. M., Suhrkamp, 2001, p. 19 (lettre du 16 novembre 1954).

Dialoguer à partir de l'imparlé

Où l'imparlé pourrait-il être gardé sauf, mis à l'abri, ailleurs que dans le rassemblement de la parole en un dialogue qui prend la vérité en garde ?

Martin Heidegger[1]

Lors de la première rencontre, quelque chose s'est produit, qui ne se manifesta peut-être pas avec une immédiate évidence aux deux hommes, mais que nous devons aujourd'hui méditer.

La rencontre s'est bien passée, dit Celan à Franz Wurm, mais pas uniquement au sens où les deux hommes, dans une atmosphère détendue, purent parler ensemble de poésie et de pensée, comme aussi bien de choses qui les passionnaient tous les deux, les plantes et les animaux de la Forêt-Noire, par exemple, au sujet desquels, rapportera Heidegger à Hans-Georg Gadamer, Celan en savait encore plus que lui-même[2].

À la fin de la rencontre, Celan dit aussi qu'il y eut – dans la voiture – un entretien grave et clair. Et c'est certainement en écho à cet entretien que Heidegger écrit au poète pour le remercier de l'envoi du poème *Todtnauberg* :

1. Martin Heidegger, „*Das Gespräch*", in : *Feldweg-Gespräche*, GA 77, 159 : „*Wo anders könnte das Ungesprochene rein bewahrt, gehütet werden als im wahrhaften Gespräch?*"

2. Cf. H.-G. Gadamer, *Qui suis-je et qui es-tu ?*, *op. cit.*, p. 19.

„Seitdem haben wir Vieles einander zugeschwiegen.“

[« Depuis, en silence, nous nous sommes confiés l'un à l'autre beaucoup de choses. »]

Celan prit le soin de citer cette phrase dans une lettre à Robert Altmann, comme étant une des « trois phrases centrales de la lettre de Heidegger » (cf. document 10). Le poète comprenait en effet très bien la parole du silence et il a lui-même employé le verbe inusité *zuschweigen* dans un poème adressé à Gisèle, dans une lettre du 21 novembre 1965 dont le seul texte est : « Pour retrouver notre amour. » Ce poème, qui est une version postérieure et modifiée du deuxième texte de *La rose de personne*, s'achève ainsi :

Weißt du,	Tu sais,
nur was ich dir zuschwieg,	seul ce que je t'ai confié en silence
hebt uns hinweg in die Tiefe	nous élève dans la profondeur [1]

Celan savait également le poids que Heidegger confère au silence dès *Être et temps*, où il est pensé comme un des modes essentiels de la parole. À la lecture de la lettre du penseur, le poète se souvint peut-être d'une phrase qu'il avait relevée lors de sa lecture de *Être et temps* :

„Verschwiegenheit artikuliert als Modus des Redens die Verständlichkeit des Daseins so ursprünglich, daß ihr das echte Hörenkönnen und durchsichtige Miteinandersein entstammt.“

[« Le silence-gardé, en tant que mode de la parole, articule l'intelligence du Dasein de manière si originale, que c'est de lui que provient le véritable pouvoir-écouter et l'être-ensemble-les-uns-avec-les-autres lucide[2]. »]

Au sein de cet être-ensemble-les-uns-avec-les-autres lucide (« clair » dirait Celan), c'est donc dans le silence – *Schweigen* –, dont tous deux montrèrent qu'il innerve la parole, que s'est poursuivi l'entretien, car c'est dans son recueillement que peut s'éclair-

1. *Correspondance I*, p. 320.
2. Martin Heidegger, *Sein und Zeit*, p. 165 ; trad. cit., pp. 211-212. Cf. aussi la page 164 de *Sein und Zeit* reproduite en fac-similé.

cir et, pour ainsi dire, se décanter *ce qui n'a pas de nom* – soit parce que c'est innommable, soit parce que les noms font encore défaut. C'était déjà de cette ambiguïté de l'innommé que Heidegger parlait à Jean Beaufret, en 1946, dans un passage de la *Lettre sur l'humanisme* que Celan a souligné dans ses propres exemplaires :

> *„Soll aber der Mensch noch einmal in die Nähe des Seins finden, dann muß er zuvor lernen, im Namenlosen zu existieren.“*
>
> [« Mais si l'être humain doit une nouvelle fois se trouver dans la proximité de l'être, alors il lui faut d'abord apprendre à exister dans le sans nom [1]. »]

Aussi est-ce dans le silence, écrit Heidegger, qu'ils ont continué à se confier beaucoup de choses, mais l'entretien, le dialogue, continue le penseur dans sa lettre, devait encore se poursuivre *„aus dem Ungesprochenen“* : « à partir de l'imparlé » – à savoir, non pas le non-dit, qui n'est qu'une *privation* du dire, mais, ce qui ne pouvant être lui-même dit, abrite dans la parole la ressource de son propre dire. À la fin d'*Acheminement vers la parole*, Heidegger parle en ces termes de l'imparlé :

> *„Das Ungesprochene ist nicht nur das, was einer Verlautbarung entbehrt, sondern es ist das Ungesagte, noch nicht Gezeigte, noch nicht ins Erscheinen Gelangte. Was gar ungesprochen bleiben muß, wird im Ungesagten zurückgehalten, verweilt als Unzeigbares im Verborgenen, ist Geheimnis.“*
>
> [« L'imparlé n'est pas seulement ce qui est privé d'ébruitement. C'est ce qui n'est pas dit (l'indit), le non encore montré, non encore parvenu dans l'apparition. Et ce qui doit tout à fait rester imparlé, cela est retenu et gardé dans l'indit, demeure en tant qu'inmontrable en retrait, est secret [2]. »]

---

1. Martin Heidegger, GA 9, 319 ; trad. cit., p. 43. Sur le défaut de noms, cf. M. Heidegger, *Der Fehl heiliger Namen*, GA 13, 231-235 ; *Le manque de noms salutaires*, trad. Dominique Saatdjian, in : *Recueil*, n° 11, Seyssel, Champ Vallon, 1989, pp. 41-47.
2. Martin Heidegger, GA 12, 241-242 ; trad. cit., pp. 239-240.

Le secret [*Ge-heimnis*] de la parole qu'est l'imparlé signifie littéralement : le rassemblement (*ge-*) en lequel s'abrite la parole, de sorte qu'elle est à demeure [*heim*] dans le retrait, au plus intime d'elle-même. Le rassemblement qui recueille la parole en son retrait dans l'imparlé est lui-même dialogue [*Ge-spräch*] – il sous-tend la tension intime [*Innigkeit*] de tout véritable dialogue. Et cet abritement en retrait dans l'imparlé ne parvient jamais à l'apparition – il est l'inapparent [*Unscheinbares*] comme tel, qui est de tout le plus inapparent, dit Heidegger, et qui réserve à la parole la possibilité de dire en nommant, c'est-à-dire en montrant. – « Le poème surgit du rapport avec quelque chose qui nous demeure invisible : dans le rapport avec la parole elle-même », écrira Celan dans une note préparatoire au discours du *Méridien*[1].

1. Paul Celan, *Der Meridian*, TCA, n° 241, p. 105 ; cf. aussi le n° 242 (« La rencontre avec la parole est rencontre avec l'invisible ») et le n° 239 (« Le poème est classé comme figure de la parole entière ; mais la parole reste invisible »).

Dans son exemplaire de *Was heißt Denken ?* (p. 8), Celan a souligné ces propos de Heidegger : « Beau n'est pas ce qui plaît, mais ce qui tombe sous cette adresse destinale [*Geschick*] de la vérité, qui s'évient [*ereignet*] lorsque l'éternel inapparent [*Unscheinbare*] et ainsi l'invisible [*Unsichtbare*], parvient au paraître le plus apparaissant. »

L'*Avant-propos au poème « Todtnauberg »*

Au lieu de ne toujours parler que de ce que l'on nomme le rapport je-tu, on devrait plutôt parler d'une relation de toi à toi parce que je-tu n'est jamais formulé qu'à partir de moi, alors qu'en réalité, c'est une relation réciproque.

Martin Heidegger[1]

La parole nomme à partir de l'imparlé et fait apparaître ce qui est. Or, nommer, dit le début de la lettre du penseur, tel est bien ce que fit le poète dans *Todtnauberg*, de sorte que par cette nomination sont accordés au penseur le site et le paysage.

Il y a une différence entre ces deux termes : le paysage désigne le lieu, la Forêt-Noire, le chalet, qui n'est cependant pas lui-même une petite "propriété privée", mais, comme dit Heidegger dans *Pourquoi restons-nous en province ?*, l'espace du travail (la « hutte de la pensée » selon la belle expression de Celan) où a lieu l'expérience pensive de l'*entièreté*, c'est-à-dire du monde qui apparaît dès lors dans le rassemblement de sa simplicité comme *„Spiegel-Spiel des Gevierts“* [« jeu de miroir de l'Uniquadrité »], dit Heidegger dans un passage de *La chose* très annoté par le poète[2].

1. Martin Heidegger, *Zollikoner Seminare*, Frankfurt a. M., Vittorio Klostermann, [2]1994, p. 263 : *„Statt immer nur von einem sogenannten Ich-Du-Verhältnis zu sprechen, sollte man eher von einer Du-Du-Beziehung sprechen, weil Ich-Du immer nur von mir aus gesprochen ist, während es doch in Wirklichkeit eine gegenseitige Beziehung ist.“*

2. Cf. Martin Heidegger, *Vorträge und Aufsätze*, GA 7, 181 ; trad. cit., p. 214.

Dans cet espace devenu *monde*, il n'y a dès lors plus la moindre trace de "particularisme". C'est un espace, par conséquent, qu'aucune photo ne peut illustrer, dit le penseur. Il y règne bien plutôt la rassemblante solitude (« la solitude de l'hiver ») dont la puissance n'est pas de nous isoler, « mais au contraire, écrit Heidegger, de *libérer* l'existence entière en la lançant au sein de l'ample proximité que déploie l'aître de toutes choses [1] ».

Quant au site [*Ort*], il est encore d'un tout autre ordre : n'étant lui-même nulle part („*entwo*" dirait Celan[2]), parce qu'il n'est, à proprement parler, *rien*, il nomme la dimension inapparente à partir de laquelle l'*Ereignis* amène à la visibilité [*äugen*]. C'est l'espace u-topique au sein duquel la parole, poétique ou pensive, vient à se déployer pour ensuite se faire mot, c'est-à-dire *nomination*.

Dans sa lettre, Heidegger mentionne le site avant le paysage – et pour cause ! Nul paysage n'apparaîtrait jamais à personne hors de ce site au sein duquel la parole est à demeure.

En nommant la possibilité même du poème, le poète de *Todtnauberg* nomme le site – et c'est à partir de cette parole poétique qu'a lieu la rencontre dont l'espace est accordé par le poète au penseur dans une tournure *dative* [*mir* : à moi, pour moi] que les grammairiens qualifient à juste titre d'*éthique*, et qu'avec Heidegger, *en dehors de toute ontologie*, mais au cœur de l'*Ereignis*, nous pouvons même qualifier d'éthique *dans un sens original*[3] :

Doch	Oui :
Hütte und Höhe,	la hutte et les hauteurs,
zum Brunnen den Blick	la vue sur la fontaine
aus gesammeltem Denken;	(la pensée recueillie) ;
das Buch auf dem Tisch,	le livre sur la table,
bezeugend die Freude der Gäste –	garant de la joie des invités –
hast du mir gefunden,	tu me les as bien trouvés, pour moi,
vordenkend in die Bestimmung.	tentant de penser jusqu'au cœur de la destination.

1. Martin Heidegger, *Schöpferische Landschaft: Warum bleiben wir in der Provinz ?*, in : GA 13, 11 ; *Pourquoi restons-nous en province ?*, in : *Écrits politiques*, *op. cit.*, p. 151.

2. Paul Celan, „*DEINE AUGEN IM ARM*", in : *Fadensonnen*, GW II, 123 ; « TES YEUX DANS LES BRAS », in : *Soleils de fils*.

3. Cf. Martin Heidegger, GA 9, 356 ; *Lettre sur l'humanisme*, p. 151.

Hütte: den Kindern das Frohe der Jugend,	Hutte : pour les enfants, bonheur de la jeunesse,
später: der Heimruf gefangener Sehnsucht,	plus tard : prisonniers, mal du pays appelant à rentrer ;
uns: Wohnen und Wandern,	pour nous : habiter et marcher,
Zuflucht erneuten Vertrauens.	abri pour une confiance rétablie.
Hütte: durch dich gestiftete Stille und Welt.	Hutte : silence et monde par toi instaurés.
Wann werden Wörter	Quand les mots se font-ils
Worte?	parole ?
Wenn sie sagen,	Quand ils disent,
– nicht bedeuten	– non pas signifient
– nicht bezeichnen.	– non pas qualifient.
Wenn sie zeigend tragen	Quand en montrant ils portent
an die Orte	aux sites
reiner Eignis	de la pure sidération,
in den Brauch,	jusqu'au maintien en l'injonction,
darin der Hauch	par lequel s'en vient
der Stille weht,	le souffle du silence,
und alles der Bestimmung	et où tout va, ajointé à son rythme,
in Fügsamkeit entgegengeht.	au devant de la destination.

Ainsi s'ouvre, dans l'élan affirmatif de l'acquiescement, l'*Avant-propos* du penseur, cette parole préalable [*Vor-wort*] qui nous prépare à une écoute poétique de la parole de la rencontre même : *Todtnauberg*.

La parole montre dans la mesure où elle nomme le site et s'évient à partir de la pure sidération de l'avenance. Dans l'événement même de cette sidération, « avec dessus le dé en étoile », elle puise à la source la réserve de son silence. La parole ne désigne pas ; elle n'assigne pas non plus, mais laisse être l'homme à *sa* place. La parole, en libérant cette place, enjoint l'homme d'y être tel qu'*il faut* [*brauchen*] qu'il y soit : veillant à la paix silencieuse [*Stille*] du passage du dernier dieu [*letzte Gott*] et se tenant dans le « hors-fond » [*Ab-grund*] – marchant sur la tête.

L'être humain doit tenir sa place en ek-sistant. Cette place, toutefois, n'est aucun lieu, mais proprement le *monde* qu'instaure silencieusement la parole du poète en le gardant sauf et dont l'homme est responsable dans sa réponse [*Ant-wort*] – ou son absence de réponse – à ce qui s'adresse à lui destinalement dans cette parole.

Nous ignorons la date à laquelle Heidegger écrivit ce texte[1], mais nous savons qu'il l'offrit peu avant sa mort à sa femme avec l'édition de *Todtnauberg*. En un sens, donc, le toi auquel il s'adresse est également un hommage à l'épouse, Elfride, qui, avec un sens intime de l'οἰκία, veilla sur le travail de son mari, et qui fit notamment construire le chalet de Todtnauberg achevé pendant l'été 1922.

Mais ce toi de l'*Avant-propos* fait essentiellement signe vers le toi celanien par excellence – Heidegger prend ici acte de son dialogue avec Paul Celan, en un mot, par *le* mot du poète : le *toi* même de la rencontre et du dialogue [*Ge-spräch*] dans la dimension duquel se rassemble la parole.

Todtnauberg & Avant-propos au poème « Todtnauberg » : parole donnée & parole d'avent préparant à répondre de la parole.

Le destin de la poésie – la responsabilité de la pensée.

Confiance, à nouveau.

1. On trouve dans un texte de 1972 intitulé *Sprache* (GA 13, 229) des formulations très proches de celles qui figurent dans la seconde moitié de l'*Avant-propos*.

Le secret d'un dialogue

Senteurs d'automne muettes. La fleur d'étoile, inrompue, passa entre lieu natal et abîme à travers ta mémoire.

Paul Celan [1]

Entre Paul Celan et Martin Heidegger, les rapports furent très complexes, tantôt même incertains ou malaisés et, du côté de Celan, changeant parfois du tout au tout à l'égard de la personne de Heidegger. Témoin de cette instabilité et de ces revirements parfois violents est cette note (ou fragment de lettre) que l'on a retrouvée dans les papiers de Celan en mai-juin 1970 :

„*Heidegger*

durch Ihre Haltung
... daß Sie das Dichterische und, so wage ich zu vermuten, das Denkerische, in beider ernstem Verantwortungswillen, entscheidend schwächen"

1. Paul Celan, „*Stumme Herbstgerüche. Die / Sternblume, ungeknickt, ging / zwischen Heimat und Abgrund durch / dein Gedächtnis*", in: *Die Niemandsrose*; *La rose de personne, op. cit.*, p. 35.

[« Heidegger

… que par votre comportement vous affaiblissiez de
façon décisive le poétique et j'ose le soupçonner
le philosophique dans la sérieuse volonté de
responsabilité qui appartient aux deux [1] »].

Étant donné que le 21 mars 1970 Celan confie à Clemens von Podewils des propos qui vont exactement dans le sens inverse, il est possible que ces paroles d'emportement soient la répercussion de l'incident qui eut lieu le 26 mars 1970 lors de la dernière rencontre des deux hommes. Gerhart Baumann, alors présent, rapporte ainsi les faits :

> « Heidegger était un auditeur attentif, un auditeur créatif doué d'une grande force imaginative. Il lui était possible de saisir des poèmes dès la première écoute. Cela se confirma de façon impressionnante en ce jeudi saint 1970 où Celan lut devant un petit cercle la série *Lichtzwang* encore inédite. À peine Celan eut-il fini que Heidegger répéta quelques vers mot pour mot; malgré cela, le poète l'accusa un peu après d'inattention – un reproche sans fondement dans lequel perçaient les réticences du poète comme sa mauvaise humeur [2]. »

Baumann raccompagna ensuite Heidegger qui lui confia « encore bouleversé » : « Celan est malade – sans possibilité de salut [*heillos*] [3]. »

Le penseur ne fut pas épargné par la sensibilité à vif et la violence des mouvements d'humeur de Celan, qui l'amenèrent aussi à se brouiller avec certains de ses meilleurs amis (Klaus Demus ou Hanna et Hermann Lenz par exemple), voire à mettre en péril la vie de son épouse; en l'occurrence, l'instabilité et la violence de ces humeurs étaient aggravées par ce que le poète savait du rectorat de Heidegger et de ce que on colportait à ce sujet. Malgré les tensions, cependant, les rapports restèrent ininterrompus jusqu'à la mort du poète et lors de toutes les lectures qu'il fit à Fribourg, il était chaque

1. Cf. document 12. La traduction est de Celan lui-même.

2. Gerhart Baumann, *Erinnerungen an Paul Celan, op. cit.*, p. 79. Mais malgré cet incident, on se rappellera que Celan lui-même écrivit le 27 mars 1970 (le lendemain donc) à Franz Wurm : « Madame Baumann et une jeune étudiante ont vraiment écouté, de même l'autre assistant (ainsi que sa femme), de même le professeur Baumann, de même Heidegger. / J'ai acquis ici, ici aussi en effet, beaucoup d'expérience, j'ai beaucoup appris. » – Ce qui rend plus énigmatiques encore les circonstances dans lesquelles a été rédigé le fragment retrouvé.

3. Gerhart Baumann, *ibid.*, p. 80.

fois entendu – et même attendu – que Heidegger fût présent. Quelque chose liait le poète et le penseur, qui dépasse le cadre strict des rapports humains.

Après une lecture d'une particulière intensité pendant les années 1950, le désir de faire la rencontre du penseur en 1967 à Todtnauberg est le signe d'un lien et d'un intérêt persistants. Enfin, le seul fait que Celan, sur l'invitation de Gerhart Baumann, ait, ne serait-ce que songé vers 1969 à venir s'installer à Fribourg en acceptant le poste de lecteur que lui réservait Hugo Friedrich à l'Université, prouve, à tout le moins, qu'il ne cherchait pas à fuir Heidegger. « Quant à moi, répondait Celan le 20 novembre 1969, je viendrais volontiers à Fribourg pour une plus longue période. Je ne suis plus très attaché à la ville de Paris – ni à ce monde et à cette époque en général [1]. » Celan avait du mal à se décider, son rapport à Hugo Friedrich était ambigu, et il se donna la mort avant que l'affaire n'aboutisse.

L'un et l'autre avaient tant de choses à se dire, qui ne furent pas toutes dites, ou parfois seulement à demi-mot. L'un et l'autre se connaissaient déjà par leurs œuvres bien avant leur rencontre, ce qui ne facilita pas nécessairement les premiers rapports par avance surchargés de sens. Le bon déroulement de la première rencontre, malgré une sorte de contrecoup du côté de Celan plusieurs semaines après, contribua à diminuer la tension, et le dialogue entre la poésie et la pensée put avoir lieu : au sein de l'œuvre surtout, puis sur les hauteurs et enfin dans l'intimité du silence ; il devait se poursuivre « à partir de l'imparlé » et dans la haute vallée du Danube.

Du côté de Celan, il nous reste de ce dialogue, entre autres multiples signes, un poème, *Todtnauberg*, et non l'*Entretien dans la montagne*, par exemple, écho, lui, comme l'a montré Jean-Pierre Lefebvre, d'un entretien manqué voire impossible avec Adorno [2]. Heidegger, il est vrai, ne pensait pas qu'il était barbare d'écrire des

1. Cf. Gerhart Baumann, *op. cit.*, p. 124 sq.

2. Cf. J.-P. Lefebvre, « Parler dans la zone de combat », in : *Europe, Paul Celan*, n° 861-862, pp. 176-189. Dans la postface à sa traduction de l'*Entretien dans la montagne*, S. Mosès écrit dans le même sens (*op. cit.*, p. 37) : « … il n'y a pas ici de véritable altérité. La forme du dialogue ne fait que dessiner le cadre d'une rencontre qui, en fin de compte, n'a pas eu lieu ». Dans « La vérité, les grenouilles, les écrivains et les cigognes », enfin, Celan cite Adorno et laisse on ne peut plus clairement entendre tout ce qui le sépare de lui (cf. *Le Méridien & autres proses, op. cit.*, p. 47). Les propos très acerbes que tient Celan dans ce texte ne l'empêcheront paradoxalement pas d'évoquer, au moment où il apprend la mort d'Adorno dans le journal, un « homme génial » dans une lettre à Gisela Dischner (cf. *Correspondance II*, pp. 589-590).

poèmes après Auschwitz, mais méditait le sens de leur urgente nécessité en temps de détresse. Parce que le sens de cette méditation lui échappait entièrement, le maître de Francfort « enrageait de voir Celan toujours lié d'amitié avec Heidegger », rapporte Gisela Dischner[1], amie intime de Celan et proche d'Adorno.

Or Celan, comme peut-être nul autre si ce n'est son « frère Ossip », assuma cette urgence en sa propre personne, à partir de sa judéité et dans le corps de la langue allemande avec l'espoir, à chaque poème, à chaque syllabe, de trouver en elle son assise et son séjour. *Il a maintenu* – et, ne pouvant plus soutenir l'instantialité poétique de cette ek-sistence tant « l'Espérance est violente » dit Apollinaire dans *Le pont Mirabeau*, l'heure sonna pour mettre fin à ce destin : « De la pierre de taille / du pont, d'où / par-dessus passant dans la vie, / il se percuta, vola / de blessures, – du / Pont Mirabeau[2]. »

Le secret du dialogue du poète et du penseur reste intact. Il ne pouvait pas ne pas avoir lieu, malgré des provenances et des tempéraments si distincts. Il ne fut pas sans achoppements et demeure inachevé. Aux hésitations de l'un répond le retrait de l'autre et on pourrait, en toute impudeur, disserter à l'infini sur l'opacité de celui-ci et l'instabilité de celui-là. Notre voyeurisme biographique trouve ainsi son sujet et on classera tout au mieux l'événement dans l'histoire de la littérature ou de la philosophie.

C'est passer ainsi à côté de ce qu'a à nous dire, aujourd'hui encore, cette rencontre.

Celan, on le sait, demeura balancé entre la proximité et une réserve mêlée de culpabilité. Toute l'intensité et l'ambiguïté de son rapport à Heidegger se concentrent à notre sens dans la signification complexe du verbe *würgen* qui figure dans une des esquisses de *Todtnauberg* :

> „*Seit ein Gespräch wir sind,*
> *an dem*
> *wir würgen,*
> *an dem ich würge,*
> *das mich*
> *aus mir hinausstieß, {zw}dreimal, | viermal,*"

1. Cf. Ronald Bos, „*Den Steckschuß interpretierst Du richtig*", in : *Frankfurter Allgemeine Zeitung*, 12 novembre 2002, p. 42.

2. Paul Celan, „*Und mit dem Buch aus Tarussa*", in : *Die Niemandsrose* ; « Et avec le livre de Tarussa », in : *La rose de personne*, *op. cit.*, p. 149 (*Choix de poèmes*, p. 217).

[« Depuis que nous sommes un dialogue,
dans lequel
nous nous ex-ténuons,
dans lequel je m'ex-ténue,
qui me
poussa au dehors de moi-même, trois fois, quatre fois[1], »]

À rebours des commentaires plus ou moins hasardeux que tout un chacun s'est plu à formuler sur le sujet, Celan affirme ici la primauté du dialogue avec le penseur, et ce à partir d'une citation qui le situe d'emblée sur le terrain de la poésie. Tous deux furent un dialogue, ensemble, rassemblés par la parole. Tel est le sens de la référence parfaitement lisible à Hölderlin dont nous verrons qu'il est aussi, pour Celan, la source d'une différenciation eu égard au philosophe.

Le verbe *würgen* apparaît aussitôt après, comme pour préciser la forme de ce dialogue. Ce verbe désigne le fait de lier, d'attacher, de serrer et ainsi de rétrécir [*einengen*] ; c'est à partir de là qu'il peut signifier étouffer (quand la gorge devient trop étroite – angoisse), voire étrangler [*erwürgen*], mais aussi : se donner de la peine ou suer sang et eau, par exemple pour venir à bout d'un travail (*an einer Arbeit würgen*, dont la construction est la même que dans l'esquisse). En le traduisant par *ex-ténuer*, nous entendons rendre ce double aspect : l'effort et le rétrécissement (ténu = *eng*).

Dans le dialogue avec Heidegger, il y va ainsi pour Celan d'une tension extrême, qui le pousse, comme dit *Le Méridien* : *„in < seiner > allereigenste Enge“* – « au plus serré de lui-même », traduit André du Bouchet[2]. Et c'est du plus intime de cette présence à soi qui est parfois à la limite de l'étouffement que le poète peut du même coup se libérer, hors de (*ex*) lui-même, au devant de lui-même – à lui-même. Telle est *la liberté* de Celan par rapport à Heidegger : dans la tension du lien, se libérer jusqu'à soi-même – *Ent-bindung*.

1. Paul Celan, *Lichtzwang*, TCA, p. 49 (cf. document 7).
2. Paul Celan, *Le Méridien*, trad. André du Bouchet, *op. cit.*, p. 30.

Celan restera, dans sa singularité la plus propre, un „*Daseins-Anrainer*[1]“ : proche, mais – pour reprendre une image du *Méridien* – en se tenant *sur le bord*, c'est-à-dire également là même où, dans un difficile équilibre, dit Celan, le poème est pleinement lui-même et appelle. Et c'est effectivement dans un libre dialogue avec la pensée phénoménologique du *Dasein* que Celan a trouvé dans les années 1950 les moyens de placer la voix si singulière de son expérience lyrique.

Son sentiment partagé, envers Heidegger, dont nous avons vu qu'il était aussi caractéristique du rapport du poète à tout ce qui est allemand, c'est peut-être enfin ce que Celan donne à entendre, comme avec regret devant la fatalité d'un terrible mauvais concours de circonstances, dans ces vers d'une grande beauté[2].

ZU BEIDEN HÄNDEN, da
wo die Sterne mir wuchsen, fern
allen Himmeln, nah
allen Himmeln:
Wie
wacht es sich da! Wie
tut sich die Welt uns auf, mitten
durch uns!

Du bist,
wo dein Aug ist, du bist
oben, bist
unten, ich
finde hinaus.

O diese wandernde leere
gastliche Mitte. Getrennt,
fall ich dir zu, fällst
du mir zu, einander
entfallen, sehn wir
hindurch:

À L'UNE ET L'AUTRE MAIN, là
où les étoiles se levaient à moi, loin
de tous les ciels, près
de tous les ciels :
Comme
ça veille, là ! Comme
s'ouvre à nous le monde, milieu
à travers nous !

Tu es,
où est ton œil, tu es
en haut, es
en bas, je
trouve à sortir.

Ô ce milieu errant, vide,
hospitalier. Séparés,
je t'échois, tu
m'échois, l'un à l'autre
échus-échappant, nous voyons
au travers :

1. Cf. Paul Celan, „ES SCHLEICHEN Köpfe umher“, in : *Gedichte aus dem Nachlass*, p. 261. Ici encore, faut-il traduire : « riverain du *Dasein* », « riverain de l'existence », ou simplement : « riverain de l'être », comme le propose Stéphane Mosès (« Paul Celan, le riverain de l'être », in : *Le Monde des livres*, 16/01/1998) ?

2. „*ZU BEIDEN HÄNDEN*“, in : Paul Celan, *Die Niemandsrose, Vorstufen – Textgenese – Endfassung*, TCA, bearbeitet von Heino Schmull unter Mitarbeit von Michael Schwarzkopf, Frankfurt a. M., Suhrkamp, 1996, p. 23 (= GW I, 219) ; *La rose de personne*, p. 27 (*Choix de poèmes*, pp. 177-179).

Das	Le
Selbe	Même
hat uns	nous a
verloren, das	perdus, le
Selbe	Même
hat uns	nous a
vergessen, das	oubliés, le
Selbe	Même
hat uns – –	nous a – –

Paul Celan et Martin Heidegger – peut-être pourrions-nous le dire ainsi : le Même les a – –

C'est à nous désormais, qui sommes à l'aube d'un nouveau siècle engagé sur d'étranges voies, qu'il incombe de penser l'énigme de ces deux traits, de ce double trait d'union-séparation, dont le sens, en définitive, n'est peut-être autre que celui de la « différence délicate mais claire » entre la poésie et la pensée.

Dans son exemplaire de *Vorträge und Aufsätze*, Celan avait marqué d'un double soulignement les paroles suivantes :

> „*Das Dichten und das Denken begegnen sich nur dann und nur so lange im selben, als sie entschieden in der Verschiedenheit ihres Wesens bleiben.*"

> [« Poésie et pensée se rencontrent alors au sein du même uniquement lorsque, résolues à leur entre-scission, elles demeurent en la scission qui les différencie dans leur aître[1]. »]

Dans le cas d'une rencontre telle que celle de Celan et de Heidegger, cette entre-scission est à méditer sur le fond de l'histoire du XXe siècle dont la tragédie retentit encore dans le poème *Todtnauberg*.

Si Heidegger a bien répondu pensivement au poème, il n'a pas, à la déception de Celan, répondu en toutes lettres à l'appel du poète menacé par la remontée du nazisme. "Par indifférence", "par négligence", etc. ?! – ou beaucoup plus simplement : par « honte

1. Martin Heidegger : »... *dichterisch wohnet der Mensch...*«, in : *Vorträge und Aufsätze*, GA 7, 196 ; trad. cit., p. 231.

d'y avoir un jour contribué directement ou indirectement[1] ». Il n'y a aucune raison de ne pas prendre au sérieux la mention qui est faite par le penseur d'un *réveil* et d'une *exhortation* au début de sa lettre au poète. Et Hans-Georg Gadamer qui put discuter de cette rencontre avec Heidegger, confirme que le penseur prenait le dialogue avec Celan très à cœur[2].

Qu'il suffise ici de rappeler un témoignage d'Otto Pöggeler qui eut plusieurs fois l'occasion de lire des poèmes de Celan avec Heidegger :

„... *muß ich darauf bestehen, daß Heidegger sich intensiv um Celan bemüht hat und daß das Motiv dafür der Holocaust war*".

[« ... je dois à ce propos insister sur le fait que Heidegger s'est intensément occupé de Celan et que le motif de cela était l'holocauste[3] »].

1. Martin Heidegger, lettre à Karl Jaspers du 8 avril 1950, *Briefwechsel*, p. 201 (trad. cit., p. 183) ; cf. aussi la lettre du 7 mars 1950 (*ibid.*, p. 196 ; trad. cit., p. 179) : « Cher Jaspers, si je ne suis pas venu dans votre maison depuis 1933, ce n'est pas parce qu'y habitait une femme juive, mais *parce que j'avais simplement honte.* » Voir enfin les dernières lignes d'un texte intitulé *Remarques à propos de certaines calomnies qui ne cessent d'être colportées* (GA 16, 469 ; *Écrits politiques*, p. 209) : « Lorsque Husserl mourut, j'étais cloué au lit par la maladie. Je n'ai toutefois pas écrit à Mme Husserl après ma guérison, ce qui, sans aucun doute, fut un manquement ; la raison en était la douleur et la honte devant ce qui entre-temps – bien au-delà de ce qu'avait causé la première loi – avait eu lieu contre les Juifs et face à quoi l'on se trouvait réduit à l'impuissance. »

2. Cf. H.-G. Gadamer / S. Vietta, *Im Gespräch*, *op. cit.*, p. 82.

3. O. Pöggeler : „*Celans Begegnung mit Heidegger*", in : *Zeitmitschrift*, n° 5, p. 131.

Préparer la parole à la décence

Cette longue suite, cette longue abondance de démolitions, de destructions, de ruines et de bouleversements se tient désormais au-devant de nous : qui pourrait en deviner assez dès aujourd'hui pour enseigner et annoncer à l'avance cette énorme logique, devenir le prophète de ces immenses terreurs, de ces ténèbres, de cette éclipse de soleil, dont il n'y eut sans doute jamais rien de comparable sur Terre ?

Friedrich Nietzsche [1]

Si à présent nous voulons nous-mêmes essayer de poursuivre dans la voie de l'entretien à partir de l'imparlé, il reste toujours, et dans une urgence croissant de jour en jour, à essayer de comprendre le sens d'un silence, qui ne date assurément pas seulement d'après 1945 :

»Ich schweige im Denken nicht erst seit 1927, seit der Veröffentlichung von „Sein und Zeit", sondern in *diesem selbst und vorher ständig. Dieses Schweigen ist die Bereitung der Sage des Zu-denkenden und dieses Bereiten ist das Er-fahren und dieses ein Tun und Handeln.«*

1. *Le gai savoir*, V, § 343 : *„Diese lange Fülle und Folge von Abbruch, Zerstörung, Untergang, Umsturz, die nun bevorsteht: wer erriethe heute schon genug davon, um den Lehrer und Vorausverkünder dieser ungeheuren Logik von Schrecken abgeben zu müssen, den Propheten einer Verdüsterung und Sonnenfinsterniss, deren Gleichen es wahrscheinlich noch nicht auf Erden gegeben hat?"*

[« Je ne fais pas silence dans la pensée seulement depuis 1927, depuis la publication de *Être et temps*, mais déjà *dans* ce livre même et constamment auparavant. Ce silence est la préparation pour dire ce qui est à penser et se préparer ainsi, c'est s'ouvrir à ce qui est pour faire l'épreuve de la traversée, ce qui est une manière d'agir[1]. »]

Se préparer, méditer un nouveau « soin du dire » [„*Sorgfalt des Sagens*"] [2], c'est alors s'engager à faire face au nihilisme en gardant mémoire de ses atroces réalisations – c'est endurer la détresse de notre époque qui demeure sous le signe du *meurtre de l'être de l'étant*[3].

Agir, c'est donc commencer par préparer la parole à pouvoir nommer *comme il convient* [*schicklich*] ce meurtre en l'histoire de l'estre et, une fois la mesure prise de cet événement sans précédent, trouver les mots avec toute la décence [*Schicklichkeit*] requise pour parler des symptômes, eux-mêmes humainement meurtriers, de ce meurtre historial qui a marqué le XXe siècle. Cette "action" primordiale, qui peut seule gouverner en leur être toutes les formes d'engagement "sur le terrain", comme on dit, est au cœur de la pensée de Heidegger.

Ainsi, à la fin de la lettre qui, passant outre l'humanisme, a pour but essentiel de rendre à l'homme sa pleine dignité d'*être humain*, le penseur déclare dans le même esprit que le fragment 47 d'Héraclite (« Il n'est pas permis de lancer ensemble des choses au hasard quand il s'agit de ce qui est le plus important ») :

„*Die Schicklichkeit des Sagens vom Sein als dem Geschick der Wahrheit ist das erste Gesetz des Denkens, nicht die Regeln der Logik, die erst aus dem Gesetz des Seins zu Regeln werden können. Auf das Schickliche des denkenden Sagens achten, schließt aber nicht nur dies ein, daß wir uns jedesmal auf das besinnen,* was *vom Sein zu sagen und* wie *es zu sagen ist. Gleich wesentlich bleibt zu denken,* ob *das zu Denkende, inwieweit es, in welchem Augenblick der Seinsgeschichte, in welcher Zwiesprache mit dieser und aus welchem Anspruch es gesagt werden darf.*"

1. Martin Heidegger, „*Meine Beseitigung* (1946)", in : GA 16, 421-422.

2. Martin Heidegger, lettre à Jean Beaufret du 23 novembre 1945, in : *Lettre sur l'humanisme*, *op. cit.*, p. 177.

3. Martin Heidegger : *Nietzsches Wort »Gott ist tot«*, *Holzwege*, GA 5, 266 ; trad. cit., p. 321. C'est une expression que Celan a relevée dans son exemplaire.

[« L'adresse du dire qui dit l'être comme il convient, en tant que destin qu'adresse la vérité, est la première loi de la pensée – et non les règles de la Logique qui ne peuvent devenir des règles qu'à partir de la loi de l'être. Mais être vigilant à l'adresse qui dit pensivement ce qui convient, cela n'inclut pas seulement qu'à chaque fois nous sentions en le méditant *ce* qu'il faut dire de l'être et *comment* il faut le dire. Tout aussi essentiel quant à l'aître est de s'appliquer à penser *si* ce qui est à penser peut être dit et jusqu'à quel point, à l'instant de quel éclair de l'histoire de l'être cela peut être dit, et en étant requis par quelle parole à nous adressée [1]. »]

La limpidité de la parole est aussi décence et cette décence veut que tout ne puisse pas être dit n'importe comment ni n'importe quand. Privée de sa haute exigence de silence, Celan et Heidegger savent que la parole est dévoyée, ravalée au rang de simple information qui s'engendre et se multiplie d'elle-même dans une sorte de prolifération panique, comme pour mieux étouffer le silence qui in-quiète. « À l'homme en tant qu'information ne peut guère faire face que l'homme en tant que silence », dira Celan [2].

Pourtant, ce n'est pas la détresse elle-même, ou l'urgence [*Not*], écrit Heidegger à Elisabeth Blochmann dès 1934 [3], qui est la plus dangereuse, dans la mesure où l'expérience silencieuse de l'urgence de cette détresse est encore une expérience de l'être ; c'est en revanche l'absence de détresse devant la détresse des Temps modernes. En tant qu'il est péril *en l'estre même*, le péril réserve la possibilité d'une volte dans le rapport de l'homme et de l'estre, mais la forme la plus nihiliste du péril, son visage le plus menaçant, est qu'il n'apparaît même plus *comme* péril.

Dans des notes s'échelonnant de 1936 à 1946 rassemblées sous le titre *Überwindung der Metaphysik*, Heidegger écrivait au paragraphe XXV :

1. Martin Heidegger, *Brief über den »Humanismus«*, GA 9, 363 ; trad. cit., p. 171.
2. Paul Celan, *Der Meridian*, TCA, n° 602, p. 161.
3. Cf. la lettre du 21 décembre 1934 dans laquelle Heidegger écrit (*Briefwechsel 1917-1969*, p. 83 ; trad. cit., pp. 311-312) : « Et l'urgence qui est la nôtre est l'urgence devant l'absence d'urgence, devant l'impuissance à faire originalement l'épreuve de ce qui fait question en notre être-le-là. L'angoisse devant le questionnement pèse sur l'Occident ; elle rejette les peuples sur des voies qui ont fait leur temps et les fait rentrer précipitamment en leurs coquilles vermoulues. »

„*Der Schmerz, der erst erfahren und ausgerungen werden muß, ist die Einsicht und das Wissen, daß die Notlosigkeit die höchste und verborgenste Not ist, die aus der fernsten Ferne erst nötigt.*"

[« La douleur, dont il faut d'abord faire l'épreuve et qu'il faut endurer jusqu'à n'en plus souffrir est la compréhension pénétrante et le savoir que l'absence d'urgence est l'urgence la plus haute et la plus en retrait, urgence qui met d'abord dans l'urgence à partir du plus lointain lointain [1]. »]

1. Martin Heidegger, *Überwindung der Metaphysik*, § XXV, GA 7, 89 ; *Essais et conférences*, p. 104.

Épilogue

Poésie et mémoire

Quelles que soient les paroles que tu prononces –
tu remercies
la perdition.

Paul Celan [1]

En 1954, Celan salue Heidegger « depuis la mer » – « Et donne mémoire [*Gedächtniß*], la mer », écrivait Hölderlin à la fin de son poème *„Andenken"*.

Dans le dialogue que le poète a engagé avec le penseur vient en effet au premier plan la question de la mémoire. Nous savons que, dans ses exemplaires, Celan a relevé toutes les occurrences où Heidegger parle de Mnémosyne, de *Gedächtnis*, d'*Andenken.* Il souligne ces passages parce qu'il est concerné au premier chef par cette question – mais c'est là aussi, précisément, que se situe la différence principale entre les deux hommes. Celan en est conscient dès 1954 lorsqu'il compose lui-même un poème intitulé *„Andenken"* au cours d'un séjour à La Ciotat riche en lectures heideggeriennes :

Feigengenährt sei das Herz,	Nourri de figues soit le cœur,
darin sich die Stunde besinnt	dont l'heure remémore
auf das Mandelauge des Toten.	l'œil-amande du mort.
Feigengenährt.	Nourri de figues [2].

1. Paul Celan, „WELCHEN DER STEINE DU HEBST", in : *Von Schwelle zu Schwelle*; « QUELLE QUE SOIT LA PIERRE QUE TU SOULÈVES », in : *De seuil en seuil, op. cit.*, p. 93 : *„Welches der Worte du sprichst – / du dankst / dem Verderben."*

2. Paul Celan, *„Andenken"*, in : *Von Schwelle zu Schwelle*; « Mémoire », in : *De seuil en seuil, op. cit.*, p. 83.

Cette première strophe du poème est à lire en écho au poème de Hölderlin qui porte le même titre et que Heidegger a largement commenté. Ici, cependant, le figuier n'est pas l'arbre du Sud, souvenir de la Grèce dans la lumière de la Provence, ce figuier au pied duquel Achille est mort (Hölderlin, « Mnémosyne »), mais celui de la judéité [1], l'arbre de ce mort à l'œil en forme d'amande dont on sait, par cette image récurrente chez Celan, que c'est le juif et peut-être aussi François, juif également et fils mort-né – ici, comme dans tout le poème, la mémoire est celle du peuple juif ; ici, nulle instauration comme dit le dernier vers du poème de Hölderlin, mais une béance, une plaie ouverte dans le souvenir de l'horreur.

Celan s'accorde avec Heidegger sur le fait que la poésie est mémoire : *Gedächtnis* et même *Andenken*, comme en témoigne le début du *Discours de Brême* qui coïncide presque mot pour mot avec un passage de *Qu'est-ce qui appelle à penser ?* :

> »*Denken und Danken sind in unserer Sprache Worte ein und desselben Ursprungs. Wer ihrem Sinn folgt, begibt sich in den Bedeutungsbereich von: „gedenken", „eingedenk sein", „Andenken", „Andacht". Erlauben Sie mir, Ihnen von hier aus zu danken.*«

> [« Penser et remercier sont dans notre langue des mots d'une seule et même origine. En suivant leur sens, on parvient dans l'aire sémantique de : "rappeler le souvenir", de "garder le souvenir", de "la mémoire", du "recueillement". Permettez-moi de vous remercier à partir de là [2]. »]

C'est « à partir de là » que le poète remercie en commençant le discours, et c'est à partir de là aussi qu'il écrit des poèmes.

Mais dans le fait de remercier [*danken*] à partir de la mémoire

1. Le figuier apparaît au moins une autre fois dans la poésie de Celan, dans un poème de *Zeitgehöft* où il est question du *Dänenschiff*, c'est-à-dire un monument de Jérusalem, érigé à la mémoire de juifs danois qui furent sauvés par des marins du pays : « SE TENAIT / un éclat de figue sur ta lèvre, // se tenait / Jérusalem autour de nous, // se tenait l'odeur du pin blond / sur le bateau danois dont nous étions reconnaissants [*dem wir dankten*], // je me tenais / en toi. »

2. Paul Celan, GW III, 186 ; *Le Méridien & autres proses*, p. 55. À propos de *denken, danken, Gedächtnis* et *Andenken*, les passages de Heidegger soulignés par Celan se trouvent principalement dans le cours *Was heißt Denken ?* (pp. 92-95 ; trad. cit., pp. 146-149) et dans la conférence qui porte le même titre (GA 7, 136-137 ; *Essais et conférences*, pp. 161-162).

[*Andenken*], dont il ne dit pas expressément qu'elle est la mémoire de son peuple, il y a de la part de Celan comme une amère ironie, et il écrira à son ami Erich Einhorn : « Les prix littéraires qui m'ont été attribués ne doivent pas t'illusionner sur ce point : ils ne sont en fin de compte que l'alibi de ceux qui, à l'ombre de tels alibis, continuent par d'autres moyens, plus contemporains, ce qu'ils ont commencé ou poursuivi sous Hitler [1]. »

Pour Heidegger, qui s'inscrit dans le prolongement de Hölderlin, la mémoire du poème n'est pas d'abord mémoire d'*un* peuple au sens où l'entend Celan. La mémoire est essentiellement projection d'avenir, dans la mesure où le poème garde mémoire de ce qui demeure en étant instauré par les poètes. Or l'instauration poétique ouvre, à partir de sa tonalité fondamentale, un monde ; s'engager dans ce monde en se souvenant de son instauration, c'est libérer l'histoire à son avenir. « Le poétique, écrit Heidegger, est l'ajointement fondamental du Dasein historial [2]. »

Suivant cette perspective, il n'y a pas d'abord un peuple, puis une mémoire de ce peuple recueillie dans le poème. C'est l'inverse dans la mesure où, eu égard à la naissance de tout peuple, à la constitution d'un État et à leur inscription dans l'histoire, c'est la poésie *seule* qui, au sens romain du terme, *fait autorité*. L'*auctoritas*, conformément à son étymologie (de *augeo* : augmenter, faire accroître, fonder), n'a *aucun pouvoir*, mais, écrit Hannah Arendt, « reposait sur une fondation dans le passé qui lui tenait lieu de constante pierre angulaire ». Arendt poursuit ainsi : « Les hommes dotés d'autorité étaient les anciens, le Sénat ou les *patres*, qui l'avaient obtenue par héritage et par transmission de ceux qui avaient posé les fondations pour toutes les choses à venir, les ancêtres que les Romains appelaient pour cette raison les *maiores* [3]. » Aux yeux de Heidegger, c'est le dire poétique qui tient lieu de fondation concernant cette manière essentielle d'être et d'être-ensemble en résistant à tout pouvoir qu'est le *peuple* (qui ne peut en conséquence, insiste le penseur, jamais être compris ni comme une entité géographique, ni comme une communauté

1. Lettre du 10 août 1962 à E. Einhorn (*Europe, Paul Celan*, n° 861-862, p. 58).
2. Martin Heidegger, GA 39, 67 ; *Les hymnes de Hölderlin*, La Germanie *et* Le Rhin, p. 72.
3. Hannah Arendt, « Qu'est-ce que l'autorité ? », in : *La crise de la culture*, Paris, Gallimard, « Folio essais », 2000, p. 160.

raciale, ni comme un agglomérat autour de principes idéologiques[1]). C'est donc dans la mémoire, qui ne cesse à chaque fois de penser et de repenser (à) l'instauration du monde qui s'évient dans la poésie, que tout peuple peut entrer dans le futur de cette incessante advenue qu'est l'histoire et partir également à la rencontre d'un autre peuple.

Chez Celan, le poème est mémoire parce qu'il pense à ce qui a été commencé sous Hitler et qui se poursuit par des moyens plus contemporains. Avec la circularité d'un méridien, le poème y repense sans cesse et y fait penser. Et du fait de cette circularité, le poème apparaît comme une exception de l'histoire : son historialité à lui est celle d'une répétition cyclique chaque fois renouvelée, celle d'une mémoire qui tourne et s'en retourne avec les ans (anni-versaire), une mémoire qui est aussi, à chaque lecture, devoir de mémoire envers l'humain.

C'est dans la mesure où Celan écrit avec et dans cette mémoire, qu'il est un poète lyrique – poète lyrique ultime, au sens où il pousse le lyrisme traditionnel jusqu'à son extrême limite. « La lyrique n'est plus une heuristique », dira-t-il[2].

Si *denken* [penser], en effet, comme l'affirme Celan avec Heidegger, c'est toujours en un sens *danken* [remercier], la question se pose de savoir comment et jusqu'à quel point la poésie peut se faire *Andenken* [mémoire], dès lors qu'elle est poésie « d'après Auschwitz », c'est-à-dire, comme l'écrit Jean-Pierre Lefebvre, « une poésie qui n'est pas celle de l'après-Auschwitz, mais qui est “d'après Auschwitz”, d'après les camps, d'après l'assassinat de la mère, d'après les chambres à gaz, au sens où d'après veut également dire “en fonction de…”[3] ».

C'est ce paradoxe que Celan a soutenu à travers toute son œuvre, en poussant, dans une brisée paratactique du rythme, la voix [*Stimme*] lyrique de sa parole jusqu'au mutisme [*Stummheit*], pour le traverser, précisément par cette parole : „*durchs Stumme hindurchsprechen*“ [parler à travers le muet en le traversant de part en part], dit Celan dans « Les vignerons », et en conduisant la

1. Cf. Martin Heidegger, *Logik als die Frage nach dem Wesen der Sprache*, GA 38, §§ 13-14.

2. Paul Celan, *Der Meridian*, TCA, n° 551, p. 152.

3. Cf. Jean-Pierre Lefebvre dans la préface à sa remarquable traduction du *Choix de poèmes* de Paul Celan, *op. cit.*, p. 19.

parole jusqu'à garder mémoire de ce qui fut le crime contre la mémoire. Celan apparaît alors comme une sorte d'ultime Orphée qui tente de garder mémoire de l'impossibilité de mémoire.

Malgré la grande proximité avec Heidegger relativement à la parole elle-même et à sa limpidité, on comprend à partir du problème de la mémoire pourquoi le dialogue avec le penseur devait aussi trouver une limite.

Par-delà l'impossibilité d'oublier sa faute – ce qui, malgré la persistance du dialogue, fut surtout un obstacle à partir des années 1960, à cause des "révélations" fallacieuses de G. Schneeberger –, reste une différence de première importance au cœur de ce qui rassembla les deux hommes, c'est-à-dire au sein même du voisinage de la poésie et de la pensée.

Si la conception du poème comme projet d'existence [*Daseinsentwurf*] permet à Celan de ne pas isoler sa voix dans l'enfermement d'une subjectivité close sur sa biographie, il faut également dire que ce projet, ou esquisse projective, pour le formuler avec les termes de Heidegger, se fait à partir d'une situation radicalement indépassable d'être-jeté [*Geworfenheit*] : le souvenir de "la" Shoah, la *sienne*, aussi, qui le marqua en son irréductible individualité[1]. Plus précisément : son être-jeté en tant que poète, Celan l'éprouva, il est vrai, dès avant la guerre, mais il est, après Auschwitz, entièrement accordé au ton [*gestimmt*] du meurtre industrialisé – comme si après Auschwitz, sa voix [*Stimme*] ne trouvait plus à parler que "*d'après*", dans l'impossibilité proprement insoutenable de l'oubli.

En ce sens, le poème est chez Celan une modulation projective chaque fois singulière de cette tonalité [*Stimmung*], et c'est par conséquent, en rapport à la mémoire, sur le *statut du poétique* qu'apparaissent les divergences avec Heidegger ; ces divergences sont du même ordre que ce qui sépare, malgré, également, la grande proximité, Celan et Mandelstam. Considérons-les donc à partir de là.

1. Cf. dans *Le Méridien* (TCA, p. 11) : « … je m'étais écrit depuis un "20 janvier", mon "20 janvier" ».

Celan et Mandelstam

Le verbe vit aujourd'hui les débuts d'une ère héroïque.

Ossip Mandelstam[1]

Le destin de Celan et de Mandelstam a ceci de comparable qu'ils furent tous deux exposés à l'extermination dans sa forme totalitaire. Celan lui-même n'hésite pas à mettre sur le même plan hitlérisme et stalinisme[2], et s'il croit encore en 1959 que Mandelstam a pu être liquidé par l'armée allemande envahissant la Russie, il découvre la vérité en 1964 : « Mandelstam est mort en 1938 en Sibérie », corrige-t-il dans son exemplaire de la *Notice* sur Mandelstam[3]. Mais dans une première rédaction de cette *Notice*, et bien qu'ignorant encore la vérité sur les circonstances de sa mort, il avait déjà noté, immédiatement après son hésitation entre les deux versions, une phrase qui *doit* nous donner à penser :

„(*Dass beides zum Möglichen gehört: darüber nachzudenken, ist Pflicht.*)"

[« (Que toutes deux appartiennent au possible : méditer là-dessus est un devoir[4].) »]

1. Ossip Mandelstam, « Verbe et culture », in : *De la poésie*, *op. cit.*, p. 49.
2. Cf. Martine Broda, *Dans la main de personne*, *op. cit.*, pp. 88-89 : « Staline = Hitler. *Vernichtungslager* = Goulag. Cette équation, qui est celle de notre moderne barbarie, demeure à l'horizon (l'horizon ?) de *La Rose.* »
3. Cf. »*Fremde Nähe*«, *op. cit.*, p. 346.
4. *Ibid.*, p. 345.

(C'est peut-être même un des devoirs les plus urgents de notre époque : – ce que Heidegger n'aura cessé de méditer de 1934 à 1976 en tâchant de préparer la pensée à être à même de s'interroger sur tous les visages du nihilisme dans sa phase d'accomplissement planétaire ; – ce dont Celan aura fait la terrible épreuve en sa propre personne, c'est-à-dire toujours en même temps dans sa poésie.

C'est peut-être aussi ce commun devoir qui confère sa signification proprement historiale au dialogue du poète et du penseur – ce dialogue dont nous aurons tenté de penser le sens : sa provenance et sa destination, au sein du voisinage de la poésie et de la pensée.)

Mandelstam et Celan, donc, ont connu une destinée analogue ; par ailleurs, ils sont tous les deux juifs, et ils ont même en commun d'avoir été victimes d'accusations de plagiat pour des traductions. Poétiquement, enfin, les deux hommes se rejoignent sur maints points (le rapport à la chose, le refus du signe, le sens du silence) et en particulier sur leur opposition à ce que Celan appelait dans une lettre à Gleb Struve « l'à peu près symboliste [1] ».

Mais Mandelstam se distingue de Celan dans la mesure où il n'est plus, dès après la parution de *La pierre* (1913), et en toute certitude après *Tristia* (1922), un poète lyrique, mais, dit-il, « *épique* ». Cette expression peut surprendre, surtout si elle est mise en corrélation avec la manière dont Hölderlin, environ un siècle auparavant, évoque le virage proprement *moderne* de l'Occident : le *retournement natal.* Ainsi, dans la lettre à Böhlendorf du 4 décembre 1801 : « C'est ton bon génie qui t'a inspiré, à mon avis, de traiter ton drame de manière plus épique [2] », dit-il à son ami.

C'est en effet dans l'épopée que Homère a conquis la sainte sobriété. Pour les Grecs, cette sobriété était culturelle ; pour nous

---

1. Paul Celan, lettre à Gleb Struve du 29 janvier 1959, citée par Annette Werberger dans un article qui établit un parallèle entre Celan et Mandelstam : »*Paul Celan und Ossip Mandel'stam oder „Pavel Tselan" und „Joseph Mandelstamm" – Wiederbegegnung in der Begegnung*«, in : *Arcadia. Zeitschrift für Allgemeine und Vergleichende Literaturwissenschaft*, « Celan und / in Europa », Bd. 32, hrsg. von John Neubauer und Jürgen Wertheimer, Berlin-New York, Walter de Gruyter, 1997, pp. 6-27.

2. Friedrich Hölderlin, *Sämtliche Werke und Briefe*, hrsg. von Michael Knaupp, Darmstadt, Wissenschaftliche Buchgesellschaft, 1998, Bd. II, p. 913 ; *Remarques sur Œdipe / Remarques sur Antigone*, traduction et notes par François Fédier, 10/18, Paris, 1965, p. 99. Relativement à Hölderlin, Celan pouvait avoir une connaissance de ces questions grâce à l'ouvrage de Beda Allemann : *Hölderlin und Heidegger.*

Hespériens, elle constitue, à l'inverse, le fond de notre nature, « mais ce qui est propre doit aussi bien être appris que ce qui est étranger. C'est pourquoi les Grecs nous sont indispensables », poursuit Hölderlin.

Aussi, le tournant de la modernité, le retournement natal – qui est essentiellement un changement de *mode*, y compris, comme le montre la savante logique poétique des calculs, de tous les modes ou tons poétiques dans leur équilibre réciproque au sein du poème – s'accomplissent-il pour Hölderlin dans l'appropriation et le libre usage du nationel. Et pour parvenir à une véritable appropriation et conquérir cette liberté, l'épopée homérique reste, durant le temps de l'apprentissage, le modèle par excellence.

Mandelstam ne connaissait pas ces textes de Hölderlin, mais il est remarquable que son propre travail poétique ainsi que sa méditation sur le destin de la poésie russe (dans son rapport à l'Antiquité grecque notamment) et sur l'histoire l'ait conduit à une terminologie qui correspond en partie à celle de Hölderlin.

Or c'est surtout Mandelstam qui a initié Celan au sens de l'histoire ; mais l'histoire, pour le poète russe, c'est moins, comme l'écrit Celan en 1948, l'« accomplissement de la spiritualité juive en Europe », que l'histoire de la langue russe dans sa provenance hellénistique [1].

Dès l'époque du *Matin de l'acméisme* que Celan a lu, Mandelstam avait déclaré : « L'acméisme est la nostalgie de la culture universelle. » Et devant « l'accélération des cadences du processus historique [2] », Mandelstam éprouve de plus en plus clairement l'urgence d'ouvrir la parole à une « ère héroïque [3] ». En effet, la

1. Cf. Ossip Mandelstam, « De la nature du verbe », in : *De la poésie*, *op. cit.*, p. 76 : « On peut assimiler la nature hellénistique de la langue russe à son caractère ontologique. Dans l'acception hellénistique, le verbe est chair active qui se réalise dans l'événement. C'est pourquoi la langue russe est historique par essence », ou encore (*ibid.*, p. 78) : « Une langue si organique et parfaitement structurée, n'est pas seulement une voie d'entrée dans l'histoire, elle est l'histoire elle-même. »

2. Ossip Mandelstam, *ibid.*, p. 70.

3. Ossip Mandelstam, « Verbe et culture », in : *ibid.*, p. 49. Ici encore, la terminologie de Mandelstam correspond à celle de Hölderlin : « Le poème épique est naïf d'apparence et héroïque dans sa signification » (*Sämtliche Werke*, Kritische Textausgabe, Bd. 14 : *Entwürfe zur Poetik*, hrsg. von D. E. Sattler, Darmstadt, H. Luchterhand, 1984, p. 183 ; « Sur la différence des genres poétiques », trad. Denise Naville, in : Hölderlin, *Œuvres*, sous la direction de Philippe Jaccottet, Paris, Gallimard, « Bibliothèque de la Pléiade », 1967, p. 632).

catastrophe nihiliste qui menace l'Europe, il la pressent dès la fin des années 1910 sous le visage de la dévastation "culturelle", comme dévastation de ce qui est gardé en mémoire dans le dire fondateur des poètes :

> « Le feu antiphilologique ulcère le corps de l'Europe, crachant les flammes de ses volcans sur les terres d'Occident et ruinant pour des siècles les cultures du sol d'où il jaillit.
>
> [...] L'Europe sans philologie, ce n'est pas l'Amérique, c'est un Sahara civilisé, maudit par Dieu, l'abomination de la désolation [1]. »

Pour l'auteur de poèmes tels que « À Cassandre » (1917), « Le crépuscule de la liberté » (1918), « Le siècle » (1923), « Le 1er janvier 1924 » (1924) ou « Le soldat inconnu » (1937), la forme de la désolation s'est précisée à mesure que se révélait le vrai sens du coup d'État bolchevik sur lequel Mandelstam avait pu, un court instant, fonder quelques espoirs de *véritable révolution.* D'une certaine manière, en effet, Mandelstam est bien un révolutionnaire, ce qui ne signifie pas : un soldat de la table rase. « La poésie classique, écrit-il en 1922, c'est la poésie de la Révolution [2]. » Il ne s'agit pas du tout ici de retour au passé, mais, comme l'écrit très justement Michel Aucouturier dans la présentation de sa traduction de *Tristia*, d'une « prise de possession de la culture, un rappel de ce que sait déjà la langue que nous a légué le passé commun de notre civilisation gréco-latine [3] ».

La révolution au sens de Mandelstam – semblable en cela à celle du poète de la „*höhere Aufklärung*[4]", Hölderlin – est une nouvelle volte du temps, qui ne se produit pas à la faveur d'une simple réité-

1. Ossip Mandelstam, « De la nature du verbe », in : *De la poésie, op. cit.*, pp. 81-82.

2. Ossip Mandelstam, « Verbe et culture », in : *ibid.*, p. 51 ; cf. aussi, *ibid.*, p. 46 : « La révolution, dans le domaine de l'art, mène inéluctablement au classicisme. »

3. Ossip Mandelstam, *Tristia*, présentation, traduction et notes de Michel Aucouturier, Imprimerie Nationale Éditions, 1994, p. 29.

4. « Les Lumières plus hautes », cf. Friedrich Hölderlin, „*Fragment philosophischer Briefe*", in : *Sämtliche Werke*, Bd. 14, p. 38 ; « Fragments de lettres philosophiques », trad. F. Fédier, in : *La fête de la pensée. Hommage à François Fédier, op. cit.*, p. 554.

À y regarder de près, cette révolution est aussi, à certains égards, semblable à celle que Heidegger croyait à tort possible quand il accepta la charge du rectorat, et qu'il n'aura de cesse de méditer ultérieurement (cf. Martin Heidegger, GA 36/37, 4-5 et 79-80 ; GA 38, 73-77 ; à ce sujet, lire aussi l'importante étude de Henri Crétella : « La révolution philosophique », in : *Études heideggeriennes*, n° 16, Duncker & Humblot, Berlin, 2000, pp. 139-165).

ration du passé, mais par la réappropriation à neuf d'un héritage qui se destine. « Le passé n'est pas encore né. Il n'a pas encore existé pour de bon », note encore Mandelstam dans « Verbe et culture [1] », qui perçoit ainsi la tâche de la poésie comme un « impératif, un devoir » : « Le signe spécifique de toute poésie classique < est > qu'elle soit perçue non comme ce qui a été, mais comme ce qui doit être [2]. » Le classicisme de *Tristia* par exemple, n'a, en conséquence, rien d'académique, mais illustre cette tension proprement ré-volutionnaire entre l'Antiquité et l'avenir.

Bien que pour Celan le poème ne soit pas « privé de temps » [„*zeitlos*"], bien que le poème « cherche à saisir le temps en passant à travers lui [3] », Celan, à la différence de Mandelstam, est resté presque entièrement étranger à cette « voix du poète » semblable au « fer de la charrue » qui retourne le tchernoziom des strates temporelles et qui s'interroge ainsi sur le destin de l'Occident dans une mise en question qui remonte jusqu'à sa provenance philologique grecque. Par la portée « épique » de sa poésie, Mandelstam est directement apparenté à Hölderlin [4], et il n'est pas étonnant de voir que de tous ses essais, celui qui a le plus retenu l'attention de Celan est le texte qui traite plus particulièrement du je, non pas épique, mais lyrique : *De l'interlocuteur* [5].

La poésie de Mandelstam est mémoriale dans la mesure où, en s'élevant contre le « Sahara civilisé », en se dressant contre la dévastation du désert [*Verwüstung*], elle lutte héroïquement contre l'éradication de Mnémosyne. En effet, « la dévastation du désert, lorsqu'elle bat son plein, est l'éradication sans relâche de Mnémosyne », écrira Heidegger dans un passage de *Qu'est-ce qui appelle à penser ?* que Celan a souligné [6].

1. « Verbe et culture », in : *De la poésie, op. cit.*, p. 46.
2. *Ibid.*, p. 47.
3. Paul Celan, GW III, 187 ; *Le Méridien & autres proses, op. cit.*, p. 57.
4. Pour une réflexion sur le rapport de Hölderlin et Mandelstam dans la perspective de ce que Heidegger appelle l'*autre commencement*, cf. Ivo De Gennaro, « Le gérondif », in : *La fête de la pensée. Hommage à François Fédier, op. cit.*, pp. 247-257.
5. Ossip Mandelstam, *De la poésie, op. cit.*, pp. 58-68. À la page 66 de cet essai, Mandelstam écrit : « Pas de lyrisme sans dialogue… », dont on sait l'importance que cela a eu pour Celan. Et encore, p. 67 : « Mais échanger pour de bon des signaux avec Mars, voilà une tâche digne d'un poète lyrique. » C'est une autre formulation de la bouteille jetée à la mer.
6. Martin Heidegger, *Was heißt Denken ?*, p. 11 ; trad. cit., p. 36.

La poésie de Celan garde mémoire, dans la mesure où, comme dit Hölderlin de la poésie lyrique, elle est « la métaphore continue d'un sentiment unique [1] » – sentiment d'une radicale *angustus* chez Celan et souvenir coupable ainsi qu'oppressant de cette « tombe dans les airs » d'où même l'angoisse a disparu parce qu'« on n'y est pas couché à l'étroit [*eng*] [2] ». Et c'est à partir de ce "sentiment", de cette tonalité fondamentale [*Grundstimmung*], que Celan fait l'épreuve de tout ce qui est – du poétique, certes, mais aussi bien de l'affaire Goll notamment.

Dans le dialogue avec Heidegger, malgré toutes les affinités sur nombre de questions essentielles, ce sentiment demeura toujours, du côté de Celan, comme une ligne de démarcation.

1. Friedrich Hölderlin, *Entwürfe zur Poetik*, *op. cit.*, p. 102 ; trad. cit., p. 632.

2. Cf. Paul Celan, „*Todesfuge*", in : *Mohn und Gedächtnis*, GW I, 39 ; « Fugue de mort », in : *Pavot et mémoire*, *op. cit.*, p. 80 (*Choix de poèmes*, pp. 53-57). Il n'y a plus d'angoisse, il n'y a plus de tombe, parce que dans les camps fut même anéanti le rapport de tout être humain à sa mort, privant ainsi l'homme de son être le plus propre : être mortel.

Celan et le lyrisme moderne

Où se tient le poème aujourd'hui, quel rapport entretient-il avec son temps, avec les problèmes de la lyrique ? – Je ne sais pas.

Paul Celan [1]

L'originalité de Celan, et ce qui fait la singularité absolue de son œuvre, est d'avoir assumé la monstruosité de son destin dans une forme poétique qui n'y était pas préparée, et dans le corps de la langue allemande qu'il a réinventée en puisant jusque dans ce qu'elle « a de plus ancien [2] ».

Avec Celan, se produit une catastrophe dans le lyrisme – catastrophe d'une violence inouïe, parce qu'elle procède du quadruple anéantissement de l'humanité de l'homme auquel le poète aura fait face : le nazisme, le stalinisme, la menace de l'atomisation nucléaire, l'affaire Goll.

Dans *Le Méridien*, c'est avec la notion d'art que se concentre le quadruple visage de cette déshumanisation dont la lyrique moderne, au sens de Gottfried Benn, est aussi le reflet.

Dans sa conférence sur le lyrisme, Benn déclare en effet : « La poésie nouvelle, le lyrisme, est un produit d'art [*Kunstprodukt*]. » Et

1. Paul Celan, *Der Meridian*, TCA, n°17, p. 55.

2. Cf. Clemens von Podewils, « Nominations / Ce que m'a confié Paul Celan », trad. cit., p. 118 : « Mes formations de mots ne sont pas au fond de pures inventions. Elles appartiennent à ce que la parole a de plus ancien. »

ce lyrisme qui est « art pur » a, selon Benn, « un caractère monologique [1] ».

Toute l'œuvre de Celan est une réponse à cette impasse que le poète juge meurtrière, et cette réponse doit commencer, dit Celan dans des notes préparatoires, par une investigation concernant les conditions dans lesquelles le terme de lyrique est apparu au XIXe siècle [2]. Celan songe ici à Mallarmé, toujours en rapport avec Benn qui explique que « le nouveau lyrisme a commencé en France. Jusqu'à présent Mallarmé en était considéré comme le centre… ».

La catastrophe dans le lyrisme est donc d'abord à considérer comme une rupture avec *ce* lyrisme moderne, celui de Benn, en un sens, c'est-à-dire le lyrisme vu avec les yeux de Benn dans sa conférence. « Je ne parle pas de la "lyrique moderne", je parle du poème aujourd'hui », avait écrit Celan dans une première rédaction du *Méridien.* Or le poème aujourd'hui, c'est le poème qui tient [*steht*] face à la déshumanisation des Temps modernes qui est aussi une crise radicale du sujet.

À cette crise, Celan apporte paradoxalement une réponse en assumant pleinement la disparition du sujet dans le poème, de sorte que la question que pose toute sa poésie peut s'énoncer à l'aide de cette remarquable tournure d'Axel Gellhaus :

> „*Wie ist – ohne lyrisches Ich – lyrisches Sprechen denkbar?*"
>
> [« Comment – sans je lyrique – la parole lyrique est-elle pensable [3] ? »]

La poésie de Celan se déploie dans ce paradoxe, car Celan ne fait pas le tournant, disons « épique », qui conduit Hölderlin et Mandelstam, également confrontés à la disparition du sujet, à d'autres types de réponse.

En dialogue avec la pensée heideggerienne non subjective du *Dasein*, Celan repense avec une originalité sans égal ce qui fait le cœur de *Être et temps* – à savoir l'*Erschlossenheit* [ouvertude] – et

1. Cf. Gottfried Benn, GW, Bd. I, 495 ; « Problèmes du lyrisme », in : *op. cit.*, pp. 340-341.

2. Paul Celan, *Der Meridian*, TCA, n°62, p. 73.

3. Axel Gellhaus, „*Erinnerung an schwimmende Hölderlintürme. Paul Celan >Tübinger, Jänner<*", Spuren 24, Marbach am Neckar, Deutsche Schillergesellschaft, ²2001, p. 7 sq.

détermine ainsi une nouvelle situation lyrique qui peut se résumer de la façon suivante : parce que la parole n'est pas expression d'une subjectivité intérieure, le poème peut, en tant qu'expérience à chaque fois unique de la parole par un soi (*Selbst* et non *Subjekt*), se faire voix (personne) en s'ouvrant à et par un toi (le tout autre, la mort ?) qui trouve, dans son être-autre, sa place au sein du poème, de sorte que toutes les autres formes possibles de toi (les choses et les autres) peuvent à leur tour venir faire dans le poème une expérience elle-même unique et singulière.

Telle est la vraie catastrophe, au sens littéral, dans la lyrique de Celan : faire virer le sujet en faisant passer le je par le détour de l'étrangèreté de la parole. Une fois ce détour fait, le je n'est plus un simple je, mais en lui-même le dialogue d'un je et d'un tu.

Après Baudelaire et Rimbaud en France, Emily Dickinson dans le monde anglo-saxon ou Marina Zvétaieva en Russie[1], Celan opère en Allemagne le virage proprement moderne du lyrisme et libère du même coup son vrai sens. Le lyrisme de Celan ne tient pas à un je qui s'exprimerait au sens habituel ; il ne procède pas, au sens romantique, de l'épanchement cosmique du sujet ; mais il n'est pas non plus, dans le sens moderne qui est celui de G. Benn, impersonnalisation. Dans le dialogue du poème, dans son corps à corps avec la mort, le sujet s'est tu, mais la parole, sous l'angle d'incidence particulier de l'*existence*, se fait personne et retentit comme voix. Ainsi vibre la parole, dans cette respiration du vers, dans ce nouveau rythme fait de coupures et de syllabes – cette vibration est le souffle [*Atem*] du poète.

Celan rompt avec le lyrisme comme genre poétique pour y retrouver la lyre, une nouvelle lyre. Et chez lui, ce virage dans la lyrique, ce décentrement, a l'allure d'un désastre. La catastrophe est aussi tragédie. Les cordes sont plus fragiles que jamais et le son qu'elles rendent n'a plus rien des belles harmonies du style élevé et des inspirations solennelles propres au lyrisme classique. Mais au cœur même du dés-astre : « Une / étoile / a bien encore de la lumière. / Rien, / rien n'est perdu[2]. »

Les cordes de la lyre tiennent bon, mais se nouent, comme dans

1. Autant de poètes que Celan a traduits, ou projetait (Zvétaieva) de traduire en allemand.

2. Paul Celan, „*Engführung*", in : *Sprachgitter* ; « Strette », trad. J.-P. Lefebvre, in : *Choix de poèmes, op. cit.*, p. 167.

l'angoisse la gorge. Les mots eux-mêmes se nouent dans des contractions toujours plus périlleuses et le poème résonne en se déchirant (*Riß*) entre ces explosions verbales et le balbutiement syllabique. Jamais la poésie lyrique n'aura été aussi *physiquement* en rapport avec la vie d'un poète. Le poème tout entier se trempe dans l'humidité du souffle qui sort de la bouche.

Atteindre l'abîme

Comme on parle à la pierre, comme
toi,
à moi depuis l'abîme,

Paul Celan [1]

À l'âge du monde de la nuit du monde, l'abîme du monde doit être éprouvé et enduré.

Martin Heidegger [2]

Poète au temps de détresse, Celan le fut au quotidien, avec une violence et une radicalité que nul n'a le droit d'esquiver ; poète au temps de détresse, Celan le fut parce qu'il est allé jusqu'à l'abîme – à sa façon, sur *ses* mains. Dans un des textes que Celan a lu avec le plus d'acuité, *Pourquoi des poètes ?*, il a souligné et marqué d'un « – i – » ces propos de Heidegger qui ouvrent de manière décisive l'espace de la modernité :

»Zum Wesen des Dichters, der zu solcher Weltzeit wahrhaft Dichter ist, gehört, daß ihm aus dem Dürftigen der Zeit zuvor Dichtertum und

1. Paul Celan, „*Radix, Matrix*", in : *Die Niemandsrose* : „*Wie man zum Stein spricht, wie / du, / mir vom Abgrund her*" ; « Radix, Matrix », in : *Choix de poèmes*, p. 189.

2. Martin Heidegger, *Wozu Dichter ?*, in : *Holzwege*, GA 5, 270 ; *Pourquoi des poètes ?*, in : *CHEMINS qui ne mènent nulle part*, p. 324 : „*Im Weltalter der Weltnacht muß der Abgrund der Welt erfahren und ausgestanden werden.*"

Dichterberuf zur dichterischen Frage werden. Darum müssen „Dichter in dürftiger Zeit" das Wesen der Dichtung eigens dichten.«

[« À l'aître du poète qui, en pareil âge du monde est vraiment poète, il appartient qu'à partir de l'indigence de cet âge, état de poète et vocation de poète deviennent d'abord eux-mêmes questions inhérentes au dire poétique. *C'est pourquoi "les poètes au temps de détresse" doivent proprement dire en poème l'aître de la poésie*[1]. »]

L'aître de la poésie, au temps de détresse, est devenu une question ; et une question qu'il appartient au dire poétique de poser dans son propre dire : tout fondement fait défaut, mais il ne s'agit pas pour le poète moderne d'établir un nouveau fondement – la parole elle-même est „*durchgründet vom Nichts*" [« transfondée par le rien »] [2] et le poème a en lui-même un fond qui repose dans sa propre hors-fondation[3]. Il faut prendre place dans cette absence de fondement, dans ce rien, et tenir au sein de l'abîme, pour parler en poème à partir de l'expérience de cet abîme – parler en « vers d'abîme » [*Abgrundvers*] [4] dit Celan. Parlant à partir de l'abîme, la parole poétique moderne doit, dans une circularité herméneutique abyssale, parler pour chaque fois redire à neuf l'aître même de son dire.

On a pu appeler cela l'autoréférentialité – Celan préfère dire : le *méridien*; parce que dans ses tours et ses retours, la parole du méridien ne tourne pas simplement sur elle-même, mais s'ex-pose au détour par le tout autre. « La poésie ne s'impose plus, elle s'expose », écrira Celan en français le 26 mars 1969[5]. Cette ex-position est aussi un décentrement de la subjectivité. Ainsi le méri-

1. Martin Heidegger, *Wozu Dichter ?*, in : *Holzwege*, GA 5, 272 ; *Pourquoi des poètes ?*, in : *CHEMINS qui ne mènent nulle part*, p. 327. C'est la phrase que nous avons mise en italique qui est soulignée dans l'exemplaire de Celan.

Dans un texte intitulé « "Poésie, affaire d'abîmes" – la situation abyssale chez Paul Celan », Marko Pajević est un des rares commentateurs à attirer l'attention sur l'importance de l'*Abgrund* [abîme ou hors-fond] chez Celan et notamment dans son dialogue avec Heidegger (cf. *Lectures d'une œuvre. Die Niemandsrose. Paul Celan*, ouvrage collectif coordonné par Marie-Hélène Quéval, Nantes, Éditions du Temps, 2002, pp. 212-214).

2. Paul Celan, „WIRK NICHT VORAUS", in : *Lichtzwang*, TCA, p. 179 ; « N'ŒUVRE PAS D'AVANCE », in : *Contrainte de lumière*, *op. cit.*, p. 181.

3. Cf. Paul Celan, *Der Meridian*, TCA, n° 123, p. 88. Dans l'édition de Tübingen, un ensemble homogène de notes a été rassemblé dans un chapitre intitulé „*Gundlosigkeit und Abgrund*" [« défaut de fondement et abîme »].

4. Paul Celan, „*Hafen*", in : *Atemwende*; « Ports », in : *Renverse du souffle*, p. 51.

5. Paul Celan, *Le Méridien & autres proses*, *op. cit.*, p. 51.

dien nomme le tour ex-centrique de la parole dans l'abîme et dès 1958, peu après la parution de *Sprachgitter*, Celan lui-même déclarait du poème tel qu'il l'éprouve en général, qu'il s'approche de l'abîme :

> *„Es ist kein Brückenschlagen, gewiß; aber es versucht, indem es an die Abgründe herantritt, das hier noch Mögliche – möglich sein zu lassen. Es versucht es mit dem ihm von der durch die Zeit gegangenen Sprache an die Hand gegebenen Mitteln, unter dem besonderen Neigungswinkel seiner (also meiner) Existenz.*"

> [« Il ne jette pas de pont, certes ; mais, dans la mesure où il s'approche des abîmes, il tente, eu égard à ce qui est ici encore possible – de le laisser être possible. Il tente cela, avec le moyen qui lui a été remis entre les mains par la parole passée à travers le temps, sous l'angle d'incidence de son (la mienne donc) existence[1]. »]

La première phrase semble faire directement référence à quelques vers de la première strophe du poème « Patmos » de Hölderlin :

Nah ist	Proche est
Und schwer zu fassen der Gott.	Et difficile à saisir le dieu.
Wo aber Gefahr ist, wächst	Mais où est le péril, croît
Das Rettende auch.	Aussi ce qui sauve.
Im Finstern wohnen	Dans la ténèbre ils habitent
Die Adler und furchtlos gehn	Les aigles et sans peur passent
Die Söhne der Alpen über den Abgrund weg	Les fils des Alpes par-dessus l'abîme
Auf leichtgebaueten Brücken.	Sur des ponts légèrement bâtis.

On reconnaît là également les vers si souvent médités par Heidegger en rapport avec la possibilité de nous préparer à une volte du temps en faisant l'épreuve du péril comme péril en l'estre même. Cette préparation est l'*attente*[2] pensive qui tend à laisser venir ce qui s'évient en l'avenance de l'*Ereignis* ; elle nous prépare à

1. Lettre de Paul Celan à Gottfried et Brigitte Bermann Fischer (22 novembre 1958), in : G. u. B. Bermann Fischer, *Briefwechsel mit Autoren*, hg. von Reiner Stach unter redaktioneller Mitarbeit von Karin Schlapp, Frankfurt a. M., 1990, p. 617.

2. Sur l'attente et le sens très fort (en aucun cas "passif") que lui confère Heidegger, cf. *Abendgespräch in einem Kriegsgefangenenlager in Rußland zwischen einem Jüngeren und einem Älteren*, GA 77, 217 sqq.

penser au cœur de la destination. Cette préparation est, aujourd'hui, « la tâche de la pensée » [*die Aufgabe des Denkens*].

Celan n'a pas la prétention d'avoir jeté le pont qui permette de franchir l'abîme du temps de détresse ; mais il esquisse une tentative dans la langue qui a traversé Auschwitz, en venant à soi sur ses propres mains, tout près de l'abîme – *„mit allen / Kielen / such ich dich, / Ungrund"* [« avec toutes / les carènes / je te cherche, / sans-fond [1] »]. Au seuil de l'abîme, il sonde l'abyssal et laisse être ce qui peut encore venir.

Mais « pourquoi des poètes en temps de détresse » ? La question n'a rien perdu de son urgence depuis 1801. Tout au contraire : l'abîme ne cesse de s'abîmer. Hitler a fini par être renversé, Hiroshima et Nagasaki ont été rasées et Staline parvient au faîte de sa puissance. Nous sommes en 1946, un an à peine après la fin de la guerre, et le penseur s'interroge avec un léger accent de désemparement face à la surdité du monde :

> *„Gleichwohl ist die Weltnacht als ein Geschick zu denken, das sich diesseits von Pessimismus und Optimismus ereignet. Vielleicht geht die Weltnacht jetzt auf ihre Mitte zu. Vielleicht wird die Weltzeit jetzt vollständig zu der dürftigen Zeit. Vielleicht aber auch nicht, noch nicht, immer noch nicht, trotz der unermeßlichen Not, trotz aller Leiden, trotz der namenlosen Leides, trotz der fortwuchernden Friedlosigkeit, trotz der steigenden Verwirrung."*
>
> [« La nuit du monde reste pour autant à penser comme une adresse destinale qui s'évient à l'avenance en deçà du pessimisme et de l'optimisme. Peut-être la nuit du monde va-t-elle maintenant vers sa mi-nuit. Peut-être cet âge du monde va-t-il maintenant devenir pleinement temps de détresse. Mais peut-être pas, pas encore, toujours pas, malgré l'incommensurable urgence, malgré toutes les afflictions, malgré la souffrance sans nom, malgré la prolifération persistante du défaut de repos et de paix, malgré le désarroi croissant [2]. »]

1. Paul Celan, *„EINGESCHOSSEN"*, in : *Zeigehöft*; « PROJETÉ », in : *Enclos du temps.*
2. Martin Heidegger, *Wozu Dichter?*, in: *Holzwege*, GA 5, 271 ; *Pourquoi des poètes?*, in : *CHEMINS qui ne mènent nulle part*, *op. cit.*, p. 325. Dans son exemplaire, Celan a souligné verticalement dans la marge les trois premières phrases.

C'est à partir de l'abîme historial que dessinent ces quelques lignes que le dialogue du poète et du penseur doit aujourd'hui nous requérir, et c'est dans cet abîme seul qu'il prend vraiment son sens – dans la mesure où, méditant cette *souffrance sans nom* du temps de détresse, Heidegger est le penseur qui a préparé en silence la pensée à faire l'expérience abyssale de ce défaut de nom, et Celan le poète qui, endurant cette souffrance, s'est approché de l'abîme pour parler en poème à partir de cette absence de nom.

Au cœur de la « mi-nuit », précisément, le poète évoque cette absence :

„Ich habe keinen Namen. (Der fault im Menschenmoor.)
Ich habe keinen Namen und nur die eine Hand.“

[« Je n'ai pas de nom. (Il pourrit dans le marécage d'hommes.)
Je n'ai pas de nom et qu'une seule main [1]. »]

Il n'y a plus en effet ni sujet ni substantif dans la poésie de Celan, mais des syllabes qui configurent un espace sonore à la frontière commune du cri et du silence et qui abritent dans leur résonance l'abîme de l'in-nommable. Parce qu'il doit nommer l'innommable, le mot chez Celan est essentiellement ce qui fait défaut et ce qui, comme la mort, ouvre chacun au « rien de la possible impossibilité de son existence [2] ». Tel est le double sens de *Leiche* dans les vers suivants :

Ein Wort – du weißt: *eine Leiche.*	Un mot – tu sais : un cadavre.
Laß uns sie waschen, *laß uns sie kämmen,* *laß uns ihr Aug* *himmelwärts wenden.*	Lavons-le, peignons-le, tournons son œil vers le ciel [3].

1. Paul Celan, *„Mitternacht“* [« Minuit »], in : *Gedichte aus dem Nachlass*, p. 56.
2. Martin Heidegger, *Sein und Zeit*, p. 266 ; trad. cit., pp. 320-321 : *das „Nichts der möglichen Unmöglichkeit seiner Existenz“*.
3. Paul Celan, *„Nächtlich geschürzt“*, in : *Von Schwelle zu Schwelle* ; « Froncées de nuit », trad. J.-P. Lefebvre, in : *Choix de poèmes, op. cit.*, p. 107. J.-P. Lefebvre signale en note que *die Leiche* (le cadavre) « désigne dans le langage des imprimeurs le bourdon (ou sauton), c'est-à-dire un mot omis, un mot qui manque ».

Ainsi sont éprouvées par Celan la mort du mot et l'expérience du cadavre-mot, ce "mot absent" qui, dans son manque, dit abyssalement l'in-nommable – "mot" à jamais « inenseveli [1] », comme le poète lui-même, « au fil de l'eau, le cadavre aisé [2] ».

Inenseveli, avec les nuages pour seule tombe – l'abîme du ciel dans lequel il creuse –, le cadavre-mot de Celan s'adresse à nous et nous initie par son dire à une acoustique des vibrations de la plèvre : vibration muette du souffle coupé et vibration balbutiante du souffle qui tourne.

1. Paul Celan, „*Und mit dem Buch aus Tarussa*", in : *Die Niemandsrose* ; « Et avec le livre de Tarussa », in : *Choix de poèmes*, p. 213 : „*unbestattete Worte*".

2. Henri Michaux, « Sur le chemin de la vie, Paul Celan... », in : *Études germaniques*, « Hommage à Paul Celan », 25e année, n°3, juillet-septembre 1970.

Documents

1

Esquisse de lettre de Paul Celan à Martin Heidegger (automne 1954)*

An Martin Heidegger
dieser schüchterne Gruß aus einer wunschdurchklungenen,
wunschbeseelten Nachbarschaft

vom Meer her
diese~~r~~s ~~Gruß~~ Zeichen der Verehrung
aus einer kleinen fernen
wunschdurchklungnen
Nachbarschaft

Herrn Martin Heidegger
dem Denk-Herrn

auf dem Weg über die Engelsbucht

* Cette esquisse de lettre figure dans un cahier de travail qui se trouve au *Deutsches Literaturarchiv* de Marbach sous la référence : *Arbeitsheft II, 12. Lektürnotizen über Martin Heidegger und Rudolf Borchardt ; "– i –" Aufzeichnungen, Vokabel* [D 90. 1. 3245]. Le texte a été pour la première fois publié en allemand dans l'ouvrage de Robert André : *Gespräche von Text zu Text. Celan – Heidegger – Hölderlin*, Hambourg, Meiner, 2001, p. 224. Cf. le fac-similé n° 2. © Éric Celan.

À Martin Heidegger
ce timide salut, mis en résonance par le souhait,
animé par le souhait d'un voisinage

depuis la mer
ce ~~salut~~ signe d'admiration
mis en résonance par le souhait
d'un modeste voisinage dans le lointain

À Martin Heidegger
le maître-penseur

en chemin au dessus de la baie des anges

2

Lettre du 24 novembre 1958 de Paul Celan à Martin Heidegger*

78, rue de Longchamp *Paris, den 24. November 1958.*

Hoch verehrter Herr Professor Martin Heidegger!

Erlauben Sie mir, bitte, die Gedichte eines Freundes in Ihr Haus zu schicken!

Es sind die Gedichte eines Freundes: ich kann sie, da ich sie den entscheidenden Weg gehen lasse, nicht mit Neben- und Beiwort befrachten. Es sind die Gedichte eines Sie Verehrenden.

In aufrichtiger Dankbarkeit
Ihr
Paul Celan

Klaus Demus
Wien
Rennweg 4/36

* Cette lettre du 24 novembre 1958 de Paul Celan à Martin Heidegger est à ce jour inédite en allemand et en français. Nous l'avons transcrite à partir de la photocopie de la lettre manuscrite que le germaniste américain Jerry Glenn a retrouvée chez Edgar et Erica Jené accompagnée de poèmes de Klaus Demus. Nous remercions le professeur Jerry Glenn de nous l'avoir communiquée. Cf. le fac-similé n°3. © Éric Celan.

78, rue de Longchamp Paris, le 24 novembre 1958

Très honoré professeur Martin Heidegger,

Permettez-moi, s'il vous plaît, d'envoyer chez vous les poèmes d'un ami.

Ce sont les poèmes d'un ami : je ne peux pas, comme je les laisse suivre leur vrai chemin, les charger de qualificatifs. Ce sont des poèmes de quelqu'un qui vous admire.

En sincère gratitude
Vôtre
Paul Celan

Klaus Demus
Vienne
Rennweg 4/36

3

Lettre du 23 juin 1967 de Martin Heidegger à Gerhart Baumann*

[...]

Schon lange wünsche ich, Paul Celan kennen zu lernen. Er steht am weitesten vorne und hält sich am meisten zurück. Ich kenne alles von ihm, weiß auch von der schweren Krise, aus der er sich selbst herausgeholt hat, soweit dies ein Mensch vermag. Sie deuten in dieser Hinsicht das Hilfreiche einer hiesigen Lesung richtig. Der 24. Juli wäre für mich der beste Termin...

Es wäre heilsam, P.C. auch den Schwarzwald zu zeigen. Kürzlich fand ich einen neuen Gedichtband von ihm angezeigt: „Atemwende".

Mit herzlichen Grüßen von Haus zu Haus

Ihr
Martin Heidegger

N. S. Vielleicht könnte Frau v. Schowingen zur Celan-Lesung eingeladen werden.

* Cette lettre du 23 juin 1967 de Martin Heidegger à Gerhart Baumann a été publiée en allemand par G. Baumann dans son ouvrage *Erinnerungen an Paul Celan*, Frankfurt a. M., Suhrkamp, 1986, pp. 59-60. © Hermann Heidegger.

[...]

Cela fait déjà longtemps que je souhaite faire la connaissance de Paul Celan. Il est le plus loin en avant et se tient le plus en retrait. Je connais tout de lui, et suis aussi au courant de la pénible crise dont il s'est lui-même remis, autant qu'il est possible à un être humain de le faire. Dans cette perspective, vous songez avec raison à l'aide que serait une lecture ici. Le 24 juillet serait pour moi la meilleure date...

Il serait salutaire aussi de montrer la Forêt-Noire à P. C. Je viens récemment de trouver un nouveau recueil de poèmes de lui intitulé : *Tournant du souffle.*

Avec mes salutations cordiales de chez moi à chez vous

Vôtre
Martin Heidegger

P.-S. Peut-être Madame von Schowingen pourrait-elle être invitée à la lecture de Celan.

4

Lettres de Paul et Gisèle Celan autour de la rencontre des 24-25 juillet 1967 avec Martin Heidegger *

[Paris, 17. 7. 1967]

Chère Gisèle,

je te remercie d'avoir porté les deux valises chez Jean – j'en prendrai la plus grande, samedi, en allant à Fribourg via Bâle.

Franz Wurm me charge de transmettre ses "Grüße" à Heidegger, ce qui ne me comble guère de bonheur. En vérité, le vrai but de ce voyage est Francfort, c'est-à-dire les entretiens avec Unseld, Reichert, Allemann.

Ce soir, je dîne chez André, à qui j'apporte, comme surprise, le cycle < Le Moteur blanc > dans ma traduction. Demain, j'enverrai les poèmes à Weber, pour la < Zürcher Zeitung >.

Le temps, parfois, me semble interminablement long et vide, surtout à la Clinique. – Dès mon retour, je me mettrai à taper les < Fadensonnen > et à préparer mes cours.

Donne-moi de tes nouvelles et des nouvelles d'Éric.

Je pense à toi

Paul

---

* Ces lettres échangées entre Paul Celan et Gisèle Celan-Lestrange ont été publiées par Bertrand Badiou et Éric Celan in : P. Celan / Gisèle Celan-Lestrange, *Correspondance*, t. I, Éditions du Seuil, Paris, 2001, pp. 547-553. © Éditions du Seuil.

[Paris,] 18 juillet 1967

Cher Paul,

Merci de ta petite carte. Oui je comprends que la lecture à Fribourg avec la présence de Heidegger te pose quelques difficultés. J'espère néanmoins qu'elle se passera bien. Il est sûrement très utile que tu puisses voir Unseld. Je vois que tu continues de beaucoup travailler. André du Bouchet doit être heureux de cette nouvelle traduction.

Un petit mot d'Éric, le deuxième seulement, pas trop merveilleux par la forme. Mais il a l'air très content. Parle de nombreux bains à la rivière, de concours de cuisine très réussis, de grands jeux et de l'après-midi "relax" où il compte "lire, lire". Je crois qu'il est très content.

Pour moi rien de spécial. Les gravures sont revenues de Bochum sans un mot. Il en manque 7. C'est peu ! Je suppose qu'elles sont vendues. J'ai écrit pour réclamer des factures de photographies et d'emballage non payées et demander des explications pour ces gravures qui manquent.

J'essaye tant bien que mal de retravailler et passe mes journées à l'imprimerie très calme et fraîche_

Je te souhaite un bon séjour en Allemagne et des contacts fructueux avec Unseld. Je me réjouis que tu puisses travailler malgré les si difficiles conditions actuelles et espère que tu pourras très prochainement quitter l'hôpital.

Tous mes vœux pour cela

Gisèle

Tante Berta espère que tu iras la voir à Londres cet été.

[Paris,] mercredi 2 août 1967

Chère Gisèle,

je viens de rentrer, me trouve rue d'Ulm et m'empresse de t'envoyer un mot.

J'espère que vous allez bien tous à Moisville.

La lecture à Fribourg a été un succès exceptionnel : 1 200 personnes qui m'ont écouté le souffle retenu pendant une heure, puis, m'ayant longuement applaudi, m'ont écouté encore pendant un petit quart d'heure.

Heidegger était venu vers moi – Le lendemain de ma lecture j'ai été, avec M. Neumann, l'ami d'Elmar, dans le cabanon (Hütte) de Heidegger dans la Forêt-Noire. Puis ce fut, dans la voiture, un dialogue grave, avec des paroles claires de ma part. M. Neumann, qui en fut le témoin, m'a dit ensuite que pour lui cette conversation avait eu un aspect épochal. J'espère que Heidegger prendra sa plume et qu'il écrira q[uel]q[ues] pages faisant écho, avertissant aussi, alors que le nazisme remonte.

Trois jours à Fribourg, puis deux chez les Allemann à Würzburg, le reste, très rempli, à Francfort où Unseld m'avait accueilli à la gare. Plein de projets de travail. J'espère que la clinique, où je me rends tout à l'heure, me lâchera.

Écris-moi. Je suis content que tu aies pu travailler.

Bonnes journées

Paul

Moisville
par Nonancourt
Eure
Vendredi 5 août 1967

Cher Paul,

À l'instant ta deuxième lettre. Merci pour les deux. Ce fut une grande joie de savoir, de savoir *[sic]* que ta lecture, la rencontre avec Heidegger et celle avec Unseld se sont bien passées… si bien_ Je me réjouis aussi que tu puisses aller à Londres. La tante sera si contente, elle l'espère tant. Je sais qu'elle a l'intention de t'aider pour le dentiste, elle voulait m'envoyer la somme, tu verras avec elle comment faire.

Iras-tu dans le Tessin ?

Ici j'ai eu avec les enfants des autres pas mal de soucis. D'abord une chute de Jean-Pierre avec crainte de bras cassé. Il est donc reparti à Paris pour revenir le lendemain, car heureusement il n'y avait rien. Mais trois jours après Patricia tombe aussi, et j'ai dû la ramener à Paris avec un bras cassé. Ce n'est vraiment pas de chance. Je pense qu'elle reviendra dans quelques jours. Jean-Pierre repart aujourd'hui. Tout cela m'a assez remuée.

Je te quitte, car il faut arriver à temps pour le train, à Dreux, de Jean-Pierre.

Achète une housse au Prisunic pour un vêtement long et un portemanteau pantalon et veste + un sachet de paradichlorobenzène à suspendre au portemanteau –

Ton courrier m'a été réexpédié par erreur. Je te le renvoie.

Éric va bien et t'embrasse. Bon courage, Paul

Gisèle

5

Lettre du 7 août 1967 de Paul Celan à Franz Wurm *

[Paris] 7.8.1967

Lieber Franz Wurm,
haben Sie Dank für Ihre Karte vom 4., die hier soeben eintraf. Ich bin seit wenigen Tagen aus Deutschland zurück, wo alles gut ging, auch das Zusammentreffen mit Heidegger, mit dem ich ein recht langes und recht deutliches Gespräch geführt und dem ich auch Ihre Grüße übermittelt habe.
Nun gehn Sie also nach Ascona. Und ich, der ich mir schon unsere gemeinsame, reich interpunktierte Faulenzerei in Tegna ausgemalt hatte... Denn am 10. September darf ich ja für drei Wochen dorthin – habe ich mir die Daten auch richtig notiert? Bitte sagen Sie's mir ungeniert, wenn ich da etwas durcheinandergebracht habe!
Wo singen Wolgens um diese Zeit? In Tegna, hoffe ich. Am liebsten käme ich in Gestalt irgendeines Instruments, anders dürfte ich mich dort wohl kaum zeigen.

Ich grüße Sie herzlich
Ihr Paul Celan

* Cette lettre du 7 août 1967 de Paul Celan à Franz Wurm a été publiée en allemand par Barbara Wiedemann in : Paul Celan / Franz Wurm, *Briefwechsel*, hg. von Barbara Wiedemann in Verbindung mit Franz Wurm, Frankfurt a. M., Suhrkamp Verlag, 1995, pp. 87-88. © Suhrkamp Verlag.

[Paris,] 7.8.1967

Cher Franz Wurm,

Merci de votre carte du 4 qui vient juste d'arriver ici. Je suis rentré depuis quelques jours d'Allemagne où tout s'est bien passé, y compris la rencontre avec Heidegger, avec qui j'ai eu un assez long entretien tout à fait clair et à qui j'ai également transmis vos salutations.

Vous voilà désormais en route pour Ascona. Et moi qui m'étais déjà imaginé notre séjour commun à Tegna et notre farniente ponctué de bons moments… Car c'est bien le 10 septembre que je dois y aller pour trois semaines – mais ai-je noté correctement les dates ? Si je me suis emmêlé en quoi que ce soit, ne soyez pas gêné de me le dire.

Où les Wolgen chantent-ils en ce moment ? À Tegna, j'espère. J'aimerais tant pouvoir y venir sous la forme de quelque instrument, car autrement j'oserais sans doute à peine m'y montrer.

Je vous salue cordialement
Vôtre Paul Celan

6

Paul Celan, *Todtnauberg*[*]

Todtnauberg

Arnika, Augentrost, der
Trunk aus dem Brunnen mit dem
Sternwürfel drauf,

in der
Hütte,

die in das Buch
– wessen Namen nahms auf
vor dem meinen ? –,
die in dies Buch
geschriebene Zeile von
einer Hoffnung, heute,
auf eines Denkenden
kommendes
Wort
im Herzen,

Waldwasen, uneingeebnet,
Orchis und Orchis, einzeln,

Todtnauberg

Arnica, luminete,
boire à la fontaine avec
dessus le dé en étoile,

dans la
hutte,

elle, dans le livre
– de qui recueillit-il les noms
avant le mien ? –,
elle, dans ce livre
écrite la ligne d'un
espoir, aujourd'hui,
d'un être qui pense :
à venir
une parole
au cœur,

mousses de forêt, non aplanies,
orchis et orchis, épars,

---

* Le poème *Todtnauberg* a été publié pour la première fois par Robert Altmann aux éditions Brunidor (Vaduz, Liechtenstein) le 12 janvier 1968 dans un tirage limité à cinquante exemplaires. Le poème a été réédité dans le recueil *Lichtzwang* paru en juin 1970 aux éditions Suhrkamp à Frankfurt a. M. © Suhrkamp Verlag.

Krudes, später, im Fahren,
deutlich,

der uns fährt, der Mensch,
der's mit anhört,

die halb-
beschrittenen Knüppel-
pfade im Hochmoor,

Feuchtes,
viel.

cru, plus tard, en route,
clair,

celui qui nous conduit, l'homme,
à l'écoute aussi,

à demi
parcourus les sentiers
de rondins dans la fagne des hauteurs,

humide,
beaucoup.

7

Premières esquisses du poème *Todtnauberg**

Seit ein Gespräch wir sind,
an dem
wir würgen,
an dem ich würge,
das mich
aus mir hinausstieß, {zw}dreimal, | viermal,

Im Ohr Wirbel{t}nde
Schläfenasche, die eine, letzte
Gedankenfrist duldend,

Feuchtes, viel

Depuis que nous sommes un dialogue,
dans lequel
nous nous ex-ténuons,
dans lequel je m'ex-ténue,
qui me
poussa au dehors de moi-même, trois fois, quatre fois,

Bourdonnement dans l'oreille
cendre des tempes, souffrant
l'unique, le dernier délai de la pensée

Humide, beaucoup

---

* Ces fragments d'esquisse du poème *Todtnauberg* figurent dans le *Arbeitsheft I*, 19, p. 8v et ont été publiés en allemand par Heino Schmull dans l'édition critique de Tübingen du recueil *Lichtzwang* (TCA, p. 51). © Suhrkamp Verlag.

8

Liste établie par Paul Celan des destinataires de l'édition à tirage limité du poème *Todtnauberg**

Todtnauberg an :

1. Heidegger
2. G. Neumann
3. }
4. } Gisèle, Éric
5. }
7. Beda Allemann
8. Werner Weber
39. André du Bouchet
50. Kostas Axelos
    Bernard Böschenstein
    Jean Bollack
6. Franz Wurm
    Walter Georgi
17 François Fédier
18 Michel Deguy

* Cette liste établie par Paul Celan des destinataires de *Todtnauberg* se trouve au *Deutsches Literaturarchiv* sous la référence : *Empfängersliste* [D 90. 1. 639]. © Éric Celan.

9

Lettre du 30 janvier 1968 de Martin Heidegger à Paul Celan*

Freiburg: der 30. Januar 1968

Verehrter und lieber Paul Celan,

Wie soll ich Ihnen für dieses unerwartete große Geschenk danken?
Das Wort des Dichters, das „Todtnauberg" sagt, Ort und Landschaft nennt, wo ein Denken den Schritt zurück ins Geringe versuchte – das Wort des Dichters, das Ermunterung und Mahnung zugleich ist und das Andenken an einen vielfältig gestimmten Tag im Schwarzwald aufbewahrt.
Aber es geschah schon am Abend Ihrer unvergesslichen Lesung beim ersten Grüßen im Hotel.
Seitdem haben wir Vieles einander zugeschwiegen.
Ich denke, daß einiges noch eines Tages im Gespräch aus dem Ungesprochenen gelöst wird.
Ich werde mir von einem Buchbinder einen geeigneten Schuber machen lassen, darin Ihre Gabe in gebührender Weise verwahrt bleibt.
Das Bild der Hütte, von unserem älteren Sohn aufgenommen, möchte keine Illustration, sondern nur eine kleine Hilfe für den dichtenden Blick in die winterliche Einsamkeit.

---

* Une copie de la lettre du 30 janvier 1968 de Martin Heidegger à Paul Celan se trouve au *Deutsches Literaturarchiv* sous la référence : D 90. 1. 1600 ; elle a été pour la première fois publiée en allemand par Stephan Krass dans un article de la *Neue Zürcher Zeitung* daté du 3-4 janvier 1998. Nous en avons publié une traduction dans l'article « La responsabilité d'une pensée » paru dans *Le Magazine littéraire*, n° 405, janvier 2002, p. 102. © Hermann Heidegger.

Noch muss ich Ihnen danken für das Exemplar der französischen Stifter-Übersetzung. Sie ist ein Zeichen dafür, daß eine Übersetzung hier unmöglich ist und daß man damals nach gängigen Vorstellungen die Texte auswählte.

Die »Wegmarken« gehen Ihnen gesondert zu. Ich lege ein Widmungsblatt bei, das Sie einkleben können.

Eine heftige Grippe, von der ich mich langsam erhole, hinderte mich, Ihnen früher, als es jetzt geschieht, meinen herzlichen Dank zu sagen.

Und meine Wünsche?

Daß Sie zur gegebenen Stunde die Sprache hören, in der sich Ihnen das zu Dichtende zusagt.

In freundschaftlichem Gedenken
Ihr
Martin Heidegger

Fribourg, le 30 janvier 1968

Cher, très cher Paul Celan,

Comment vous remercier pour ce grand cadeau inattendu ?

La parole du poète, qui dit « Todtnauberg », nomme le site et le paysage où une pensée a tenté de prendre du recul pour aller de ce pas jusqu'au rassemblement du simple – cette parole du poète, qui est du même coup un réveil et une exhortation, et qui garde en y pensant le souvenir de ce jour en Forêt-Noire qui trouva de manières multiples son ton.

Mais cela se produisit dès le soir de votre inoubliable lecture, avec les premières salutations à l'hôtel.

Depuis, en silence, nous nous sommes confié l'un à l'autre beaucoup de choses.

Je pense que maintes choses vont encore trouver à se résoudre un jour dans un entretien à partir de l'imparlé.

Je vais me faire faire un étui spécial par un relieur, dans lequel votre don demeurera préservé comme il le mérite.

La photo du chalet prise par notre fils aîné ne se veut pas une illustration, mais plutôt une simple aide pour permettre au regard poétique de voir la solitude de l'hiver.

Je dois aussi vous remercier pour l'exemplaire de la traduction française de Stifter. Elle est le signe qu'une traduction est ici impossible et qu'à cette époque, on choisissait les textes d'après des représentations courantes.

Les *Jalons* vous sont envoyés séparément. J'y joins une dédicace sur une feuille que vous pourrez coller à l'intérieur.

Une violente grippe, dont je me remets lentement, m'a empêché de vous dire plus tôt, comme je le fais maintenant, mon cordial remerciement.

Quant à mes souhaits ?

Que vous puissiez à l'heure propice entendre la parole en laquelle s'adresse à vous ce qui est à dire en poème.

En pensant amicalement à vous
Vôtre
Martin Heidegger

10

Lettre du 2 février 1968 de Paul Celan à Robert Altmann*

Lieber Herr Altmann,
lassen Sie mich Ihnen nur die drei zentralen Sätze aus Martin Heideggers Brief von 30. Januar zitieren:

»Das Wort des Dichters, das „Todtnauberg" sagt, Ort und Landschaft nennt, wo ein Denken den Schritt zurück ins Geringe versuchte – das Wort des Dichters, das Ermunterung und Mahnung zugleich ist und das Andenken an einen vielfältig gestimmten Tag im Schwarzwald aufbewahrt.

....

Seitdem haben wir Vieles einander zugeschwiegen.
Ich denke, daß einiges noch eines Tages im Gespräch aus dem Ungesprochenen gelöst wird.«

Wenn wir uns, wie ich hoffe, nächste Woche sehen, bringe ich Ihnen den Brief mit.

Mit herzlichen Grüßen
Ihr
Paul Celan

2. Februar 1968

---

* Cette lettre du 2 février 1968 de Paul Celan à Robert Altmann a été publiée par Bertrand Badiou et Éric Celan dans le tome II (pp. 576-577) de la correspondance du poète avec son épouse.

Cher Monsieur Altmann,

permettez-moi de ne vous citer que les trois phrases centrales de la lettre de Martin Heidegger du 30 janvier :

« La parole du poète, qui dit “Todtnauberg”, nomme le site et le paysage où une pensée a tenté de prendre du recul pour aller de ce pas jusqu'au rassemblement du simple – cette parole du poète, qui est du même coup un réveil et une exhortation, et qui garde en y pensant le souvenir de ce jour en Forêt-Noire qui trouva de manières multiples son ton.

....

Depuis, en silence, nous nous sommes confié l'un à l'autre beaucoup de choses.

Je pense que maintes choses vont encore trouver à se résoudre un jour dans un entretien à partir de l'imparlé. »

Si nous nous voyons, comme je l'espère, la semaine prochaine, je vous apporterai la lettre.

Avec mes salutations cordiales
Vôtre
Paul Celan

2 février 1968

11

Martin Heidegger, Vorwort zum Gedicht „Todtnauberg"*

Vorwort zum Gedicht „Todtnauberg"

Doch
Hütte und Höhe,
zum Brunnen den Blick
aus gesammeltem Denken;
das Buch auf dem Tisch,
bezeugend die Freude der Gäste –
hast du mir gefunden,
vordenkend in die Bestimmung.

Hütte: den Kindern das Frohe der Jugend,
später: der Heimruf gefangener Sehnsucht,
uns: Wohnen und Wandern,
Zuflucht erneuten Vertrauens.
Hütte: durch dich gestiftete Stille und Welt.

Wann werden Wörter
Worte?

---

* Le *Vorwort zum Gedicht „Todtnauberg"* a été publié pour la première fois en allemand par G. Baumann dans la réédition en poche de son livre (*Erinnerungen an Paul Celan*, Frankfurt a. M., Suhrkamp, 1992, pp. 147-148). Cette traduction a été publiée par *Le Magazine littéraire* dans l'article déjà cité : « La responsabilité d'une pensée. »

Wenn sie sagen,
– nicht bedeuten
– nicht bezeichnen.
Wenn sie zeigend tragen
an die Orte
reiner Eignis
in den Brauch,
darin der Hauch
der Stille weht,
und alles der Bestimmung
in Fügsamkeit entgegengeht.

Avant-propos au poème « Todtnauberg »

Oui :
la hutte et les hauteurs,
la vue sur la fontaine
(la pensée recueillie) ;
le livre sur la table,
garant de la joie des invités –
tu me les as bien trouvés, pour moi,
tentant de penser jusqu'au cœur de la destination.

Hutte : pour les enfants, bonheur de la jeunesse,
plus tard : prisonniers, mal du pays appelant à rentrer ;
pour nous : habiter et marcher,
abri pour une confiance rétablie.
Hutte : silence et monde par toi instaurés.

Quand les mots se font-ils
parole ?

Quand ils disent,
– non pas signifient
– non pas qualifient.

Quand en montrant ils portent
aux sites
de la pure sidération,
jusqu'au maintien en l'injonction,
par lequel s'en vient
le souffle du silence,
et où tout va, ajointé à son rythme,
au devant de la destination.

12

Esquisse de lettre de Paul Celan à Martin Heidegger (sans date)*

Heidegger

durch Ihre Haltung
...daß Sie das Dichterische und, so wage ich zu vermuten, das Denkerische, in beider ernstem Verantwortungswillen, entscheidend schwächen

Heidegger

...que par votre comportement vous affaiblissiez de façon décisive le poétique et j'ose le soupçonner le philosophique dans la sérieuse volonté de responsabilité qui appartient aux deux.

* Cette esquisse de lettre peut-être datée du printemps 1970 a été retrouvée en mai-juin 1970 avenue Émile-Zola ; la traduction française a été retrouvée en 1991 après la mort de Gisèle Celan sur le bureau de son mari avec la mention « noté par Paul ». Le texte allemand se trouve au *Deutsches Literaturarchiv* sous la référence : D 90. 1. 289. L'esquisse a été publiée en allemand et en français par Bertrand Badiou et Éric Celan dans le tome II (p. 598) de la correspondance du poète avec sa épouse. (Nous reproduisons la traduction notée par Paul Celan.) © Éditions du Seuil.

13

Liste des ouvrages de Martin Heidegger ayant appartenu à Paul Celan*

– *Der Feldweg*, Frankfurt a. Main, Vittorio Klostermann, 1949.
Date de lecture à la fin (p. 7) : « 17. X. 51 »
Un point d'interrogation p. 5 en face de „*Kuinzige*".

– *Sein und Zeit*, Tübingen, Neomarius Verlag, ^{6}1949.
Plusieurs dates de lecture sont consignées :
– à la fin du § 4 : « 24. 2. 53. »
– à la fin du § 7 : « 25. 2 »
– à la fin du § 7 A : « 2. 3. 52. »
– à la fin du § 8 : « 9. 3. 53. »
– à la fin du § 11 : « 9. 3. 52. »
– p. 55, fin du 1er alinéa : « 10. 3. 53. »
Très nombreux soulignements et annotations, en particulier dans les § 1 à 12, 34, 47 à 53 et 57 à 58.

(Dans le cahier de travail II, 8 [D 90. 1. 3241] se trouvent consignés, en rapport à la question de l'herméneutique, des renvois aux paragraphes 32 et 34 de *Sein und Zeit*.)

---

* Nous avons établi la liste des ouvrages de Martin Heidegger (et autour de lui) que possédait Celan à partir des quatre volumes du *Katalog der Bibliothek Paul Celans* réalisé par Dietlind Meinecke et Stefan Reichert dans les années 1972-1974 (Paris) et 1987 (Moisville) – et après consultation des exemplaires au *Deutsches Literaturarchiv*.

Le *Catalogue de la bibliothèque philosophique de Paul Celan* établi par Alexandra Richter et Patrik Alac, avec Bertrand Badion est à paraître en 2004 aux Éditions Rue d'Ulm, Paris.

– *Was ist Metaphysik?*, Bonn, Friedrich Cohen, ^{3}1931.
Date d'acquisition sur la 1re page : « Paris, le 13. 8. 1952 »
Date de lecture à la fin, p. 27 : « 20. 8. 1952 »
Nombreux soulignements et annotations dans tout le texte.

(– *Vom Wesen des Grundes*; aucun n'exemplaire n'est répertorié dans le catalogue de la bibliothèque de Celan, mais un exemplaire dédicacé par le poète (en 1952) se trouve dans la bibliothèque d'Ingeborg Bachmann. On trouve également dans les notes préparatoires au *Méridien* [*Der Meridian*, TCA, n° 937] un renvoi à ce texte.)

– *Holzwege*, Frankfurt a. Main, Vittorio Klostermann, 1950.
Dates de lecture :
– à la fin de *Nietzsches Wort „Gott ist tot“* : « 5. 8. 53. »
– à la fin de *Wozu Dichter?* : « 4. 7. 53. »
– à la fin de *Spruch des Anaximander* : « 3. 8. 53 »
Les textes *Ursprung des Kunstwerkes, Die Zeit des Weltbildes, Nietzsches Wort „Gott ist tot“, Wozu Dichter?* et *Spruch des Anaximander* sont très soulignés et annotés (notamment plusieurs « – i – »).
Plusieurs renvois de pages sont consignés sur la dernière page : « S. 29, S. 42, S. 44 (Schönheit), 249 ("dürftige Zeit"), 250 (Dichter), 286 (Sprache), 293 (Sagen, Gesang), 320 (der Seher), 343 (Denken) ».

– *Über den »Humanismus«*, Frankfurt a. Main, Vittorio Klostermann, 1949.
Date d'acquisition sur la 1re page : « Paul Celan Paris 20. 8. 53 »
Dates de lecture à la fin du texte : « 21. 8. 53 / 23. 8. 53 »
Nombreux soulignements dans tout le texte.

– *Vom Wesen der Wahrheit*, Frankfurt a. Main, Vittorio Klostermann, 1949.
Date d'acquisition sur la 2e page : « Paul Celan / Paris, September 1953 »
À l'intérieur, sur la dernière page de couverture : „*waldig, von Hirschen georgelt*“ [C'est le premier vers du poème „*Waldig*“ dans *Von Schwelle zu Schwelle.*]
Quelques soulignements.

– *Erläuterungen zu Hölderlins Dichtung*, Frankfurt a. Main, Vittorio Klostermann, ^{2}1951.

Dédicace de Klaus Demus : „*Für Paul / 23. XI. 1953 / Nani + Klaus*" [« Pour Paul / 23. XI. 1953 / Nani + Klaus »]

(– *Was heißt Denken ?* L'exemplaire qui se trouve à Marbach est celui que Heidegger lui envoya en 1967. Toutefois, dans le cahier de notes de lecture datant de 1954, de nombreuses citations extraites de ce texte sont consignées sous le titre *Was heißt Denken ?* que Celan a reporté en haut de la première page. Les autres notes concernent *Einführung in die Metaphysik* que le poète a lu au même moment en 1954. Axel Gellhaus a supposé que ces notes pouvaient renvoyer à la conférence remaniée à partir du cours de Heidegger et publiée également en 1954 dans *Vorträge und Aufsätze*. C'est fort peu probable, car dans le cahier de 1954 se trouvent des renvois à des thèmes qui ne sont pas abordés dans la conférence (le *Handwerk* notamment), mais qui le sont dans le cours. Par ailleurs les numéros de page indiqués dans ce cahier correspondent à ceux de l'édition du cours chez Max Niemeyer. Enfin, Celan n'a acquis *Vorträge und Aufsätze* qu'en 1956. Il est donc certain que le poète a eu en main un autre exemplaire de *Was heißt Denken ?*)

– *Einführung in die Metaphysik*, Tübingen, Max Niemeyer, 1953.

Date d'acquisition sur la 1re page : « Paul Celan, septembre 1954 »

Date de lecture : „La Ciotat / 7. Oktober 1954."

Très nombreux soulignements et annotations dans tout le texte (dont une dizaine de « – i – »).

– *Platons Lehre von der Wahrheit mit einem Brief über den »Humanismus«*, Bern, A. Francke, ^{2}1954.

Dédicace de M. Heidegger : „*Mit freundlichem Gruß / Martin Heidegger*" [« Avec un amical salut / Martin Heidegger »].

Est jointe au livre une petite carte imprimée : „*Überreicht im Auftrage des Verfassers / Verlag Günther Neske / Pfullingen*" [« Hommage de l'auteur / éditions Günther Neske, Pfullingen »]. En haut de la carte est écrit de la main de G. Neske : „*Brief folgt / GN*" [« Lettre à suivre / GN »].

– *Zur Seinsfrage*, Frankfurt a. Main, Vittorio Klostermann, 1956.

Date de lecture sur la dernière page : « 6. 6. 56. »

Très nombreux soulignements et annotations (notamment plusieurs « – i – »).

– *Gespräch mit Hebel beim „Schatzkästlein" zum Hebeltag 1956*, Aus der Schriftenreihe des Hebelbundes Sitz Lörrach e. V., Nr. 4, 1956.

Dédicace de M. Heidegger : „*Für/ Paul Celan / mit herzlichem Dank und Gruß / Martin Heidegger*" [« Pour / Paul Celan / en cordial remerciement et avec mes salutations / Martin Heidegger »].

Il est notifié dans le catalogue de la bibliothèque de Celan qu'est jointe à cet exemplaire l'enveloppe d'une lettre de Heidegger à Celan (cachet de la poste : Stuttgart / 20. 9. 56). Ni l'enveloppe ni la lettre ne se trouvent dans l'exemplaire consultable à Marbach.

– *Was ist das – die Philosophie ?*, Pfullingen, Günther Neske, 1956.

Dédicace de Gisèle Celan sur la 2e page : « 23 novembre 1956. / g »

– *Vorträge und Aufsätze*, Pfullingen, Günther Neske, 1954.

Dédicace de Gisèle Celan sur la 2e page : « 23 novembre 1956. / g. »

Dates de lecture :

– à la fin de *Wer ist Nietzsches Zarathustra ?* : « 9. 8. 59. » et : « 6. 8. 64 »

– à la fin de *Das Ding* : « 30. 8. 59. »

– à la fin de »... *dichterisch wohnet der Mensch...*« : « 30. 8. 59. »

Die Frage nach der Technik comporte un soulignement (p. 30) ; *Wer ist Nietzsches Zarathustra ?*, *Was heißt Denken ?*, *Das Ding*, »... *dichterisch wohnet der Mensch...*« et *Logos (Heraklit, Fragment 50)* en comportent de très nombreux ainsi que quelques annotations.

Sur la dernière page est consigné un renvoi à la page 173.

– *Der Satz vom Grund*, Pfullingen, Günther Neske, 1957.

Date d'acquisition (p. 3) : « Paris, 9. V. 57. »

Date de lecture à la suite de la conférence (p. 211) : « 10. 5. 57. »

Plusieurs soulignements dans le texte de la conférence.

– *Identität und Differenz*, Pfullingen, Günther Neske, 1957.
Dédicace de G. Neske : *„Für Paul Celan / in dankbaren Erinnerung an / den 14., 15. u. 16. August 1958 in Paris / Günther Neske / Pfullingen, Kloster / 24 Aug 58*" [« Pour Paul Celan / dans le souvenir reconnaissant / des 14, 15 et 16 août 1958 à Paris / Günther Neske / Pfullingen, Kloster / 24 août 58 »].
Date de lecture à la fin de *Der Satz der Identität* : « 30. 8. 59 »
Nombreux soulignements dans *Der Satz der Identität.*

– *Unterwegs zur Sprache*, Pfullingen, Günther Neske, 1959.
Dédicace de M. Heidegger : *„Für Paul Celan / mit herzlichem Gruß und Dank / Martin Heidegger / Nov. 1959*" [« Pour Paul Celan / avec un cordial salut et en remerciement / Martin Heidegger / Nov. 1959 »].

– *Nietzsche I & II*, Pfullingen, Günther Neske, 1961.
Dédicace de M. Heidegger : *„Für/ Paul Celan / mit herzlichem Gruß / Martin Heidegger / Tübingen, August 1961*" [« Pour / Paul Celan / avec un cordial salut / Martin Heidegger / Tübingen, août 1961 »].
Date de lecture : tome I, p. 300 : « 31. 8. 61. »
Quelques soulignements et annotations :
– tome I : p. 300 (passage sur la solitude [*Einsamkeit*])
– tome II : p. 239 ; p. 250-251 (annotation au bas de la page 250 : „Das Gedicht vom Sein" [« Le poème de l'être »]) ; p. 252.
Un renvoi est consigné à la fin du second volume : „S. 239 (Grunderfahrungen)" [« tonalités fondamentales »].

– *Die Technik und die Kehre*, Pfullingen, Günther Neske, 1962.
À l'intérieur, sur la page de couverture : « 6. 2. 63. »

– *Gelassenheit*, Pfullingen, Günther Neske, ^{2}1960.
Sur la 1re page : „Köln, 29. XI. 1964."
Un soulignement horizontal p. 13 : *„Die Gedankenlosigkeit ist ein unheimlicher Gast, der in der heutigen Welt überall aus- und eingeht.*" [« Le défaut de pensée est un hôte inquiétant qui surgit et arrive partout dans le monde d'aujourd'hui. »]

– *Was heißt Denken ?*, Tübingen, Max Niemeyer, ^{2}1961.

Dédicace de M. Heidegger : „*Für / Paul Celan / zum Dank für die Lesung / am 24. Juli 1967 / Martin Heidegger*“ [« Pour / Paul Celan / en remerciement de la lecture / le 24 juillet 1967 / Martin Heidegger »].

Est jointe au livre une photo signée de Heidegger.

Date de lecture (p. 7) : « 30. 12. 69. »

Très nombreux soulignements dans tout le livre.

Sur la dernière page sont consignés plusieurs renvois : „S. 72, 87 / Gedächtnis : 92, 95 ff.“

– *Aus der Erfahrung des Denkens*, Pfullingen, Günther Neske, ^{2}1965.

Dédicace de M. Heidegger : „*Für / Paul Celan / zur Erinnerung/ an den Besuch auf der Hütte / am 25. Juli 1967 / Martin Heidegger*“ [« Pour / Paul Celan / en souvenir / de la visite au chalet / le 25 juillet 1967 / Martin Heidegger »]. Cf. le fac-similé n°14.

– *Dem Freunde Hans Jantzen zum Andenken* (gesprochen bei der Totenfeier am 20. Februar 1967), in : *Erinnerung an Hans Jantzen. Wort des Freundes zum Freund in die Abgeschiedenheit*, zusammengestellt und hg. von der Universitätsbuchhandlung Eberhard Albert, Freiburg i. B., 1967.

Dédicace de M. Heidegger : „*Für Paul Celan / zur Erinnerung auf der Hütte am 25. Juli 1967 / Martin Heidegger*“ [« Pour Paul Celan / en souvenir du chalet le 25 juillet 1967 / Martin Heidegger »].

– *Wegmarken*, Frankfurt a. Main, Vittorio Klostermann, 1967.

Dédicace de M. Heidegger : „*Für / Paul Celan / mit herzlichen Wünschen / Martin Heidegger / Freiburg in Br., am 30. Januar 1968*“ [« Pour / Paul Celan / avec mes vœux les plus cordiaux / Martin Heidegger / Fribourg en Br., le 30 janvier 1968 »].

Sont jointes au livre une photographie de la hutte en hiver portant au dos l'inscription suivante : „*Für / Paul Celan / zur Erinnerung / Martin Heidegger*“ [« Pour / Paul Celan / en souvenir / Martin Heidegger »], ainsi que la seule lettre retrouvée à ce jour de Heidegger à Celan.

Un soulignement dans la 1re page de *Was ist Metaphysik ?* („*in der Frage mit da, d. h. in die Frage eingestellt ist*“), ainsi que d'autres très nombreux, avec plusieurs annotations, dans *Über den »Humanismus«* et *Aus der letzten Marburger Vorlesung.*

Sur la dernière page est consigné un renvoi à la page 381.

– *Die Kunst und der Raum*, St Gallen, Erker, 1969.

Dédicace de M. Heidegger : *„Für / Paul Celan / zum Wiedersehen / Freiburg i. B. 26 März 1970 / Martin Heidegger"* [« Pour / Paul Celan / au plaisir de se revoir / Fribourg en B. 26 mars 1970 / Martin Heidegger »].

– *Zur Sache des Denkens*, Tübingen, Max Niemeyer, 1969.

Dédicace de M. Heidegger : *„Für / Paul Celan / zum Dank für die Lesung / Freiburg i. B. am 26. März 1970 / Martin Heidegger"* [« Pour / Paul Celan / en remerciement de la lecture / Fribourg en Br. le 26 mars 1970 / Martin Heidegger »].

Traductions françaises de Martin Heidegger

– *Qu'est-ce que la philosophie ?*, trad. Kostas Axelos et Jean Beaufret, Paris, Gallimard, 1957.

Date d'acquisition sur la première page : « Paris, 12. XI. 1957. »

Exemplaire non découpé.

– *Lettre sur l'humanisme*, trad. Roger Munier, Paris, Aubier, 1957.

– *Le principe de raison*, trad. André Préau, avec une préface de Jean Beaufret, Paris, Gallimard, 1962.

– *CHEMINS qui ne mènent nulle part*, trad. Wolfgang Brokmeier et François Fédier, Paris, Gallimard, 1962.

Dédicace de F. Fédier : « ... *"wenig kann ich bieten, / nur weniges hab ich gerettet..."* / Pour Paul Celan en sincère témoignage / de respect / françois fédier ».

– *Questions II* , trad. K. Axelos, J. Beaufret, D. Janicaud, L. Braun, M. Haar, A. Préau, F. Fédier, Paris, Gallimard, 1968.

Dédicace de F. Fédier : « Pour Paul Celan / en témoignage d'admiration / françois fédier. »

– *Approche de Hölderlin*, trad. Henry Corbin, Michel Deguy, François Fédier, Jean Launay, Paris, Gallimard, « Classiques de la philosophie », 1968.

Ouvrages autour de Martin Heidegger

– *Martin Heidegger zum siebzigsten Geburtstag. Festschrift*, G. Neske (Hg.), Pfullingen, Günther Neske, 1959.

– *L'endurance de la pensée. Pour saluer Jean Beaufret*, Paris, Plon, 1968.

– Allemann Beda : *Hölderlin und Heidegger*, 2. erw. Aufl., Zurich/Frib., Atlantis, 1956.

Dédicace de B. Allemann à Gisèle et Paul Celan : „*Nach einem netten Nachmittag / am Zürcher See mit den / herzlichen Gefühlen für / Gisèle und Paul Celan / Beda Allemann / 2 Juli 1959*" [« Après une bonne après-midi / sur le lac de Zurich avec des / sentiments cordiaux pour / Gisèle et Paul Celan / Beda Allemann / 2 juillet 1959 »].

Quelques soulignements : p. 113 et p. 217. À la fin du livre est consigné un renvoi : „Bildlichkeit, Bilder, S. 113."

– Becker Oskar : *Dasein und Dawesen*, Gesammelte philosophische Aufsätze, Pfullingen, Günther Neske, 1963.

Sur la 1re page : „Frankfurt, 27. VIII. 1963."

– Fédier François : tirage à part de : « Trois attaques contre Heidegger », *Critique*, n° 234, novembre 1966.

Dédicace de F. Fédier sur la 1re page (p. 888) : „*Für Paul Celan / als Zeichen der dankbaren Verehrung / F Fédier*" [« Pour Paul Celan / en signe de reconnaissance et d'admiration / F Fédier »].

– Gandillac de Maurice / Towarnicki de Frédéric : « Deux documents sur Heidegger », *Les Temps modernes*, n° 4, 1946, pp. 713-724.

– Lévinas Emmanuel : *En découvrant l'existence avec Husserl et Heidegger*, Paris, Vrin, 1949.

– Löwith Karl : *Heidegger. Denker in dürftiger Zeit*, Frankfurt a. Main, S. Fischer, 1953.

Plusieurs soulignements et annotations. Une première rédaction datée du 19 octobre 1954 du poème „*Auch heute Abend*" est inscrite au crayon de papier dans l'ouvrage.

– *Le poème de Parménide*, traduit et présenté par Jean Beaufret, Paris, PUF, 1955.

Dédicace de J. Beaufret : « Pour Paul Celan, / ces pages dont je n'ai pas eu le plaisir de lui faire hommage / à l'époque – et auxquelles il ne me reste plus qu'à ajouter / mes sentiments de bonne et future amitié, / Jean Beaufret. / 18 avril 1959. »

Quelques soulignements (notamment p. 77 dans la traduction, les cinq premières lignes du 3e §).

– Pöggeler Otto : *Der Denkweg Martin Heideggers*, Pfullingen, Günther Neske, 1963.

– Schäfer Erasmus : *Die Sprache Heideggers*, Pfullingen, Günther Neske, 1962.

Dédicace de G. Neske : „*Für Paul Celan / mit herzlichen Grüssen / Günther Neske / Pfullingen, Kloster / Januar / 1963*" [« Pour Paul Celan / avec des salutations cordiales / Günther Neske / Pfullingen, Kloster / janvier / 1963 »].

14

Liste des ouvrages de Paul Celan ayant appartenu à Martin Heidegger*

En dehors des publications à caractère plus confidentiel telles que *Atemkristall* et *Schwarzmaut*, il est presque certain que Heidegger eut en main tous les ouvrages de Celan parus jusqu'en 1976.

Dans sa lettre du 23 juin 1967 à Gerhart Baumann, Heidegger déclare en effet tout connaître de Celan, c'est-à-dire tous les recueils parus jusqu'à cette date : *Mohn und Gedächtnis*, *Von Schwelle zu Schwelle*, *Sprachgitter*, *Der Meridian*, *Die Niemandsrose* et *Atemwende*. À cela, il faut ajouter bien entendu l'édition séparée du poème *Todtnauberg* que Celan envoya à Heidegger, ainsi que les recueils postérieurs : *Fadensonnen*, *Lichtzwang* (qui reprend les poèmes de *Schwarzmaut*), *Schneepart* et peut-être *Zeitgehöft* paru l'année de la mort du penseur (1976). Heidegger était également un lecteur des traductions de Celan : nous savons par Otto Pöggeler qu'il lisait avec prédilection celles de Mandelstam, mais nous savons aussi qu'il offrit la traduction de *La Jeune Parque* à Eugen Fink pour son soixantième anniversaire, et il est certain qu'il devait posséder les traductions de René Char.

Comme le suggère le Dr Hermann Heidegger, des exemplaires que possédait son père ont vraisemblablement été offerts à des proches, soit par Heidegger lui-même à la fin de sa vie, soit par son épouse après la mort de son mari.

Dans la bibliothèque de Heidegger n'ont été retrouvés que les ouvrages suivants :

---

* Cette liste a été établie grâce aux soins du Dr Hermann Heidegger à partir de la consultation de la bibliothèque de son père.

– *Sprachgitter*, Frankfurt a. Main, S. Fischer, 1959 ; avec une dédicace de Paul Celan sur la page 5 (cf. le fac-similé n° 4) :

Stimmen vom Nesselweg her :

Komm auf den Händen zu uns.
Wer mit der Lampe allein ist,
hat nur die Hand, draus zu lesen.

———

Für
Martin Heidegger,
mit herzlichem Dank für das
Nietzsche-Buch,
mit herzlichen Grüßen und Wünschen,
in aufrichtiger Ergebenheit

15. 9. 1961. *Paul Celan*[1]

***

[Voix venues du chemin d'orties :

Viens à nous sur les mains.
Qui est seul avec la lampe,
n'a que sa main pour y lire.

———

Pour
Martin Heidegger
avec un cordial salut pour le
livre sur Nietzsche,
avec mes vœux et mes salutations cordiales,
avec mon sincère dévouement

15. 9. 1961 Paul Celan]

1. Éric Celan.

– *Die Niemandsrose*, Frankfurt a. Main, S. Fischer, 1963.

– *Atemwende*, Frankfurt a. Main, Suhrkamp, 1967.

– *Fadensonnen*, Frankfurt a. Main, Suhrkamp, 1968.
Sur la page de titre, de la main de Heidegger : „Vgl. *Atemwende*, S. 22“.[1]

– *Lichtzwang*, Frankfurt a. Main, Suhrkamp, 1970.
Offert par Fritz Werner en 1970 avec une dédicace :

Herrn
Professor Martin Heidegger
In gemeinsamen Gedenken
an diesem stiftenden Dichter

4. 7. 70 *Fritz Werner*

***

[À Monsieur
le professeur Martin Heidegger
dans le souvenir commun
de ce poète instaurateur

4. 7. 70 Fritz Werner]

– *Der Meridian*, Frankfurt a. Main, S. Fischer Verlag, 1961. Nous examinons séparément ce texte dont l'exemplaire, vraisemblablement adressé par Celan à Heidegger[2], a aujourd'hui disparu, mais dont Otto Pöggeler a conservé des photocopies que nous le remercions de nous avoir fait parvenir. C'est l'ouvrage de Celan dans lequel figurent le plus de notes marginales de la main de Heidegger et certaines d'entre elles sont très représentatives du voisinage du poète et du penseur.

1. C'est un renvoi au poème intitulé „*Fadensonnen*“ dans le recueil *Atemwende*.
2. Cf. Otto Pöggeler, *Der Stein hinterm Aug*, *op. cit.*, p. 176.

Outre quelques renvois internes de pages (concernant la notion de souffle ou la mise en question de l'art), nous avons déjà signalé ici et là les annotations de Heidegger les plus significatives. Il en reste néanmoins une, à notre avis essentielle, et qui se rapporte à une des phrases du discours qui a parfois été comprise par certains commentateurs comme une opposition de Celan au penseur. Qu'il s'agisse d'une opposition, cela est très peu probable, dès lors que l'on comprend que le poète, d'une façon générale, ne se *positionne* pas par rapport au penseur. Dans le rapport entre Celan et Heidegger, il s'agit bien plutôt d'un dialogue au sein duquel l'un et l'autre prennent place et s'expliquent [*Auseinandersetzung*], chacun à leur manière – ce qui n'est pas possible sans une reconnaissance et une certaine appartenance, disons : un horizon commun qui fait par définition défaut à une simple prise de position excluant tout dialogue.

Les remarques qui suivent font signe en direction de cet horizon.

Nous sommes au paragraphe 33 a du *Méridien*, où nous lisons (cf. le fac-similé n°15) :

> *» Dieses Immer-noch kann doch wohl nur ein Sprechen sein. Also nicht Sprache schlechthin und vermutlich auch nicht erst vom Wort her „Entsprechung".«*
>
> [« Cependant, ce toujours-encore ne peut jamais être qu'un parler. Non pas la parole purement et simplement, et vraisemblablement pas non plus, à partir du mot seul, la "correspondance". »]

Quelques lignes plus loin, Celan poursuit :

> *„Dieses Immer-noch des Gedichts kann ja wohl nur in dem Gedicht dessen zu finden sein, der nicht vergißt, daß er unter dem Neigungswinkel seines Daseins, dem Neigungswinkel seiner Kreatürlichkeit spricht."*
>
> [« Ce toujours-encore du poème, on ne peut certes le trouver que dans le poème de celui qui n'oublie pas qu'il parle suivant l'angle d'inclinaison de son existence, l'angle d'inclinaison de sa condition de créature. »]

Le poème est parole, il est phénomène de la parole – « épiphanie de la parole » dit parfois Celan[1] –, mais pas de la parole "en soi". Le poème est *un* parler, une individuation de *la* parole. C'est même parce qu'il est la parole actualisée par quelqu'un qui ne s'oublie pas lui-même (or ainsi est l'art : oubli de soi), qui assume sa condition de créature, son individualité et sa finitude, qu'il peut toujours à nouveau, et à l'avenir, s'adresser à un autre. Et le poème, dit encore Celan, n'est « vraisemblablement pas "correspondance" » : parole en soi [„*schlechthin*"] répondant à la seule parole. S'il y avait stricte correspondance, il n'y aurait plus de place en son sein pour l'étranger comme tel – or : « L'étranger reste étranger, il ne "correspond" pas et ne répond pas tout à fait[2]... », écrit le poète.

Celan parle ici « du poème qu'il n'y a pas » : « Le poème absolu – non, il n'y en a certainement pas, il ne peut pas y en avoir[3]. » Ce poème absolu est en revanche celui dont parle Gottfried Benn dans « Problèmes du lyrisme ».

C'est le mot « correspondance » [*Entsprechung*] qui, a-t-on parfois pensé, marquerait l'opposition du poète envers le penseur. Heidegger, on le sait, a fait grand cas de cette tournure (sous sa forme *verbale*, cependant), en particulier à la fin du premier texte d'*Acheminement vers la parole*, la conférence intitulée *Die Sprache* [La parole].

Tout semble alors parfaitement limpide : d'une part, il y aurait Celan qui met l'accent sur le fait que *la* parole est toujours le parler *d'une créature*, de l'autre, Heidegger qui ferait de la parole un "absolu". Mais qu'en est-il vraiment ?

En face d'*Entsprechung*, Heidegger marque, dans son exemplaire du discours, son étonnement et note dans la marge un point d'interrogation en dessous duquel il écrit : „*Ent-sagen*" [« dé-dire »] ; il ajoute également un renvoi à *Unterwegs zur Sprache*. Est-ce bien en effet au sens où semble l'employer Celan que Heidegger parle d'*Entsprechen* ? Il y a lieu de se poser la question.

Quant à la seconde phrase du poète que nous avons citée (à propos du poème qui parle suivant l'angle d'inclinaison de son exis-

1. Paul Celan, *Der Meridian*, TCA, n° 245, p. 105.

2. *Ibid.*, n° 485, p. 141 : »*Das Fremde bleibt fremd, es „entspricht" und antwortet nicht ganz...*«

3. *Ibid.*, p. 10 ; *Le Méridien & autres proses, op. cit.*, p. 78.

tence), Heidegger y apporte en bas de page une note : »*dies meint das „Entsprechen" im Vortrag 1950 „Die Sprache"* [« c'est ce que signifie "correspondre" dans la conférence de 1950 "La parole" »], puis, en dessous, un renvoi à *Sein und Zeit*, § 34.

En réalité, il s'agit là d'un simple *qui pro quo*, car s'il est très peu probable que Celan se réfère à Heidegger en parlant d'*Entsprechung*, il est en revanche certain que le poète s'explique ici avec Gottfried Benn.

Que vise en effet Celan avec ce terme ? Il s'attaque à une conception de la parole comme absolue et autonome, qui prive l'homme de sa condition de créature. Mais Celan précise : il est question d'une correspondance qui se produit *en vertu du seul mot*, ou encore : « par le pouvoir initial des mots », ainsi que traduit très clairement Jean Launay. Celan, comme le dit la note n°40 relative au *Méridien*, a ici en vue le poème en tant que „*Sprachgebilde*" [« construction de langage »]. De son côté, Benn cite Hofmannsthal déclarant : « Les mots sont tout[1]. »

Une première rédaction du paragraphe qui nous concerne apporte ici toute la lumière requise :

»*Im Gedicht: das heißt, glaube ich, nicht – oder nicht mehr –, n'en déplaise à Mallarmé, in einem jener aus „Worten" bzw. „Wörtern" gefügten, phonetisch, semantisch und syntaktisch überdifferenzierten Gebilde der Sprache{;}. Nicht in dem sich als „Wortmusik" begreifenden Gedicht; nicht in irgendeiner aus „Klangfarben" zusammengewobenen „Stimmungspoesie"; nicht im Gedicht als dem Resultat von Wortschöpfungen, Wortballungen, Wortzertrümmerungen, Wortspielen; nicht in irgendeiner neuen „Ausdruckskunst"; und auch nicht im Gedicht als in einer das Wirkliche sinnbildlich überhöhenden „zweiten" Wirklichkeit. – Vielmehr im Gedicht als dem Gedicht dessen, der weiß, daß er unter dem Neigungswinkel seiner Existenz spricht, daß die Sprache seines Gedichts weder „Entsprechung" noch Sprache schlechthin ist, sondern aktualisierte Sprache…*«

[« Dans le poème : c'est-à-dire, je crois, pas – ou plus –, n'en déplaise à Mallarmé, dans une de ces constructions de langage qui assemblent des "paroles", ou plus exactement des "mots" pris en eux-mêmes par des subtilités phonétiques, sémantiques et syntaxiques. Ce

1. Gottfried Benn, GW, Bd. I, 509 ; « Problèmes du lyrisme », trad. cit., p. 351.

n'est pas dans le poème qui se comprend comme "musique de mots" ; ni dans aucune espèce d'"atmosphère poétique" produite par la mise en résonance des "tonalités" ; ni dans le poème comme résultat de créations de mots, d'agrégations de mots ; de fissions de mots, de jeux de mots ; ce n'est dans aucune espèce de nouvel "art d'expression" ; et pas non plus dans le poème en tant que "deuxième" réalité qui serait l'élévation symbolique du réel. Mais bien plus dans le poème en tant que poème de celui qui sait qu'il parle suivant l'angle d'inclinaison de son existence, que la langue de son poème n'est ni "correspondance", ni parole pure et simple, mais parole actualisée[1]... »]

À travers son débat avec Benn, Celan s'élève contre la notion de correspondance propre au symbolisme et s'explique aussi avec Mallarmé ; il détaille ici ce qu'il ne fait qu'évoquer dans la version définitive du discours : « penser Mallarmé jusque dans ses dernières conséquences ». Il prend ainsi ses distances par rapport à une conception du poème comme pure construction linguistique, où le monde *s'exprime* grâce à toutes les ressources du mot qui s'impose alors en tant que réalité elle-même (« notion pure », dirait Mallarmé). Aux yeux de Celan, le monde n'est pas fait pour aboutir à un beau livre, au prix d'une lutte dans laquelle le hasard est vaincu mot par mot. Nous ne pouvons pas analyser ici, avec tout le soin qu'il faudrait, le rapport de Celan à Mallarmé, mais afin de bien saisir le sens de l'esquisse que nous venons de citer, il ne nous paraît pas inutile de mentionner un extrait des *Variations sur un sujet* auquel tout porte à croire que Celan se réfère – presque point par point :

« L'œuvre pure implique la disparition élocutoire du poète, qui cède l'initiative aux mots, par le heurt de leur inégalité mobilisés ; ils s'allument de reflets réciproques comme une virtuelle traînée de feux sur des pierreries, remplaçant la respiration perceptible en l'ancien souffle lyrique ou la direction personnelle enthousiaste de la phrase.

Une ordonnance du livre de vers poind innée ou partout, élimine le hasard ; encore la faut-il, pour omettre l'auteur : or, un sujet, fatal, implique, parmi les morceaux ensemble, tel accord quant à la place, dans le volume, qui correspond[2]. »

---

1. *Der Meridian*, TCA, n°17, p. 55 ; *Le Méridien & autres proses*, *op. cit.*, p. 106.
2. Stéphane Mallarmé, *Œuvres complètes*, éd. Henri Mondor, Paris, Gallimard, « Bibliothèque de la Pléiade », 1970, p. 366.

L'art, la disparition élocutoire du poète, l'élimination du hasard, l'expression et la correspondance sont autant de notions qui, pour Celan, vont contre ce qu'il appelle dans *Le Méridien* : « la majesté de l'absurde témoignant de la présence de l'humain ». Et Celan ne peut en aucun cas souscrire à ce jugement de Benn à propos de George, Rilke et Hofmannsthal : « Leurs plus beaux poèmes sont expression pure, structure artistique consciente dans les limites de la forme imposée[1]... »

Revenons à présent aux annotations de Heidegger. Que signifient son étonnement et ses renvois ?

Une remarque de vocabulaire d'abord : Celan parle d'*Entsprechung*, un mot que Heidegger n'emploie guère ; le penseur dit plutôt : *Entsprechen*. Or la forme verbale a son importance : il ne s'agit pas d'un état de fait, d'une donnée propre à une entité constituée en soi, mais d'un "acte", d'une *mouvementation* – chaque fois singulière, donc, et jamais définitivement acquise. Il ne saurait en effet y avoir, chez Heidegger, de correspondance établie une fois pour toutes par la parole elle-même ; et il y a encore moins, chez le phénoménologue, de correspondance symbolique entre divers niveaux de réalité.

Entsprechen, correspondre, désigne la façon dont l'homme, *le mortel* (celui que Celan appelle aussi « créature ») est à l'écoute[2] en répondant *à* et *de* la parole qui ne parle ainsi pas en elle-même ni pour elle-même, mais qui n'*est parlante* que dans la mesure où une écoute humaine lui prête oreille. En aucun cas, dit Heidegger, la parole ne peut-elle être considérée comme « une entité fantomatique, existant en soi[3] ». La parole, explique-t-il à de nombreuses

1. Gottfried Benn, GW, Bd. I, 498 ; « Problèmes du lyrisme », trad. cit., p. 342.

2. Dans le paragraphe 34 de *Sein und Zeit* auquel renvoie également Heidegger, il est déjà exposé que « l'écoute est constitutive de la parole », et qu'elle « constitue même l'ouverture primordiale et véritable du Dasein à son pouvoir-être le plus propre » (phrase soulignée par Celan dans son exemplaire).

Ainsi, l'être humain, le mortel, n'est proprement soi-même que s'il est à l'écoute de la parole en allant y "prendre" les ressources de son propre parler ou de son propre dire (cf. *Ent-sagen*, que Heidegger note en marge en face d'*Entsprechung* dans *Le Méridien* et qu'il ajoute aussi à la main dans son propre exemplaire d'*Unterwegs zur Sprache* en face d'*Entsprechen*). *Ent-sagen*, mieux encore qu'*entsprechen*, désigne le fait pour l'homme d'aller y puiser (*ent-*) dans la parole la ressource de son propre dire. Il ne peut donc pas s'agir de ce que Celan entend par *Entsprechung* (une adéquation, ou une sorte de concordance).

3. Martin Heidegger, *Unterwegs zur Sprache*, GA 12, 244 ; trad. cit., p. 242.

reprises, et en particulier à la fin de la conférence *Die Sprache*, pour qu'elle déploie son aître, « il lui *faut* [*braucht*] le parler [*das Sprechen*] des mortels afin de pouvoir retentir comme recueil du silence pour l'écoute des mortels [1] ». La parole et les mortels sont si peu indépendants que le rapport qui les ajointe l'un à l'autre a pour nom *Ereignis* : le mortel n'est celui qu'il est que s'il correspond [*entsprechen*] à la parole qui ne vient à aître qu'en s'adressant [*zusprechen*] à lui.

L'essentiel est de bien voir le *double* mouvement de l'*Ereignis*, ce mouvement double en son unité que Heidegger nomme „*Kehre*" [« tournement »] [2]. Ne voir qu'un seul aspect du phénomène, ne prêter attention qu'au parler humain, dit le penseur, cela aboutit à faire de la parole un absolu sous la forme de l'*expression* [*Ausdruck*].

C'est sans doute à ce passage de la conférence *Die Sprache* que Heidegger renvoie dans son exemplaire du *Méridien*, et on ne peut pas ne pas être surpris à la lecture d'une apostille de Heidegger toujours, mais cette fois en marge du texte de sa propre conférence. Le mot auquel se réfère l'apostille est celui d'*expression* qui apparaît dans la phrase suivante du penseur :

> *„Heftet man die Aufmerksamkeit ausschließlich an das menschliche Sprechen, nimmt man dieses lediglich als die Verlautbarung des Inneren im Menschen, hält man das so vorgestellte Sprechen für die Sprache selbst, dann kann das Wesen der Sprache immer nur als Ausdruck und Tätigkeit des Menschen erscheinen."*

> [« Si l'on fixe son attention uniquement sur le parler humain, si on prend ce dernier seulement comme extériorisation vocale de ce qui est intérieur à l'homme, si l'on tient le parler ainsi représenté pour la parole elle-même – l'aître de la parole ne peut alors jamais apparaître autrement que comme expression et activité de l'homme [3]. »]

---

1. Martin Heidegger, *ibid.*, pp. 27-28 ; trad. cit., p. 34.
2. Ce double mouvement se retrouve à sa manière également chez Celan – dans cette note du *Méridien* (n° 248), par exemple : « La parole en tant que parole de celui qui parle // celui qui parle en tant que celui qui parle de la parole = dans cette antinomie – sans synthèse – tient le poème » ; cf. aussi le n° 306 : « Dans le poème : présentification d'une personne en tant que parole, présentification de la parole en tant que personne – »
3. Martin Heidegger, *Unterwegs zur Sprache*, GA 12, p. 28 ; trad. cit., p. 35.

Heidegger observe ici deux glissements liés l'un à l'autre : le fait de ne concevoir la parole qu'à partir du parler humain et le fait, en conséquence, de faire de ce parler la parole en soi – ce qui mène en définitive à se représenter la parole à partir de l'idée d'expression. C'est ici qu'intervient l'apostille dont le bref texte est le suivant : « expression (Mallarmé) » ! Heidegger écrit en français et songe peut-être à cette phrase du poète : « L'expression, probablement, concerne la littérature[1]. » Il n'est pas non plus impossible qu'il pense à Gottfried Benn déclarant à la fin de sa conférence : « On me compte bel et bien au nombre des poètes de l'expression [*Ausdrucksdichter*][2]. »

Autrement dit : avec l'idée d'*Entsprechen*, Heidegger prend précisément ses distances par rapport à ce qu'a en vue Celan quand il parle d'*Entsprechung* et dont lui-même se démarque également. Ainsi, ce que Celan appelle parler « suivant l'angle d'inclinaison de son existence, l'angle d'inclinaison de sa condition de créature », « cela signifie », dit Heidegger dans son annotation marginale, « correspondre » [„*Entsprechen*"][3].

Là est la raison de l'étonnement du penseur et l'origine d'un malentendu chez nombre de commentateurs, que la référence commune à Mallarmé et sans doute aussi à Benn permet de dissiper.

Nous ne savons pas si Heidegger a ajouté l'apostille dans sa conférence après lecture du *Méridien* et nous ne savons pas non plus si Celan a lu *Unterwegs zur Sprache*. À vrai dire, la chose a peu

1. Stéphane Mallarmé, *Œuvres complètes*, *op. cit.*, p. 411.

2. Gottfried Benn, GW, Bd. I, 532 ; « Problèmes du lyrisme », trad. cit., p. 370.

3. Signalons enfin qu'il existe un passage de la *Lettre sur l'humanisme* que Celan a relevé, et en face duquel il a noté : „*Sprache*" [« parole »], où Heidegger parle d'une certaine « correspondance » [*Entsprechung* et non *Entsprechen*]. Le penseur a ici en vue la correspondance métaphysique entre l'essence traditionnelle de l'homme et la conception habituelle de la parole – c'est-à-dire en définitive la conception de la parole comme expression qu'il met précisément en question. Voici l'extrait (GA 9, 330 ; trad. cit., p. 83) : « Cette proximité vient à aître comme la parole elle-même. Mais la parole n'est pas seulement parole, dans la mesure où nous nous la représentons, dans le meilleur des cas, comme unité d'une structure phonétique (graphisme), de la mélodie ainsi que du rythme, et de la signification (sens). Nous pensons la structure phonétique et le graphisme comme corps du mot, la mélodie et le rythme comme âme de la parole et ce qui ressortit au sens comme son esprit. Nous pensons habituellement la parole à partir de la correspondance avec l'essence de l'homme, dans la mesure où celui-ci est représenté comme *animal rationale*, c'est-à-dire comme unité corps-âme-esprit. »

d'importance. Ce qui compte, pour donner au dialogue de Celan et de Heidegger son sens et toute sa portée, c'est de voir l'horizon qui leur est commun et dans lequel ils se meuvent – l'un et l'autre sur leur chemin de crête respectif.

Heidegger pense dans la mouvementation chaque fois singulière de l'*Ereignis* qui amène l'homme à être proprement soi-même, un mortel, et Celan poétise à partir de l'absolue singularité de la mort : celle du Juif, celle de l'humain – celle du mortel. C'est dans cette phénoménalité obscure de la finitude que le poème s'adresse à nous en nous accueillant à être, par sa parole et en son sein, l'autre que nous sommes.

Appendices

I

Note sur l'affaire Goll *

Connais-tu sa femme, Claire Goll? Elle fut longtemps l'amie de Rilke. Elle est écrivain.

"Vous savez", dit-elle, "nous craignions que vous puissiez être un de ceux qui écrivent des poèmes, mais qui ne sont pas poètes. Mais vous êtes un poète. Un vrai." Et Yvan Goll, qui le sait vraisemblablement mieux qu'elle, pensait la même chose.

Paul Celan[1]

En raison de l'importance des répercussions qu'elle a eus sur Paul Celan, sur son rapport à la judéité et sur son entente de la poésie, cette affaire mérite à elle seule quelques explications. « La vie de Celan reste marquée de façon essentielle par l'affaire Goll », explique Barbara Wiedemann et « sans examiner ce qui s'est passé,

---

* Dans une assez longue lettre du 17 juillet 1956 à Hermann Lenz, Paul Celan rapporte lui-même les faits tels qu'ils se sont déroulés jusqu'à cette date ; cf. Paul Celan / Hanne und Hermann Lenz, *Briefwechsel*, pp. 53-56. Il est très instructif de comparer la version des faits exposée par le poète dans cette lettre avec celle que propose à deux reprises Claire Goll dans ses textes les plus offensifs et les plus outrageusement calomniateurs (cf. *Die Goll-Affäre. Dokumente zu einer ›Infamie‹*, pp. 187-189 [circulaire de 1953] et 251-253 [« Des choses inconnues à propos de Paul Celan »]).

L'affaire, qui connut au total trois phases (1949-1952, 1953-1959 et 1960-1962) est étudiée dans son ensemble avec beaucoup de soin et sur la base de tous les documents qui y sont relatifs par Barbara Wiedemann dans l'ouvrage déjà cité : *Die Goll-Affäre. Dokumente zu einer ›Infamie‹*.

1. Lettre du 12 novembre 1949 à Erica Lillegg, in : *Die Goll-Affäre. Dokumente zu einer ›Infamie‹*, *op. cit.*, p. 19.

son œuvre n'est pas réellement compréhensible[1] ». Dans la rencontre avec Heidegger, elle ne joue pas de rôle *direct*, mais elle permet de mieux saisir certains comportements du poète et de mesurer toute la portée de son espoir vis-à-vis du penseur.

« Après une année entière de solitude parisienne[2] », Paul Celan rencontra le poète lorrain d'origine juive Yvan Goll chez Yves Bonnefoy fin octobre-début novembre 1949 et il fut le témoin, en compagnie de son épouse Claire Goll, de sa mort le 27 février 1950. À la demande de celui-ci, Celan avait traduit quelques-uns de ses poèmes en allemand et l'auteur était pleinement admiratif du résultat. Après la mort de son mari, Claire Goll demande à Celan la traduction de trois recueils (*Chansons malaises*, *Élégies d'Ihpétonga* et *Géorgiques parisiennes*) en lui promettant une rétribution dont il ne percevra, en définitive, rien. Il accepte – vraisemblablement *par humanité*. À Hermann Lenz, il écrit en effet que peu avant la mort d'Yvan Goll, il lui rendait souvent visite à l'Hôpital américain de Neuilly, et ce « pas vraiment par admiration pour le poète, mais parce c'était un mourant, qui avait peur devant la mort[3] ».

Jusqu'en décembre 1951, Celan voit alors régulièrement Claire Goll pour le travail demandé. Et le 25 décembre de la même année, elle apporte à Franz Vetter (Saint-Gall, Pflug Verlag) la traduction de *Chansons malaises* en l'invitant elle-même à opposer un refus à Celan, prétextant que le texte traduit est trop marqué par le style du poète. Elle décide ainsi de traduire elle-même les poèmes de son mari, et Celan, qui s'était entièrement acquitté de sa tâche, cherche, de son côté, à faire publier lui-même les traductions. Étant donné que le travail de Celan satisfaisait entièrement non seulement Yvan Goll, mais aussi Claire Goll à l'époque où ils étaient en rapport, il n'y a apparemment pas d'autres raisons à ce retournement de dernière minute que des jalousies personnelles. La veuve craignait sans doute que le talent et la renommée croissante de Celan n'éclipsent le souvenir de son mari et, en définitive, d'elle-même. Dans les traductions qu'elle publiera sous son nom, Claire Goll s'est d'ailleurs très largement "inspirée" du travail de Celan…

1. *Die Goll-Affäre. Dokumente zu einer ›Infamie‹*, *op. cit.*, p. 8.
2. Paul Celan, lettre à Yvan Goll du 27 septembre 1949, in : *ibid.*, p. 16. Une lettre à Diet Kloos du 21 septembre 1949 dit dans le même sens : « Je suis très seul, Diet, et n'ai pas seulement à me battre avec le ciel et ses abîmes… »
3. Paul Celan / Hanne und Hermann Lenz, *Briefwechsel*, p. 55.

En janvier 1952, par conséquent, le poète rompt avec la « femme maléfique », mais l'affaire n'en reste pas là. C'est en août 1953 qu'elle apparaît dans sa dimension proprement venimeuse, tandis que Claire Goll lance des accusations de plagiat contre les poèmes de Celan, par le biais d'une circulaire adressée à des écrivains, des éditeurs, des directeurs de radio, etc. (à l'ensemble du "monde littéraire" à l'égard duquel le poète sera désormais aussi méfiant qu'hostile). En s'appuyant sur l'avis d'un germaniste américain (Richard Exner) et sur quelques citations plus ou moins tronquées, Claire Goll s'efforce de montrer que *Mohn und Gedächtnis* [*Pavot et mémoire*] imite, voire copie, en bien des points des poèmes posthumes de son mari, qu'elle n'hésitera pas à remanier le cas échéant.

L'affaire, qui entre dans sa seconde phase, porte à présent atteinte à la poésie elle-même de Celan, et en mars 1956, une lettre anonyme très vraisemblablement rédigée par Claire Goll paraît, dans laquelle est cité un certain Georg Mauer qui qualifie Celan de „*Meister-Plagiator*“ [« maître-plagiaire »] [1].

La dernière phase de l'affaire qui est aussi la plus dure et celle qui eut le retentissement public le plus large, commence le 3 mai 1960 lorsque Celan découvre une lettre ouverte intitulée „*Unbekanntes über Paul Celan*“ [« Choses inconnues sur PC »] publiée par Claire Goll dans une petite revue de Munich et aussitôt largement diffusée par des articles de journaux. Celan y est à nouveau accusé d'avoir plagié Yvan Goll dans *Mohn und Gedächtnis*, mais cela eut peut-être moins de résonance qu'une phrase extraite de la lettre que Celan reçut en plein cœur, comme un outrage à la mémoire de ses parents : « Sa triste légende, qu'il savait dépeindre de façon si tragique nous avait bouleversés : ses parents tués par les nazis, sans patrie, grand poète incompris, comme il le répétait sans cesse [2]... » À partir de cette date, le poète ne percevra plus l'ensemble du monde littéraire et de ses machinations que comme un *complot nazi*.

À peine dix jours plus tard, le 14 mai 1960, il apprend qu'il est désigné comme lauréat du prix Büchner et le discours *Le Méridien*

1. *Die Goll-Affäre. Dokumente zu einer ›Infamie‹*, pp. 198 et 199-200.
2. *Ibid.*, p. 252. La réaction de Celan à cette attaque est consignée dans un texte non publié et intitulé *Haltet den Dieb!* [*Au voleur!*] (*ibid.*, p. 419).

sera aussi pour Celan un des moyens de faire le point sur l'affaire, à partir de la question de la date, de l'attention, de la rencontre de soi, de l'individuation radicale par exemple. D'autres textes tels que la lettre à Hans Bender du 18 mai 1960 ou la *Réponse à une enquête de la librairie Flinker* (17 mars 1961) sont également à lire à partir de cet éclairage, même si leur sens ne s'épuise pas dans le contexte biographique, aussi singulier soit-il.

En août 1960, il travaille avec son ami Klaus Demus à la préparation d'un article de riposte [„*Entgegnung*"] [1] qui paraîtra – cosigné par Ingeborg Bachmann et Marie Luise Kaschnitz – fin novembre dans *Die Neue Rundschau* et qui tente, à partir d'une analyse minutieuse des dates et des documents, de faire apparaître la fausseté patente des accusations. C'est aussi une période au cours de laquelle il cherche du soutien partout autour de lui dans une sorte de panique qui l'amène à se brouiller avec plusieurs personnes, y compris des proches comme Hanne et Hermann Lenz ou Klaus Demus qui faisaient pourtant tout leur possible afin de l'aider. Celan est alors très touché et il connaît à l'automne 1961, puis à partir de novembre 1962, de graves troubles psychologiques liés à cette affaire. Fin décembre 1962, à Valloire en Savoie, il est atteint d'une crise de délire qui l'amène à agresser un passant en l'accusant d'être complice de l'affaire. Le lendemain, dans le train qui rentre à Paris, Celan arrache à sa femme son foulard jaune qui lui rappelle l'étoile juive. Le surlendemain, il subit la première de ses six hospitalisations en hôpital psychiatrique[2]. Dans ses « Souvenirs de Paul Celan » d'une admirable sobriété, Hermann Lenz note que cette affaire « amplifia son sentiment de persécution[3] ».

Après 1962, le retentissement public de l'affaire se tasse un peu, mais la parution de deux articles dans le *Merkur* en janvier 1965 ravive chez le poète le souvenir de l'infamie[4], et un an plus tard, le 21 janvier 1966, Celan rompt avec les éditions S. Fischer en raison

1. *Die Goll-Affäre. Dokumente zu einer ›Infamie‹*, pp. 280-283.

2. À savoir : janvier-février 1963 (Épinay-sur-Seine), mai 1965 (Le Vésinet), novembre-décembre 1965 (Garches puis Suresnes), février-juin 1966 (Saint-Anne, Paris), février-octobre 1967 (Saint-Anne) et novembre 1968-février 1969 (Épinay-sur-Orge). Sur le plan public, ces hospitalisations successives portèrent malheureusement atteinte à la crédibilité de la défense de Celan.

3. Paul Celan / Hanne und Hermann Lenz, *Briefwechsel*, p. 10.

4. Cf. P. Celan / G. Celan-Lestrange, *Correspondance*, t. II, p. 552.

de litiges qu'il met en corrélation avec l'affaire. Le 25 janvier 1967, enfin, il rencontre par hasard Claire Goll au *Goethe-Institut* à Paris. Cinq jours après, il tentera de se suicider en se poignardant au cœur.

Bien que l'affaire proprement dite ne se poursuive pas au-delà de la seconde moitié des années 1960, ce n'est pas seulement la notoriété du poète qui a souffert, mais sa personne et sa poésie qui sont irrémédiablement blessées. Celan ne se remettra jamais de cette machination infâme qu'il perçoit assez vite comme la perpétuation après Auschwitz du crime qui a été commis contre ses parents et contre le judaïsme – c'est-à-dire, en dernière instance et selon les mots du poète : contre « une forme de l'Humain [1] ». « Celui qui mystifie après Auschwitz participe au meurtre », note-t-il en 1962 [2].

Le travail de Celan reste marqué de manière parfois obsessionnelle par cette affaire qui put avoir, en retour, l'effet d'une stimulation féconde en obligeant le poète à développer certaines réflexions qu'il n'aurait peut-être pas poussées aussi loin sans elle (ainsi pour la singularité absolue, le souffle, le surgissement du poème par exemple). Mais l'affaire eut surtout des effets dévastateurs sur Celan, en particulier sur son équilibre psychique et, par voie de conséquence, tant le poids de l'accusation fut lourd, sur sa force créatrice et sur l'écriture elle-même parfois confinée dans le retranchement d'une position purement défensive ou à la limite de l'incompréhensibilité.

Être en état permanent de justification et de lutte fut une charge supplémentaire qui a pu refréner certains élans du poète. Celan, cependant, a fait face et l'œuvre qu'il laisse est aussi le document de cette lutte contre cet autre crime contre l'Humain qu'est le crime contre la parole et contre la poésie – crime moins apparent, certes, que le meurtre nazi, mais dont le poète est là pour nous dire qu'il n'est pas moins grave.

1. Cf. cette phrase de la lettre à J. Starobinski déjà citée : « Car qu'est-ce que le Judaïsme sinon un [*sic*] forme de l'Humain, qu'est-ce que la Poésie sinon une forme de ce même Humain » (*Correspondance II*, p. 209).

2. *Die Goll-Affäre. Dokumente zu einer ›Infamie‹*, n°302, p. 791.

II

Paul Celan
Le sujet en dialogue *

"Je" – n'écris pas de vers.

Marina Zvétaieva[1]

On ne m'a pas appris. On ne m'a nullement appris à envisager que la parole ne dépende pas de moi. La parole ne dépend que de la parole, peut-être que ça ne s'apprend pas. Comment voulez-vous que JE parle, dans ces conditions ?

Dominique Fourcade[2]

Dans le chant, l'être humain n'exprime pas sa propre personne, son « moi » (si ce n'est involontairement) ; mais dans sa volonté, il désire se joindre à quelque chose de fondamentalement différent de lui-même en tant que donné ; à quelque chose d'étranger, mais de plus intime pour lui que l'extérieur ou même les événements intimes de sa propre vie ; à ce que le poète russe K. Batiouchkov appelait : « L'autre – ma richesse. »

Olga Sédakova[3]

---

* Ce texte est la version légèrement remaniée d'une conférence prononcée le 24 mai 2002 dans le cadre d'un séminaire organisé par Ivo De Gennaro à l'*Academia di studi italo-tedeschi* de Meran (Italie). Il reprend plusieurs points déjà abordés, mais, dans la mesure où la question du sujet chez Celan est une des plus ardues, il ne nous paraît pas répétitif de refaire l'expérience de penser à partir d'angles parfois différents.

1. Lettre à Pierre Souvtchinsky du 15 mars 1926, trad. Philippe Arjakovsky, in : *La fête de la pensée. Hommage à François Fédier*, Lettrage Distribution, p. 98.

2. *Est-ce que j'peux placer un mot ?*, Paris, P.O.L, 2001, p. 42.

3. *Éloge de la poésie*, traduit du russe par Ghislaine Capogna Bardet, Paris, L'Âge d'Homme, 2001, pp. 13-14.

Dans le texte de présentation du séminaire, l'accent est mis sur la possibilité qu'est la phénoménologie, et c'est dans ce dessein que sont citées les phrases suivantes de Martin Heidegger :

> „*Höher als die Wirklichkeit steht die* Möglichkeit. *Das Verständnis der Phänomenologie liegt einzig im Ergreifen ihrer als Möglichkeit.*"

> [« Plus haute que la réalité, s'érige la *possibilité*. La seule entente de la phénoménologie qui compte, c'est de s'emparer d'elle comme possibilité [1]. »]

Il n'est pas simplement anecdotique de signaler que, dans son propre exemplaire de *Sein und Zeit*, Paul Celan a souligné la première de ces phrases : « Plus haute que la réalité, s'érige la *possibilité*. » Cette phrase, en effet, nous introduit au cœur de notre sujet, et une note du poète, pour allusive qu'elle soit, montre néanmoins que Celan semble avoir pris, à sa manière, la mesure de cette possibilité qu'est la phénoménologie : « le je "lyrique" / phénoménologie [2] ? ».

C'est sur cette possibilité que nous voudrions nous interroger, et ce, principalement sous trois angles :

– De façon générale, premièrement, dans la mesure où la phénoménologie de Heidegger aura déployé la possibilité d'un voisinage entre la poésie et la pensée auquel notre réflexion veut contribuer.

– Deuxièmement, eu égard à la poésie de Paul Celan et à la situation de son je lyrique, pour lequel la phénoménologie herméneutique du Dasein fut une vraie possibilité. À Todtnauberg, le 25 juillet 1967, c'est d'ailleurs, entre autres, du dépassement de la subjectivité dans le poème que le poète parlera avec Heidegger [3].

– Et enfin, troisièmement, en prenant en compte la possibilité elle-même, en tant qu'elle est au cœur de l'expérience poétique de Celan.

Dans cette triple perspective, nous nous appuierons essentiellement sur le texte du discours *Le Méridien* que le poète prononça le 22 octobre 1960, ainsi que sur les notes qui sont relatives à sa préparation et à sa rédaction.

---

1. *Sein und Zeit*, p. 38.
2. *Der Meridian*, TCA, n° 499, p. 143.
3. Cf. H.-G. Gadamer und S. Vietta, *Im Gespräch*, *op. cit.*, p. 82.

En tentant de se libérer de l'art conçu comme une sortie hors de l'humain [*ein Hinaustreten aus dem Menschlichen*] et un oubli de soi, Celan cherche un chemin, une direction, grâce à la poésie, vers le souffle de la créature en ce qu'elle a de plus singulier, dans son « individuation radicale » dit le poète. Or cette recherche ne s'effectue pas au fil d'une introspection subjective ; elle se présente bien plutôt comme un pas qui libère [*freisetzendes Schritt*]. Il n'y a pas, chez Celan, de réduction phénoménologique au sens husserlien, mais, à l'inverse, une ouverture, un dégagement [*Freisetzung*], par lequel le sujet apparaît *soi-même* [*selbst*] dans ce qu'il a de "personnal" [*personhaft*], et non personnellement [*persönlich*], c'est-à-dire comme personne au sens biographique du terme. Cette quête du je, cette „*Ich-suche*[1]", n'a donc rien d'une recherche subjective – c'est une quête de ce qu'il y a d'humain en l'homme et ce, insiste Celan, dans un sens résolument non humaniste. En témoigne cette note préparatoire :

> « L'obscurité du poème = l'obscurité de la mort. Les hommes = les mortels. C'est pourquoi le poème, en tant qu'il garde mémoire de la mort, compte parmi ce qu'il y a de plus humain en l'homme. Mais l'humain, nous en avons entre-temps largement fait l'épreuve, n'est pas la caractéristique principale des humanistes. Les humanistes sont ceux dont le regard passe par-dessus les hommes en ce qu'ils ont de concret sans s'en occuper, pour regarder < le concept > d'humanité qui n'oblige à rien[2]. »

Ce qu'il y a d'humain en l'homme, c'est son être mortel, son être créature [*Kreatürlichkeit*] dit aussi Celan. La rencontre de soi ne va pas sans une expérience de la mort que le poète nomme parfois : *toi*[3]. Et nous comprenons ici le sens de la rencontre telle que

1. Cf. Paul Celan, *Der Meridian*, TCA, n° 800, p. 191.
2. *Ibid.*, n°130, p. 89 : „*Die Dunkelheit des Gedichts = die Dunkelheit des Todes. Die Menschen = die Sterblichen. Darum zählt das Gedicht, als das des Todes eingedenk bleibende, zum Menschlichsten am Menschen. Das Menschliche ist aber nicht, das haben wir inzwischen ausgiebig erfahren, das Hauptmerkmal der Humanisten. Die Humanisten sind diejenigen, die über den konkreten Menschen hinweg in das Unverbindliche der Menschheit blicken.*" Cf. aussi n° 690 : « L'amour de l'humain est amour de la créature ; ce n'est pas la somme de la protection des animaux et de la philanthropie » ; et n° 858 : « L'amour de l'humain n'est pas philanthropie. »
3. *Ibid.*, TCA, n° 800, p. 191 : „*(der Tod als Du ?)*".

l'envisage le poète : il s'agit d'une expérience – chaque fois unique et singulière – en laquelle le sujet s'éprouve comme soi à la faveur d'une rencontre avec le toi que dispense sa propre mort. Parce qu'elle est expérience de la mort, cette rencontre, explique Celan, est obscure – nécessairement ; ce qui ne signifie ni sombre, ni simplement opaque. Cette obscurité a sa « phénoménalité [1] » ; elle est allégie [*Lichtung*] – Celan dit : *Heimkehr* (le mouvement de retour – le tournant du souffle [*Atemwende*] – par lequel le sujet se retrouve "chez soi", à même soi). Et c'est parce qu'elle est retour chez soi, ou à soi, à partir de la mort, que cette rencontre est du même coup et au sens littéral, un *Geheimnis* : ce qu'a de secrète la mouvementation qui amène à être à demeure chez soi.

Mais cette mouvementation n'est pas moins secrète qu'étrange, elle est même l'étrangement [*Befremdung*] pur et simple ; elle puise son secret à partir de cet étrangement.

Or l'étrangement est la parole en tant qu'elle advient en poème. L'étrangement étrange à partir de l'abîme [*Abgrund*] qu'est la parole, et le poète se tient dans l'abîme, il marche, comme Lenz, sur la tête.

On comprend ainsi que la rencontre dont nous parlions n'a et ne peut avoir lieu que dans le poème, dans la mesure où il est « épiphanie de la parole ». C'est dans l'enclos du temps [*Zeitgehöft*] du poème – on pourrait aussi dire : dans son *Zeit-Raum* –, dans l'expérience chaque fois singulière et instantanée de ce qui parle dans le poème, que le sujet se rencontre, *à mort*[2]. Le poème, par la parole, et dans la fulgurance de son advenue, garde mémoire de la mort.

La quête du je, de la personne, dit Celan dans le discours, coïncide avec la recherche du « lieu de la poésie » [*Ort der Dichtung*]. Et dans une note, il écrit :

> „*Im Gedicht: Vergegenwärtigung einer Person als Sprache, Vergegenwärtigung der Sprache als Person* –"

> [« Dans le poème : présentification d'une personne en tant que parole, présentification de la parole en tant que personne [3] – »]

1. Cf. *ibid.*, n° 57, p. 71.
2. Cf. *ibid.*, n° 304, p. 113 : „*Das Gedicht als das sich buchstäblich zu-Tode-Sprechende.*"
3. *Ibid.*, n° 306, p. 114.

Le je parvient jusqu'à soi, fait la rencontre de soi [*Selbstbegegnung*] à partir de l'encontre que libère la parole. Mais la contrée [*Gegend*] de cette encontre ne se trouve nulle part, „*entwo*" dit Celan dans le poème „*Deine Augen im Arm*" (*Fadensonnen*) : étant elle-même privée de *wo*, c'est elle qui du même coup, libère la possibilité de tout *wo*. La contrée est l'« u-topie » qui donne lieu à la rencontre. Cette contrée que cherche le poète est le méridien de la parole : « immatériel, mais terrestre », c'est lui qui, dans son mouvement circulaire et par là chaque fois neuf, ramène tout à soi ; c'est lui qui, dans son tour, fait tourner le souffle par lequel le je s'évient à soi. Et dans l'instant de ce tour, qui est aussi un détour [*Umweg*], le je ne tourne pas sur lui-même ; en effet, il ne retourne à soi [*Heimkehr*] qu'à la faveur d'une conversion [*Umkehr*] [1] dans le poème, en vertu de laquelle il se retrouve lui-même comme je étrangé [*befremdetes Ich*] à même soi.

Le poème, donc, est le lieu u-topique de la rencontre. « La poésie en tant que manière d'exister [*Daseinsweise*], conduit en définitive à ne voir aucune différence de principe entre un poème et une poignée de main », écrit Celan dans une note [2].

Le mot qui indique le mouvement que nous venons d'exposer est *Daseinsweise*, que nous rencontrons dans *Le Méridien* sous la forme de *Daseinsentwurf* : projet d'existence ou projection du Dasein. Dans le poème, le je s'envoie au-devant de lui-même jusqu'à soi-même (tel est le mouvement du *Sichvorausschicken zu sich selbst*). C'est dans cette projection d'existence qui se projette à partir du lointain [*Ferne*], que le je parvient proprement jusqu'à lui-même, étrangé. Une note permet de résumer cette advenue de la personne dans le poème :

> „*Das Gedicht ist die Gestalt gewordene Sehnsucht des Ich, das sich, indem es sich ausgrenzt, zu erkennen gibt; wir sind wörtlich da und vorhanden.*"

> [« Le poème est la nostalgie du je devenue forme, du je qui, en tant qu'il s'élimite, se manifeste ; nous sommes mot à mot là et présents [3]. »]

1. Cf. Paul Celan, *Der Meridian*, n° 419, p. 131 : „*Das Gedicht ist eine Umkehr*".
2. *Ibid.*, n° 437, p. 134.
3. *Ibid.*, n° 314, p. 115.

Deux remarques : le verbe *ausgrenzen* qu'emploie Celan au sens propre répond au mouvement de l'envoi au-dehors de soi que signifie *Entwurf*. Le je sort ici de ses limites, et cette sortie se fait dans le poème, par la parole, donc, de sorte que le je est là et présent *en mots* (Celan détourne ici le sens courant de *wörtlich* pour l'entendre, justement, au sens littéral). La nostalgie du je n'est pas celle d'une *„kleinräumige Subjektivität"* [d'une « petite subjectivité à l'étroit »] [1], mais le rassemblement jusqu'à soi du je devenu vraiment je en passant par l'étranger. Ce passage est ouverture – *Ausgrenzung* – et fait ainsi sauter la frontière traditionnelle entre le sujet et l'objet. La nostalgie est nostalgie d'un je dont la limite n'est pas intérieure – dans le champ transcendantal de la conscience –, ni simplement extérieure, comme le montre ce vers que le poète s'adresse à lui-même comme question dans le recueil *Schneepart* : *„WARUM DIESES JÄHE ZUHAUSE, mittenaus, mittenein?"* [« Pourquoi ce soudain chez soi, mi-dehors, mi-dedans ? »] Le je n'est chez soi ni dehors ni dedans, mais au milieu du dehors et du dedans, dans l'entre-deux du dehors et du dedans – dans le *Da* de *Daseinsentwurf*.

Et cette limite ultime autant que première est la mort – en témoigne cette esquisse du poète du 22 août 1960 (n° 321) :

» *Stimme – Rythmus –*

Person, Geheimnis, Gegenwärtigkeit
Aber: Frage nach Grenze und Einheit der Person

das Gedicht als Ich-Suche?

Der Tod als Einheit und Grenze schaffendes Prinzip, daher seine Allgegenwart im Gedicht. –

– i – Das Gedicht als Personwerdung des Ich: im Gespräch – die Wahrnehmung des anderen und Fremden. Das aktive Prinzip also ein so oder so gesetztes („besetzbares") Du. –
(der Tod als Du?)«

1. Paul Celan, lettre à Werner Weber (26 mars 1960), in : *„Fremde Nähe". Celan als Übersetzer*, p. 398.

[« Voix – Rythme –

Personne, secret, être-présent
Mais : question de la limite et de l'unité de la personne

Le poème en tant que quête du je ?

La mort comme principe produisant l'unité et la limite, de là son omniprésence dans le poème. –

– i – Le poème en tant que devenir-personne du je : dans le dialogue – la prise en garde de l'autre et de l'étranger. Le principe actif est alors un toi établi ("disponible") d'une manière ou d'une autre. –
(la mort en tant que toi ?) »]

La fin de cette esquisse nomme une caractéristique essentielle du poème : le dialogue [*Gespräch*]. Il s'agit à présent de comprendre le lien entre l'entente qu'a Celan de ce dialogue et le je tel que nous venons de le voir apparaître dans le poème.

Le dialogue est le rassemblement de la parole dans le poème ; la parole est elle-même dialogue, dans la mesure où, dans le poème, le je passe par l'étranger, s'étrange lui-même en devenant du même coup un je en rapport au toi et s'ouvre ainsi à l'autre, que Celan nomme également le « tout autre » [*das ganz Andere*]. Il faut suivre ici le mouvement qui, dans *Le Méridien*, conduit de *unheimlich* (le caractère inquiétant propre à l'art) à *Fremd*, et de là, vers *une autre sorte* de *Fremd*, dit Celan, qui s'ouvre, elle, à l'autre : *Andere*. Mais entre les deux sortes d'étranger, entre l'art et la poésie donc, précise le poète dans une première rédaction, « il y a besoin d'un saut [1] », même si l'art, en un sens, peut mener vers la poésie. C'est par ce saut que l'altérité peut se déployer dans le poème ; dans une note, Celan expose le sens du saut : il est question, dans le prolongement du *Daseinsentwurf*, du „*dialektisches Sprung ins Dasein*" [du saut

1. Paul Celan, *Der Meridian*, TCA, n° 4, p. 49.

dialectique dans l'existence ou le Dasein] [1]. Ce saut est dialectique dans la mesure où, lorsqu'on saute dans l'existence, l'opposition sujet/objet s'abolit :

> „*Es geht um die Aufhebung einer Dualität; mit dem Ich des Gedichts ist auch das Du gesetzt; es geht um solches ~~Einssein~~ In-eins-Sehen; es geht um Kongruenz; der Begriff des Künstlerischen reicht hier nicht mehr aus;*"
>
> [« Il y va du dépassement d'une dualité ; avec le je du poème est aussi posé le toi ; il y va d'un tel ~~être-un~~ voir-en-un ; il s'agit de coïncidence ; ici, le concept d'art ne suffit plus [2] ; »]

Nous pouvons également lire dans une autre note :

> „*Ich spreche abwechselnd in der ersten und der zweiten Person; ich meine, indem ich bald das eine, bald das andere nenne, dasselbe.*"
>
> [« Je parle en alternant la première et la deuxième personne ; en nommant tantôt l'une tantôt l'autre, je dis le même [3]. »]

« Le saut, dit Celan, est entrée dans le poème [4] » ; et par ce saut, se déploie le dialogue auquel Celan confère un sens extraordinairement précis.

Lisons ces lignes très serrées du discours :

> „*Erst im Raum dieses Gesprächs konstituiert sich das Angesprochene, versammelt es sich um das es ansprechende und nennende Ich. Aber in diese Gegenwart bringt das Angesprochene und durch Nennung gleichsam zum Du Gewordene auch sein Anderssein mit.*"
>
> « C'est seulement dans l'espace de ce dialogue que se constitue ce à quoi la parole s'adresse, que cela est recueilli autour du je qui lui adresse la parole et le nomme. Mais dans ce présent, ce à quoi s'adresse la parole, et qui par la nomination est devenu en quelque sorte un toi, apporte aussi son être-autre. »

Le dialogue est la dimension en laquelle ce qui est, étant nommé, vient, à partir de soi-même, à apparaître comme un toi, c'est-à-dire

1. *Ibid.*, n° 549, p. 152.
2. *Ibid.*, n° 546, p. 152.
3. *Ibid.*, n° 34, p. 64.
4. *Ibid.*, n° 428, p. 133.

dans son être-autre. C'est parce qu'il « enseigne l'autre en tant qu'autre », que le poème est « école du véritable être-humain »[1]. C'est de cette manière, dans le poème, que l'homme est « tourné vers ce qui apparaît », qu'il « prend en garde [*wahrnimmt*] » ce qui apparaît. Le dialogue désigne ainsi le rapport du je et de tout ce qui est et qui vient à apparaître, *dans sa propre venue*, par la nomination. Remarquons ici que le dire qui laisse être le phénomène en le faisant voir à partir de lui-même [„*von sich selbst her*"] n'est autre que ce que Heidegger nomme, dans un passage de *Sein und Zeit* que le poète a souligné, la *phénoménologie* :

> « L'expression phénoménologie se formule en grec : λέγειν τὰ φαινόμενα ; or λέγειν signifie ἀποφαίνεσθαι. Phénoménologie dit alors : ἀποφαίνεσθαι τὰ φαινόμενα : ce qui se montre, tel qu'il se montre à partir de lui-même, le faire voir à partir de lui-même[2]. »

Le dialogue est l'être-au-monde. Il n'y a pas de monde sans parole, mais, dans le dialogue, le monde n'est pas constitué par un sujet, il « *se* constitue » – il se manifeste comme ce qu'il est, dans le mouvement de sa propre venue, en tant que toi. Le dialogue n'est donc pas une sphère égoïque, mais, au sens littéral, l'entre-tien du je et de ce qui est, dans la mesure où le je n'est lui-même que dans ce dialogue et où ce qui est n'apparaît qu'en son sein. Il n'y a pas de sujet qui se jette à soi-même des objets (*ob-jacio*), mais l'espace ouvert d'un dialogue dans la dimension duquel, s'entre-tenant l'un l'autre, l'homme et les choses sont ce qu'ils sont. Le dialogue nomme l'entre de l'entre-deux [*Zwischenraum*][3] au sein duquel l'homme et ce qui est (choses ou autres hommes) se rencontrent. Telle est la "perception" [*Wahrnehmung*][4] du je devenu personne

1. Paul Celan, *Der Meridian*, TCA, n° 410, p. 130.
2. Martin Heidegger, *Sein und Zeit*, § 7, p. 34.
3. Cf. Paul Celan, *Der Meridian*, n° 26, p. 60 : „*In diesem Zwischenraum, dem seines Freiwerdens, Freigesetztseins und Freischwebens, in statu nascendi also und zugleich auch in statu moriendi, liegt der Grund des Gedichts.*" [« Dans cet entre-deux, celui de sa libération, de son être-dégagé et de sa libre apesanteur, *in statu nascendi* donc, et du même coup aussi *in statu moriendi*, repose le fond du poème. »]
4. Sur le sens dans lequel Celan entend *Wahrnehmung*, cf. *Der Meridian*, TCA, n° 434 : „*Wahrnehmung eher: Gewahrwerden*" [« Perception d'abord et plutôt : s'apercevoir de »] ; cf. aussi n° 440 et 463.

dans le poème : prise en garde par la parole de ce qui est dans son propre être-autre – phénoméno-logie.

À partir de cette entente du je dans le poème et le dialogue, nous pouvons désormais aborder la question de la possibilité en tant qu'elle est sise au cœur du poème.

Dans une des esquisses citées précédemment, nous avons déjà rencontré la figure de cette possibilité sans y prêter attention. Citons à nouveau la phrase dans laquelle elle apparaît :

> « Le poème en tant que devenir-personne du je : dans le dialogue – prise en garde de l'autre et de l'étranger. Le principe actif est alors un toi établi ("disponible" [*besetzbares*]) d'une manière ou d'une autre –
> (la mort en tant que toi ?) »

C'est le mot *besetzbar* qui nomme la possibilité. *Besetzen*, au sens courant, signifie : mettre en place, charger de, pourvoir, peupler ; et *besetzt* veut dire tout à fait couramment : comble, occupé, complet. C'est grâce au suffixe *-bar* que Celan met l'accent sur la possibilité. Le toi est un principe actif du poème, dans la mesure où il n'est pas seulement *gesetzt* [posé, établi], mais *besetzbar*. Comment traduire ? Celan indique par là que le je, en tant qu'il s'ouvre au toi dans le dialogue qui est la dimension du poème, libère l'espace d'une place que chacun peut venir occuper. La *Besetzbarkeit*, comme dit le poète, ne veut pas dire que le poème est complet, c'est-à-dire fermé sur lui-même ; tout au contraire : la plus haute possibilité du poème est que tout, et notamment chacun, puisse y être à *sa* place, en son sein. Il ne saurait être question ici d'une quelconque forme d'empathie [*Einfühlung*], car il n'y a pas d'intériorité. Il y a un « ouvert et un vide et un espace libre » [*Offene und Leere und Freie*], une *vacance* dit aussi Celan[1], au sein de laquelle tout vient à être soi-même. Lisons cette note lumineuse sur la *Besetzbarkeit* :

> « Dans le poème quelque chose est dit, et même dit factivement, de sorte que ce qui est dit demeure non dit aussi longtemps que celui qui lit ne se le laisse pas dire. En d'autres termes : le poème n'est pas

1. Cf. Paul Celan, *Der Meridian*, TCA, n° 448, p. 135.

actuel, mais bien plutôt *actualisable.* C'est, y compris temporellement, l'"y-pouvoir-prendre-place" [*Besetzbarkeit*] du poème : le toi vers lequel il est dirigé lui est déjà donné et l'accompagne sur le chemin vers ce toi. Le toi est, avant même qu'il ne soit venu, là. (Cela aussi est *projet d'existence.* [*Daseinsentwurf*]) [1]. »

Notons bien : « Le toi est, avant même qu'il ne soit venu, là. » Telle est, pour ainsi dire, l'efficience du principe actif qu'est la possibilité de la *Besetzbarkeit.* Et le mode d'être de ce toi qui rend possible à chacun de venir trouver sa place, Celan le nomme : „*abwesend*" – présence-absence, c'est-à-dire présence « venant et par là à venir » [„*kommend und damit künftig*"] explique le poète [2].

On ne s'étonnera dès lors pas de voir Celan insister avec force sur le fait que la parole n'est pas expression. Parce qu'il n'y a pas, dans la poésie de Celan, de sujet au sens métaphysique, toute forme d'ex-pression est impossible. La parole, la personne faite parole, c'est-à-dire voix, nomme en dialogue. Ce qu'elle dit n'est pas là-devant, posé, mais actualisable. Chacun peut venir à son tour prendre place dans le poème, et faire l'expérience de ce qui est dit. Il n'y a pas de « poème absolu » – il y a, suivant le mouvement du méridien, un mouvement de retour chaque fois unique qui actualise le poème. Dans cette actualisation, chacun vient faire l'expérience singulière de la parole : expérience de la finitude, à partir de la possibilité que libère la mort. La parole n'exprime rien, elle n'a ni sol, ni fond à partir d'où parler [3] ; elle n'est chaque fois parlante que dans cette expérience, « sous le signe d'une individuation radicale ».

Cette expérience possible qui s'abîme ou se défonde [*sich abgründigt*] dans le poème est à notre sens une des plus grandes originalités de la poésie de Celan. Lui qui parlait à partir d'une situation individuelle et historique d'une singularité absolue, à partir de l'*Einzigartigkeit* de la mort dans les camps nazis, il a déployé au cœur de la parole l'espace d'un dialogue. Ce dialogue est sans fin

---

1. Paul Celan, *Der Meridian,* TCA, n° 409, p. 142.

2. Cf. *ibid.*, n°457, p. 136 : „*Das Gedicht wartet (= steht offen) auf sein abwesendes – kommendes und damit künftiges – Du...*" [« Le poème attend (= se tient ouvert) son toi qui vient à être dans la présence-absence – son toi venant et ainsi à venir –... »]

3. Cf. *ibid.*, n° 26, p. 60 : „*Diese Bodenlosigkeit nimmt das Gedicht sich zum Grund (legt es sich zu Grunde). Auch wer auf dem Kopf geht, hat den Himmel als Abgrund unter sich.*" [« C'est sur cette absence de sol que le poème fait fond (sur elle qu'il se fonde). Même celui qui marche sur la tête a le ciel en abîme sous lui. »]

parce qu'il est, chaque fois de nouveau, à venir [*künftig*] – parce qu'il porte avec lui un destin [*Schicksal mitführend*] [1]. C'est à nous de recevoir ce qui est ainsi offert et de pourvoir la place que nous a par avance réservée le poème. C'est à nous qu'est remise en propre la responsabilité d'avoir à être le toi – le là – du poème, pour qu'ainsi le poème ait lieu.

Faire cette épreuve, c'est, en se libérant de l'étroitesse de la subjectivité, se laisser étranger pour être une personne, un vrai je – c'est proprement *être humain.*

> „*Wir leben unter finsteren Himmeln, und – es gibt wenig Menschen. Darum gibt es wohl auch so wenig Gedichte.*"
>
> [« Nous vivons sous de sombres ciels, et – il y a peu d'hommes. C'est sans doute aussi pourquoi il y a si peu de poèmes [2]. »]

1. Cf. la lettre de Paul Celan à Hans Bender du 18 mai 1960 (*Le Méridien & autres proses, op. cit.*, p. 44) : „*Gedichte, das sind auch Geschenke – Geschenke an die sogenannten Aufmerksamen. Schicksal mitführende Geschenke.*" [« Les poèmes s'offrent aussi en cadeaux – en cadeaux offerts à ceux que l'on nomme les attentifs. Des cadeaux qui portent avec eux un destin. »]
2. Paul Celan, *Le Méridien & autres proses, op. cit.*, p. 45.

Fac-similés

– I : Page de notes de Paul Celan sur le *Handwerk*, extraite du *Arbeitsheft II, 12. Lektürnotizen über Martin Heidegger und Rudolf Borchardt; "– i –" Aufzeichnungen, Vokabel* [D 90. 1. 3245].

– II : Esquisse de lettre de Paul Celan à Martin Heidegger (automne 1954) extraite du même *Arbeitsheft II, 12.*

– III : Lettre de Paul Celan à Martin Heidegger (24/11/1958).

– IV : Dédicace de Paul Celan à Martin Heidegger dans *Sprachgitter* (15/09/1961). (Cf. document 14 pour la transcription et la traduction.)

– V : Page 164 de l'exemplaire de Paul Celan de *Sein und Zeit.*
Dans la marge : „*wichtig für die Dichtung*" [« important pour la poésie »] et „*Bühler*".

– VI : Pages 120-121 de l'exemplaire de Paul Celan de *Einführung in die Metaphysik.*

– VII, VIII & IX : Pages extraites de l'exemplaire de Paul Celan de *Holzwege.*
En bas de la page 42 : „*(das Gedicht als Geschehnis)*" [« (le poème en tant qu'advenue) »].
Page 286, dans la marge : „*Sprache*" [« parole »].

Page 343, dans la marge : *„Hölderlin“* ; en bas de page, une date de lecture : 3. 8. 53.

– X, XI & XII : Pages extraites de l'exemplaire de Paul Celan de *Vorträge und Aufsätze.*

Page 177, dans la marge : *„der Tod“* [« la mort »] ; en bas de la page : *„Der Mensch = der Sterbliche“* [« l'homme = le mortel »].

– XIII : Page 97 de l'exemplaire de Paul Celan de *Was heißt Denken ?.*

– XIV : Dédicace de Martin Heidegger dans l'exemplaire de *Aus der Erfahrung des Denkens* offert au poète après la rencontre de Todtnauberg. (Cf. document 13 pour la transcription et la traduction.)

– XV : Page 17 de l'exemplaire de Martin Heidegger de *Der Meridian.* (Cf. document 14 pour la transcription et la traduction.)

— 1 —

Die Dichtung steht nicht so sehr in einem Verhältnis zur Zeit, sondern zu einer Weltzeit

– in jedem ersten Wort des Gedichts versammelt sich die ganze Sprache –

– Handwerk : Hand (Schreibzeug nachdenken
wie "Hand und Herz"
Handwerk – Herzwerk

Anfang: "Dichten als Handwerk"? das Handwerkliche am Dichten?"

Frage: Hat das Dichten überhaupt eine Zeit?
und in welchem Zusammenhang mit der Zeit,
der Lebenszeit steht diese Zeit?"

Rückerinnerung: Wie ich die ersten Gedichte (Schiller) aufsagte

Rezeptivität

breit beistellen

zulassen Schlag

An Martin Heidegger

Diesen nüchternen Gruß aus einer wunddurchklungenen,
wundbestellten Nachbarschaft

vom Meer her
Dieses ~~Gruß~~ jeder Verehrung
aus einer kleinen fernen
wunddurchklungnen
Nachbarschaft

Herrn Martin Heidegger
dem Denk-Herrn

auf dem Weg über die Engelsbrücke

rue de Longchamp — Paris, den 24. November 1958.

Hochverehrter Herr Professor Martin Heidegger!

Erlauben Sie mir, bitte, die Gedichte eines Freundes in Ihr Haus zu schicken!

Es sind die Gedichte eines Freundes: ich kenne sie, da ich sie den entscheidenden Weg gehen lasse, nicht mit Neben- und Beiwort befrachtet. Es sind die Gedichte eines Sie Suchenden.

In aufrichtiger Dankbarkeit

Ihr

Paul Celan

Klaus Demus
Wien
Renn[illegible] 4/36

I

Stimmen vom Nesselweg her:

Komm auf den Händen zu uns.
Wer mit der Lampe allein ist,
hat nur die Hand, daraus zu lesen.

–

Für

Martin Heidegger,

mit herzlichem Dank für das
Nietzsche-Buch,
mit herzlichen Grüßen und Wünschen,
in aufrichtiger Ergebenheit

15. 9. 1961.

Paul Celan

164 Martin Heidegger. [164

Es bedarf ſchon einer ſehr künſtlichen und komplizierten Einſtellung, um ein »reines Geräuſch« zu »hören«. Daß wir aber zunächſt Motorräder und Wagen hören, iſt der phänomenale Beleg dafür, daß das Daſein als In-der-Welt-ſein je ſchon beim innerweltlich Zuhandenen ſich aufhält und zunächſt gar nicht bei »Empfindungen«, deren Gewühl zuerſt geformt werden müßte, um das Sprungbrett abzugeben, von dem das Subjekt abſpringt, um ſchließlich zu einer »Welt« zu gelangen. Das Daſein iſt als weſenhaft verſtehendes zunächſt beim Verſtandenen.

Auch im ausdrücklichen Hören der Rede des Anderen verſtehen wir zunächſt das Geſagte, genauer wir ſind im Vorhinein ſchon mit dem Anderen bei dem Seienden, worüber die Rede iſt. Nicht dagegen hören wir zunächſt das Ausgeſprochene der Verlautbarung. Sogar dort, wo das Sprechen undeutlich oder gar die Sprache fremd iſt, hören wir zunächſt unverſtändliche Worte und nicht reine Mannigfaltigkeit von Tondaten.

Im »natürlichen« Hören des Worüber der Rede können wir allerdings zugleich auf die Weiſe des Geſagtſeins, die »Diktion« hören, aber auch das nur in einem vorgängigen Mitverſtehen des Geredeten; denn nur ſo beſteht die Möglichkeit, das Wie des Geſagtſeins abzuſchätzen in ſeiner Angemeſſenheit an das thematiſche Worüber der Rede.

Imgleichen erfolgt die Gegenrede als Antwort zunächſt direkt aus dem Verſtehen des im Mitſein ſchon »geteilten« Worüber der Rede.

Nur wo die exiſtenziale Möglichkeit von Reden und Hören gegeben iſt, kann jemand horchen. Wer »nicht hören kann« und »fühlen muß«, der vermag vielleicht ſehr wohl und gerade deshalb zu horchen. Das Nur-herum-hören iſt eine Privation des hörenden Verſtehens. Reden und Hören gründen im Verſtehen. Dieſes entſteht weder durch vieles Reden noch durch geſchäftiges Herumhören. Nur wer ſchon verſteht, kann zuhören.

Daſſelbe exiſtenziale Fundament hat eine andere weſenhafte Möglichkeit des Redens, das Schweigen. Wer im Miteinanderreden ſchweigt, kann eigentlicher »zu verſtehen geben«, d. h. das Verſtändnis ausbilden, als der, dem das Wort nicht ausgeht. Mit dem Viel-ſprechen über etwas iſt nicht im mindeſten gewährleiſtet, daß dadurch das Verſtändnis weiter gebracht wird. Im Gegenteil: das weitläufige Bereden verdeckt und bringt das Verſtandene in die Scheinklarheit, d. h. Unverſtändlichkeit der Trivialität. Schweigen heißt aber nicht ſtumm ſein. Der Stumme hat umgekehrt die Tendenz zum »Sprechen«. Ein Stummer hat nicht nur nicht bewieſen, daß

Dieses Durchwaltende verliert dadurch nichts von seinem Überwältigenden, daß der Mensch es selbst unmittelbar in seine Gewalt nimmt und diese als solche braucht. Dadurch verbirgt sich nur das Unheimliche der Sprache, der Leidenschaften als jenes, worein der Mensch als geschichtlicher gefügt ist, während es ihm so vorkommt, als sei *er* es, der darüber verfügt. Die Unheimlichkeit dieser Mächte liegt in ihrer scheinbaren Vertrautheit und Geläufigkeit. Sie ergeben sich dem Menschen unmittelbar nur in ihrem Unwesen und treiben und halten ihn so aus seinem Wesen heraus. Auf diese Weise wird ihm zu einem scheinbar Allernächsten, was im Grunde noch ferner und überwältigender ist als Meer und Erde.

Wie weit der Mensch in seinem eigenen Wesen uneinheimisch ist, verrät die Meinung, die er von sich hegt als demjenigen, der Sprache und Verstehen, Bauen und Dichten erfunden habe und erfunden haben könnte.

Wie soll der Mensch das ihn Durchwaltende, auf Grund dessen er erst selbst als Mensch überhaupt *sein* kann, je erfinden? Wir vergessen völlig, daß in diesem Gesang vom Gewaltigen (δεινόν), vom Unheimlichen gesagt wird, wenn wir meinen, der Dichter lasse hier den Menschen solches wie Bauen und Sprache erfinden. Das Wort ἐδιδάξατο heißt nicht: der Mensch erfand, sondern: er fand sich in das Überwältigende und fand erst darin sich selbst: die Gewalt des also Tätigen. Das »sich selbst« bedeutet nach dem Vorausgegangenen zugleich Jenen, der ausbricht und umbricht, einfängt und niederzwingt.

Dieses Ausbrechen, Umbrechen, Einfangen und Niederzwingen ist in sich erst die Eröffnung des Seienden *als* Meer, *als* Erde, *als* Tier. Ausbruch und Umbruch geschehen nur, indem die Mächte der Sprache, des Verstehens, der Stimmung und des Bauens selbst in der Gewalt-tätigkeit bewältigt werden. Die Gewalttätigkeit des dichterischen Sagens, des denkerischen Entwurfs, des bauenden Bildens, des staatschaffenden Handelns ist nicht eine Betätigung von Vermögen, die der Mensch hat, sondern ist ein Bändigen und Fügen der Gewalten, kraft deren das Seiende sich als ein solches erschließt, indem der Mensch in dieses einrückt. Diese Erschlossenheit des Seienden ist jene Gewalt, die der Mensch zu bewältigen hat, um in Gewalt-tätigkeit allererst inmitten des Seienden er selbst, d. h. geschichtlich zu sein. Was hier in der zweiten Strophe als δεινόν gemeint ist, dürfen wir weder als Erfindung, noch als bloßes Vermögen und als Beschaffenheit des Menschen mißdeuten.

Erst wenn wir es begreifen, daß das Gewaltbrauchen in der Sprache, im Verstehen, im Bilden, im Bauen die Gewalt-tat des Bahnens

120

der Wege in das umwaltende Seiende mit-schafft (d.h. immer: her-vor-bringt), erst dann verstehen wir die Unheimlichkeit alles Gewalt-tätigen. Denn der Mensch wird, dergestalt überallhin unterwegs, nicht ausweglos in dem äußerlichen Sinne, daß er an äußere Schranken stößt und daran nicht weiter kann. Da und so kann er doch gerade immer weiter in das Und-so-weiter. Die Ausweglosigkeit besteht vielmehr darin, daß er stets auf die von ihm selbst gebahnten Wege zurückgeworfen wird, indem er sich auf seinen Bahnen festfährt, sich im Gebahnten verfängt, sich in dieser Verfängnis den Kreis seiner Welt zieht, sich im Schein verstrickt und sich so vom Sein aussperrt. Dergestalt dreht er sich vielwendig im eigenen Kreis. Er kann alles in Bezug auf diesen Umkreis Widrige abwenden. Er kann jede Geschicklichkeit an ihrem Platz anwenden. Die Gewalt-tätigkeit, die ursprünglich die Bahnen schafft, erzeugt in sich das eigene Unwesen der Vielwendigkeit, die in sich Ausweglosigkeit ist und das so sehr, daß sie sich selbst von dem Weg der Besinnung über den Schein aussperrt, worin sie sich selber umtreibt.

Nur an *einem* scheitert alle Gewalt-tätigkeit unmittelbar. Das ist der Tod. Er über-endet alle Vollendung, er über-grenzt alle Grenzen. Hier gibt es nicht Ausbruch und Umbruch, nicht Einfang und Niederzwang. Aber dieses Un-heimliche, das schlechthin und zumal aus allem Heimischen endgültig hinaussetzt, ist kein Sonderereignis, das unter anderem auch genannt werden muß, weil es sich zuletzt auch einstellt. Der Mensch ist ohne Ausweg dem Tod gegenüber nicht erst, wenn es zum Sterben kommt, sondern ständig und wesenhaft. Sofern der Mensch *ist*, steht er in der Ausweglosigkeit des Todes. So ist das Da-sein die geschehende Un-heimlichkeit selbst. (Die geschehende Unheimlichkeit muß für uns anfänglich als Da-sein gegründet werden.)

Mit der Nennung *dieses* Gewaltigen und Unheimlichen setzt sich der dichterische Entwurf des Seins und des Menschenwesens die eigene Grenze.

Denn die zweite Gegenstrophe bringt nicht mehr eine Nennung *noch* anderer Mächte, sondern sie bringt alles vorher Gesagte in seine innere Einheit zusammen. Die Schlußstrophe nimmt das Ganze in seinen Grundzug zurück. Nach dem, was wir auf dem ersten Gang heraushoben, besteht aber der Grundzug des eigentlich zu Sagenden (des δεινότατον) gerade in dem einigen Wechselbezug des doppelsinnigen δεινόν. Demgemäß nennt die Schlußstrophe im Zusammenschluß ein Dreifaches.

1. Die Gewalt, das Gewaltige, worin sich das Tun des Gewalt-tätigen bewegt, ist der ganze Umkreis der ihm überantworteten Machen-

121

dieser Lichtung herein- und hinaussteht. Nur diese Lichtung schenkt und verbürgt uns Menschen einen Durchgang zum Seienden, das wir selbst nicht sind, und den Zugang zu dem Seienden, das wir selbst sind. Dank dieser Lichtung ist das Seiende in gewissen und wechselnden Maßen unverborgen. Doch selbst verborgen kann das Seiende nur im Spielraum des Gelichteten sein. Jegliches Seiende, das begegnet und mitgegnet, hält diese seltsame Gegnerschaft des Anwesens inne, indem es sich zugleich immer in eine Verborgenheit zurückhält. Die Lichtung, in die das Seiende hereinsteht, ist in sich zugleich Verbergung. Verbergung aber waltet inmitten des Seienden auf eine zwiefache Art.

Seiendes versagt sich uns bis auf jenes Eine und dem Anschein nach Geringste, das wir am ehesten treffen, wenn wir vom Seienden nur noch sagen können, daß es sei. Die Verbergung als Versagen ist nicht erst und nur die jedesmalige Grenze der Erkenntnis, sondern der Anfang der Lichtung des Gelichteten. Aber Verbergung ist zugleich auch, freilich von anderer Art, innerhalb des Gelichteten. Seiendes schiebt sich vor Seiendes, das Eine verschleiert das Andere, Jenes verdunkelt Dieses, Weniges verbaut Vieles, Vereinzeltes verleugnet Alles. Hier ist das Verbergen nicht jenes einfache Versagen, sondern das Seiende erscheint wohl, aber es gibt sich anders, als es ist. Dieses Verbergen ist das Verstellen. Würde Seiendes nicht Seiendes verstellen, dann könnten wir uns am Seienden nicht versehen und vertun, wir könnten uns nicht verlaufen und vergehen und vollends uns nie vermessen. Daß das Seiende als Schein trügen kann, ist die Bedingung dafür, daß wir uns täuschen können, nicht umgekehrt. Die Verbergung kann ein Versagen sein oder nur ein Verstellen. Wir haben nie geradezu die Gewißheit, ob sie das Eine oder das Andere ist. Das Verbergen verbirgt und verstellt sich selbst. Das sagt: die offene Stelle inmitten des Seienden, die Lichtung, ist niemals eine starre Bühne mit ständig aufgezogenem Vorhang, auf der sich das Spiel des Seienden abspielt. Vielmehr geschieht die Lichtung nur als dieses zwiefache Verbergen. Unverborgenheit des Seienden, das ist nie ein nur vorhandener Zustand, sondern ein Geschehnis. Unverborgenheit (Wahrheit) ist weder eine

42

Eigenschaft der Sachen im Sinne des Seienden, noch eine solche der Sätze.

Im nächsten Umkreis des Seienden glauben wir uns heimisch. Das Seiende ist vertraut, verläßlich, geheuer. Gleichwohl zieht durch die Lichtung ein ständiges Verbergen in der Doppelgestalt des Versagens und des Verstellens. Das Geheure ist im Grunde nicht geheuer; es ist un-geheuer. Das Wesen der Wahrheit, d. h. der Unverborgenheit, wird von einer Verweigerung durchwaltet. Dieses Verweigern ist jedoch kein Mangel und Fehler, als sei die Wahrheit eitel Unverborgenheit, die sich alles Verborgenen entledigt hat. Könnte sie dieses, dann wäre sie nicht mehr sie selbst. Zum Wesen der Wahrheit als der Unverborgenheit gehört dieses Verweigern in der Weise des zwiefachen Verbergens. Die Wahrheit ist in ihrem Wesen Un-wahrheit. So sei es gesagt, um in einer vielleicht befremdlichen Schärfe anzuzeigen, daß zur Unverborgenheit als Lichtung das Verweigern in der Weise des Verbergens gehört. Der Satz: Das Wesen der Wahrheit ist die Un-wahrheit, soll dagegen nicht sagen, die Wahrheit sei im Grunde Falschheit. Ebensowenig meint der Satz, die Wahrheit sei niemals sie selbst, sondern sei, dialektisch vorgestellt, immer auch ihr Gegenteil. Die Wahrheit west gerade als sie selbst, sofern das verbergende Verweigern als Versagen erst aller Lichtung die ständige Herkunft, als Verstellen jedoch aller Lichtung die unnachläßliche Schärfe der Beirrung zumißt. Mit dem verbergenden Verweigern soll im Wesen der Wahrheit jenes Gegenwendige genannt sein, das im Wesen der Wahrheit zwischen Lichtung und Verbergung besteht. Das ist das Gegeneinander des ursprünglichen Streites. Das Wesen der Wahrheit ist in sich selbst der Urstreit, in dem jene offene Mitte erstritten wird, in die das Seiende hereinsteht und aus der es sich in sich selbst zurückstellt.

Dieses Offene geschieht inmitten des Seienden. Es zeigt einen Wesenszug, den wir schon nannten. Zum Offenen gehört eine Welt und die Erde. Aber die Welt ist nicht einfach das Offene, was der Lichtung, die Erde ist nicht das Verschlossene, was der Verbergung entspricht. Vielmehr ist die Welt die Lichtung der Bahnen der wesentlichen Weisungen, in die sich alles Entscheiden fügt. Jede Ent-

43

Wodurch kann, wenn das Sein das Einzigartige des Seienden ist, das Sein noch übertroffen werden? Nur durch sich selbst, nur durch sein Eigenes und zwar in der Weise, daß es in sein Eigenes eigens einkehrt. Dann wäre das Sein das Einzigartige, das schlechthin sich übertrifft (das transcendens schlechthin). Aber dieses Übersteigen geht nicht hinüber und zu einem anderen hinauf, sondern herüber zu ihm selbst und in das Wesen seiner Wahrheit zurück. Das Sein durchmißt selbst diesen Herübergang und ist selbst dessen Dimension.

Dies denkend, erfahren wir im Sein selbst, daß in ihm ein zu ihm gehöriges „mehr" liegt und so die Möglichkeit, daß auch dort, wo das Sein als das Wagnis gedacht wird, Wagenderes walten kann, als selbst das Sein ist, insofern wir dieses gewöhnlich vom Seienden her vorstellen. Das Sein durchmißt als es selbst seinen Bezirk, der dadurch bezirkt wird (*τέμνειν*, tempus), daß es im Wort west. Die Sprache ist der Bezirk (templum), d. h. das Haus des Seins. Das Wesen der Sprache erschöpft sich weder im Bedeuten, noch ist sie nur etwas Zeichenhaftes und Ziffernmäßiges. Weil die Sprache das Haus des Seins ist, deshalb gelangen wir so zu Seiendem, daß wir ständig durch dieses Haus gehen. Wenn wir zum Brunnen, wenn wir durch den Wald gehen, gehen wir schon immer durch das Wort „Brunnen", durch das Wort „Wald" hindurch, auch wenn wir diese Worte nicht aussprechen und nicht an Sprachliches denken. Vom Tempel des Seins her denkend, können wir vermuten, was diejenigen, die manchmal wagender sind als das Sein des Seienden, wagen. Sie wagen den Bezirk des Seins. Sie wagen die Sprache. Jegliches Seiende, die Gegenstände des Bewußtseins und die Dinge des Herzens, die sich durchsetzenden und die wagenderen Menschen, alle Wesen sind je nach ihrer Weise als seiende im Bezirk der Sprache. Darum ist, wenn irgendwo, *allein in diesem Bezirk* die Umkehr aus dem Bereich der Gegenstände und ihres Vorstellens in das Innerste des Herzraumes vollziehbar.

Für Rilkes Dichtung ist das Sein des Seienden metaphysisch als die weltische Präsenz bestimmt, welche Präsenz auf die Repräsentation im Bewußtsein bezogen bleibt, mag dieses den Charakter der

286

Immanenz des rechnenden Vorstellens oder den der innerlichen Wendung in das herzhaft zugängliche Offene haben.

Die ganze Sphäre der Präsenz ist gegenwärtig im Sagen. Das Gegenständige des Herstellens steht im Aussagen der rechnenden Sätze und der Lehrsätze der von Satz zu Satz sich fortsetzenden Vernunft. Der Bereich des sich durchsetzenden Schutzlosseins wird beherrscht von der Vernunft. Sie hat nicht nur für ihr Sagen, für den *λόγος* als die erklärende Prädikation, ein besonderes System von Regeln aufgestellt, sondern die Logik der Vernunft ist selbst die Organisation der Herrschaft des vorsätzlichen Sichdurchsetzens im Gegenständigen. In der Umkehrung des gegenständlichen Vorstellens entspricht dem Sagen der Er-innerung die Logik des Herzens. In beiden Bereichen, die metaphysisch bestimmt sind, waltet die Logik, weil die Er-innerung ein Sichersein aus dem Schutzlossein selbst und außerhalb von Schutz schaffen soll. Dieses Bergen betrifft den Menschen als dasjenige Wesen, das die Sprache hat. Er hat sie innerhalb des metaphysisch geprägten Seins in der Weise, daß er die Sprache im vorhinein und nur als eine Habe und somit als Handhabe seines Vorstellens und Verhaltens nimmt. Darum bedarf der *λόγος*, das Sagen als Organon, der Organisation durch die Logik. Nur innerhalb der Metaphysik gibt es die Logik.

Wenn nun aber beim Schaffen eines Sicherseins der Mensch vom Gesetz des ganzen Weltinnenraumes angerührt wird, ist er selbst in seinem Wesen berührt, darin nämlich, daß er als der Sichwollende schon der Sagende ist. Insofern jedoch das Schaffen eines Sicherseins von den Wagenderen kommt, müssen die Wagenderen es mit der Sprache wagen. Die Wagenderen wagen das Sagen. Doch wenn der Bezirk dieses Wagens, die Sprache, in der einzigartigen Weise zum Sein gehört, über dem und außer dem nichts anderes seiner Art sein kann, wohin soll dann das, was die Sagenden sagen müssen, gesagt werden? Ihr Sagen geht die er-innernde Umkehrung des Bewußtseins an, die unser Schutzlossein in das Unsichtbare des Weltinnenraumes wendet. Ihr Sagen spricht, weil es die Umkehrung angeht, nicht nur aus beiden Bereichen, sondern aus der Einheit beider, insofern sie als die rettende Einigung schon ge-

287

Angekommene in gewisser Weise ein ἔργον, griechisch gedacht: ein Hervor-Gebrachtes. Das Anwesen des Anwesenden kann im Hinblick auf den im Lichte der Anwesenheit gedachten ἔργον-Charakter als dasjenige erfahren werden, was in der Hervor-gebrachtheit west. Diese ist das Anwesen des Anwesenden. Das Sein des Seienden ist die ἐνέργεια.

Die ἐνέργεια, die Aristoteles als den Grundzug des Anwesens, des ἐόν, denkt, die ἰδέα, die Platon als den Grundzug des Anwesens denkt, der Λόγος, den Heraklit als den Grundzug des Anwesens denkt, die Μοῖρα, die Parmenides als den Grundzug des Anwesens denkt, das Χρεών, das Anaximander als das Wesende im Anwesen denkt, nennen das Selbe. Im verborgenen Reichtum des Selben ist die Einheit des einenden Einen, das Ἕν von jedem der Denker in seiner Weise gedacht.

Indessen kommt bald eine Epoche des Seins, in der die ἐνέργεια durch actualitas übersetzt wird. Das Griechische wird verschüttet und erscheint bis in unsere Tage nur noch in der römischen Prägung. Die actualitas wird zur Wirklichkeit. Die Wirklichkeit wird zur Objektivität. Aber selbst diese bedarf noch, um in ihrem Wesen, der Gegenständlichkeit, zu bleiben, des Charakters des Anwesens. Es ist die Präsenz in der Repräsentation des Vorstellens. Die entscheidende Wende im Geschick des Seins als ἐνέργεια liegt im Übergang zur actualitas.

Eine bloße Übersetzung soll dieses veranlaßt haben? Doch vielleicht lernen wir bedenken, was sich im Übersetzen ereignen kann. Die eigentliche geschickliche Begegnung der geschichtlichen Sprachen ist ein stilles Ereignis. In ihm spricht aber das Geschick des Seins. In welche Sprache setzt das Abend-Land über?

Wir versuchen jetzt, den Spruch des Anaximander zu übersetzen:

. . . . κατὰ τὸ χρεών· διδόναι γὰρ αὐτὰ δίκην καὶ τίσιν ἀλλήλοις τῆς ἀδικίας.

„. . . . entlang dem Brauch; gehören nämlich lassen sie Fug somit auch Ruch eines dem anderen (im Verwinden) des Un-Fugs".

342

Weder können wir die Übersetzung wissenschaftlich beweisen, noch dürfen wir sie auf irgend eine Autorität hin nur glauben. Der wissenschaftliche Beweis trägt zu kurz. Der Glaube hat im Denken keinen Platz. Die Übersetzung läßt sich nur im Denken des Spruches nachdenken. Das Denken aber ist das Dichten der Wahrheit des Seins in der geschichtlichen Zwiesprache der Denkenden.

Darum wird der Spruch nie ansprechen, solange wir ihn nur historisch und philologisch erklären. Der Spruch spricht seltsamerweise erst darauf an, daß wir unsere eigenen Ansprüche des gewohnten Vorstellens ablegen, indem wir bedenken, worin die Wirrnis des jetzigen Weltgeschickes besteht.

Der Mensch ist auf dem Sprunge, sich auf das Ganze der Erde und ihrer Atmosphäre zu stürzen, das verborgene Walten der Natur in der Form von Kräften an sich zu reißen und den Geschichtsgang dem Planen und Ordnen einer Erdregierung zu unterwerfen. Der selbe aufständige Mensch ist außerstande, einfach zu sagen, was *ist*, zu sagen, *was* dies *ist*, daß ein Ding *ist*.

Das Ganze des Seienden ist der eine Gegenstand eines einzigen Willens zur Eroberung. Das Einfache des Seins ist in einer einzigen Vergessenheit verschüttet.

Welcher Sterbliche vermag den Abgrund dieser Wirrnis auszudenken? Man kann versuchen, vor diesem Abgrund die Augen zu schließen. Man kann ein Blendwerk hinter dem anderen errichten. Der Abgrund weicht nicht.

Die Theorien über die Natur, die Lehren über die Geschichte lösen die Wirrnis nicht. Sie verwirren alles in das Unkennbare, weil sie selbst sich aus der Wirre nähren, die über dem Unterschied des Seienden und des Seins liegt.

Ist überhaupt Rettung? Sie ist erst und ist nur, wenn die Gefahr *ist*. Die Gefahr *ist*, wenn das Sein selbst ins Letzte geht und die Vergessenheit, die aus ihm selbst kommt, umkehrt.

Wenn aber das Sein in seinem Wesen das Wesen des Menschen *braucht*? Wenn das Wesen des Menschen im Denken der Wahrheit des Seins beruht?

Dann muß das Denken am Rätsel des Seins dichten. Es bringt die Frühe des Gedachten in die Nähe des zu Denkenden.

343

gelegentlich ein Zeigender, sondern: gezogen in das Sichentziehende, auf dem Zug in dieses und somit zeigend in den Entzug ist der Mensch allererst Mensch. Sein Wesen beruht darin, ein solcher Zeigender zu sein.
Was in sich, seiner eigensten Verfassung nach, etwas Zeigendes ist, nennen wir ein Zeichen. Auf dem Zug in das Sichentziehende gezogen, *ist* der Mensch ein Zeichen.
Weil jedoch dieses Zeichen in solches zeigt, das sich entzieht, kann das Zeigen das, was sich da entzieht, nicht unmittelbar deuten. Das Zeichen bleibt so ohne Deutung.
Hölderlin sagt in einem Entwurf zu einer Hymne:

> *«Ein Zeichen sind wir, deutungslos*
> *Schmerzlos sind wir und haben fast*
> *Die Sprache in der Fremde verloren.»*

Die Entwürfe zur Hymne sind neben Titeln wie «Die Schlange», «Die Nymphe», «Das Zeichen» auch überschrieben «Mnemosyne». Wir können das griechische Wort in unser deutsches übersetzen, das lautet: Gedächtnis. Unsere Sprache sagt: das Gedächtnis. Sie sagt aber auch: die Erkenntnis, die Befugnis; und wieder: das Begräbnis, das Geschehnis. Kant z. B. sagt in seinem Sprachgebrauch und oft nahe beieinander bald «die Erkenntnis», bald «das Erkenntnis». Wir dürften daher ohne Gewaltsamkeit Μνημοσύνη, dem griechischen Femininum entsprechend, übersetzen: «die Gedächtnis».
Hölderlin nennt nämlich das griechische Wort Μνημοσύνη als den Namen einer Titanide. Sie ist die Tochter von Himmel und Erde. Mnemosyne wird als Braut des Zeus in neun Nächten die Mutter der Musen. Spiel und Tanz, Gesang und Gedicht gehören dem Schoß der Mnemosyne, der Gedächtnis. Offenbar nennt dieses Wort hier anderes als nur die von der Psychologie gemeinte Fähigkeit, Vergangenes in der Vorstellung zu behalten. Gedächtnis denkt an das Gedachte. Aber der Name der Mutter

136

der Musen meint «Gedächtnis» nicht als ein beliebiges Denken an irgendwelches Denkbare. Gedächtnis ist hier die Versammlung des Denkens, das gesammelt bleibt auf das, woran im voraus schon gedacht ist, weil es allem zuvor stets bedacht sein möchte. Gedächtnis ist die Versammlung des Andenkens an das vor allem anderen zu-Bedenkende. Diese Versammlung birgt bei sich und verbirgt in sich jenes, woran im vorhinein zu denken bleibt, bei allem, was west und sich als Wesendes und Gewesenes zuspricht. Gedächtnis, das gesammelte Andenken an das zu-Denkende, ist der Quellgrund des Dichtens. Demnach beruht das Wesen der Dichtung im Denken. Dies sagt uns der Mythos, d. h. die Sage. Sein Sagen heißt das älteste, nicht nur, insofern es der Zeitrechnung nach das früheste ist, sondern weil es seinem Wesen nach, voreinst und dereinst das Denkwürdigste bleibt. Solange wir freilich das Denken nach *den* Auskünften vorstellen, die uns die Logik darüber gibt, solange wir nicht damit ernst machen, daß alle Logik sich bereits auf eine besondere Art des Denkens festgelegt hat –, solange werden wir es nicht beachten können, daß und inwiefern das Dichten im Andenken beruht.
Alles Gedichtete ist der Andacht des Andenkens entsprungen.
Unter dem Titel *Mnemosyne* sagt Hölderlin:

> *«Ein Zeichen sind wir, deutungslos . . .»*

Wer wir? Wir, die heutigen Menschen, die Menschen eines Heute, das schon lange und noch lange währt, in einer Länge, für die keine Zeitrechnung der Historie je ein Maß aufbringt. In derselben Hymne «Mnemosyne» heißt es: «*Lang ist / die Zeit*» – nämlich die, in der wir ein deutungsloses Zeichen sind. Gibt dies nicht genug zu denken, daß wir ein Zeichen sind und zwar ein deutungsloses? Vielleicht gehört das, was Hölderlin in diesen und in den folgenden Worten sagt, zu dem, woran sich uns das Bedenklichste zeigt, zu dem, daß wir noch nicht

137

geringste in der Notlage, die Wesensherkunft dessen zu erfahren und hinreichend zu denken, was wir jetzt vom Wesen des Kruges sagen. Wohl dagegen trifft zu, daß *ein* Bedeutungsmoment aus dem alten Sprachgebrauch des Wortes thing, nämlich «versammeln», auf das zuvor gedachte Wesen des Kruges anspricht.

Der Krug ist ein Ding weder im Sinne der römisch gemeinten res, noch im Sinne des mittelalterlich vorgestellten ens, noch gar im Sinne des neuzeitlich vorgestellten Gegenstandes. Der Krug ist Ding, insofern er dingt. Aus dem Dingen des Dinges ereignet sich und bestimmt sich auch erst das Anwesen des Anwesenden von der Art des Kruges.

Heute ist alles Anwesende gleich nah und gleich fern. Das Abstandlose herrscht. Alles Verkürzen und Beseitigen der Entfernungen bringt jedoch keine Nähe. Was ist die Nähe? Um das Wesen der Nähe zu finden, bedachten wir den Krug in der Nähe. Wir suchten das Wesen der Nähe und fanden das Wesen des Kruges als Ding. Aber in diesem Fund gewahren wir zugleich das Wesen der Nähe. Das Ding dingt. Dingend verweilt es Erde und Himmel, die Göttlichen und die Sterblichen; verweilend bringt das Ding die Vier in ihren Fernen einander nahe. Dieses Nahebringen ist das Nähern. Nähern ist das Wesen der Nähe. Nähe nähert das Ferne und zwar als das Ferne. Nähe wahrt die Ferne. Ferne wahrend, west die Nähe in ihrem Nähern. Solchermaßen nähernd, verbirgt die Nähe sich selber und bleibt nach ihrer Weise am nächsten.

Das Ding ist nicht «in» der Nähe, als sei diese ein Behälter. Nähe waltet im Nähern als das Dingen des Dinges.

Dingend verweilt das Ding die einigen Vier, Erde und Himmel, die Göttlichen und die Sterblichen, in der Einfalt ihres aus sich her einigen Gevierts.

Die Erde ist die bauend Tragende, die nährend Fruchtende, hegend Gewässer und Gestein, Gewächs und Getier.

176

Sagen wir Erde, dann denken wir schon die anderen Drei mit aus der Einfalt der Vier.

Der Himmel ist der Sonnengang, der Mondlauf, der Glanz der Gestirne, die Zeiten des Jahres, Licht und Dämmer des Tages, Dunkel und Helle der Nacht, die Gunst und das Unwirtliche der Wetter, Wolkenzug und blauende Tiefe des Äthers.

Sagen wir Himmel, dann denken wir schon die anderen Drei mit aus der Einfalt der Vier.

Die Göttlichen sind die winkenden Boten der Gottheit. Aus dem verborgenen Walten dieser erscheint der Gott in sein Wesen, das ihn jedem Vergleich mit dem Anwesenden entzieht.

Nennen wir die Göttlichen, dann denken wir die anderen Drei mit aus der Einfalt der Vier.

Die Sterblichen sind die Menschen. Sie heißen die Sterblichen, weil sie sterben können. Sterben heißt: den Tod als Tod vermögen. Nur der Mensch stirbt. Das Tier verendet. Es hat den Tod als Tod weder vor sich noch hinter sich. Der Tod ist der Schrein des Nichts, dessen nämlich, was in aller Hinsicht niemals etwas bloß Seiendes ist, was aber gleichwohl west, sogar als das Geheimnis des Seins selbst. Der Tod birgt als der Schrein des Nichts das Wesende des Seins in sich. Der Tod ist als der Schrein des Nichts das Gebirg des Seins. Die Sterblichen nennen wir jetzt die Sterblichen – nicht, weil ihr irdisches Leben endet, sondern weil sie den Tod als Tod vermögen. Die Sterblichen sind, die sie sind, als die Sterblichen, wesend im Gebirg des Seins. Sie sind das wesende Verhältnis zum Sein als Sein.

Die Metaphysik dagegen stellt den Menschen als animal, als Lebewesen vor. Auch wenn die ratio die animalitas durchwaltet, bleibt das Menschsein vom Leben und Erleben her bestimmt. Die vernünftigen Lebewesen müssen erst zu Sterblichen *werden*.

Sagen wir: die Sterblichen, dann denken wir die anderen Drei mit aus der Einfalt der Vier.

177

licher Bläue blühet...» gehören. Sie beginnen (Stuttg. Ausgabe 2, 1 S. 210):

> «Was ist Gott? unbekannt, dennoch
> Voll Eigenschaften ist das Angesicht
> Des Himmels von ihm. Die Blize nemlich
> Der Zorn sind eines Gottes. Jemehr ist eins
> Unsichtbar, schiket es sich in Fremdes...»

Was dem Gott fremd bleibt, die Anblicke des Himmels, dies ist dem Menschen das Vertraute. Und was ist dies? Alles, was am Himmel und somit unter dem Himmel und somit auf der Erde glänzt und blüht, tönt und duftet, steigt und kommt, aber auch geht und fällt, aber auch klagt und schweigt, aber auch erbleicht und dunkelt. In dieses dem Menschen Vertraute, dem Gott aber Fremde, schicket sich der Unbekannte, um darin als der Unbekannte behütet zu bleiben. Der Dichter jedoch ruft alle Helle der Anblicke des Himmels und jeden Hall seiner Bahnen und Lüfte in das singende Wort und bringt darin das Gerufene zum Leuchten und Klingen. Allein der Dichter beschreibt nicht, wenn er Dichter ist, das bloße Erscheinen des Himmels und der Erde. Der Dichter ruft in den Anblicken des Himmels Jenes, was im Sichenthüllen gerade das Sichverbergende erscheinen läßt und zwar: *als* das Sichverbergende. Der Dichter ruft in den vertrauten Erscheinungen das Fremde als jenes, worein das Unsichtbare sich schicket, um das zu bleiben, was es ist: unbekannt.

Der Dichter dichtet nur dann, wenn er das Maß nimmt, indem er die Anblicke des Himmels so sagt, daß er sich seinen Erscheinungen als dem Fremden fügt, worein der unbekannte Gott sich «schiket». Der uns geläufige Name für Anblick und Aussehen von etwas lautet «Bild». Das Wesen des Bildes ist: etwas sehen zu lassen. Dagegen sind die Abbilder und Nachbilder bereits Abarten des eigentlichen Bildes, das als Anblick das Unsichtbare sehen läßt und es so in ein ihm Fremdes einbildet. Weil das Dichten jenes geheimnisvolle Maß nimmt, nämlich am An-

gesicht des Himmels, deshalb spricht es in «Bildern». Darum sind die dichterischen Bilder Ein-Bildungen in einem ausgezeichneten Sinne: nicht bloße Phantasien und Illusionen, sondern Ein-Bildungen als erblickbare Einschlüsse des Fremden in den Anblick des Vertrauten. Das dichtende Sagen der Bilder versammelt Helle und Hall der Himmelserscheinungen in Eines mit dem Dunkel und dem Schweigen des Fremden. Durch solche Anblicke befremdet der Gott. In der Befremdung bekundet er seine unablässige Nähe. Darum kann Hölderlin im Gedicht nach den Versen «Voll Verdienst, doch dichterisch, wohnet der Mensch auf dieser Erde» fortfahren:

> «...Doch reiner
> Ist nicht der Schatten der Nacht mit den Sternen,
> Wenn ich so sagen könnte, als
> Der Mensch, der heißet ein Bild der Gottheit.»

«...der Schatten der Nacht» – die Nacht selber ist der Schatten, jenes Dunkle, das nie bloße Finsternis werden kann, weil es als Schatten dem Licht zugetraut, von ihm geworfen bleibt. Das Maß, welches das Dichten nimmt, schickt sich als das Fremde, worein der Unsichtbare sein Wesen schont, in das Vertraute der Anblicke des Himmels. Darum ist das Maß von der Wesensart des Himmels. Aber der Himmel ist nicht eitel Licht. Der Glanz seiner Höhe ist in sich das Dunkle seiner alles bergenden Weite. Das Blau der lieblichen Bläue des Himmels ist die Farbe der Tiefe. Der Glanz des Himmels ist Aufgang und Untergang der Dämmerung, die alles Verkündbare birgt. Dieser Himmel ist das Maß. Darum muß der Dichter fragen:

> «Giebt es auf Erden ein Maaß?»

Und er muß antworten: «Es giebt keines». Warum? Weil das, was wir nennen, wenn wir sagen «auf der Erde», nur besteht, insofern der Mensch die Erde be-wohnt und im Wohnen die Erde als Erde sein läßt.

zeigt und deshalb selber nur sein kann, insofern es sich überall schon zum Seienden verhält.

In gewisser Weise konnte man diesen Wesenszug am Menschen nie gänzlich übersehen. Wir werden alsbald hören, wo und wie die Philosophie diesen Zug im Menschenwesen untergebracht hat. Allein es bleibt ein entscheidender Unterschied, ob man diesen Zug am Lebewesen Mensch als eine zum Lebewesen hinzukommende Auszeichnung mitbeachtet oder ob man den Bezug zu dem, was ist, *als* den Grundzug des Menschenwesens des Menschen in den *maß*gebenden Ansatz bringt. Dies geschieht weder dort, wo der Bestimmungsgrund des Menschenwesens als anima, noch dort, wo er als animus vorgestellt wird. Animus meint zwar jenes Sinnen und Trachten des Menschenwesens, das überall von dem her, was ist, bestimmt und das heißt gestimmt bleibt. Das lateinische Wort animus läßt sich auch durch unser deutsches Wort »Seele« übersetzen. »Seele« meint in diesem Falle nicht das Lebensprinzip, sondern das Wesende des Geistes, den Geist des Geistes, das Seelenfünklein des Meisters Eckehart. Die so gemeinte Seele ist im Gedicht Mörikes angesprochen: »Denk es, o Seele«. Unter den heutigen Dichtern gebraucht G. Trakl gern das Wort »Seele« in einem hohen Sinne. Die dritte Strophe des Gedichtes »Das Gewitter« beginnt:

> »O Schmerz, du flammendes Anschaun
> der großen Seele!«

Was das lateinische Wort animus meint, ist im anfänglichen Wort Gedächtnis und Gedanc voller genannt. Doch hier ist zugleich die Stelle unseres Weges, von der aus wir zu einem noch wesentlicheren Schritt ansetzen. Er führt in jenen Bereich, wo sich uns das Wesen des Gedächtnisses anfänglicher zeigt, nicht nur dem Wort nach, sondern in der Sache. Wir behaupten keineswegs, das jetzt zu denkende Wesen des Gedächtnisses sei im anfänglichen Wort genannt. Wir nehmen die anfängliche Bedeutung des alten Wortes als einen Wink. Der ihm folgende Hinweis bleibt ein tastender Versuch, den Grund für das Wesen des Gedächtnisses sichtbar zu machen. Der Versuch hat einen Anhalt an dem, was im Beginn des abendländischen Denkens erscheint und seither nie ganz aus dem Gesichtskreis dieses Denkens entschwindet.

Wohin weist es, was wir als das Wesen des Gedächtnisses erläuterten? Zunächst sieht es im Umkreis dessen, was das anfängliche Wort »Gedächtnis« nennt, noch so aus, als gehöre das Gedächtnis ausschließlich, im Sinne von Gemüt und Herz, zur Wesensausstattung

96

des Menschen. Man hält es darum für etwas im besonderen Sinne Menschliches. Das ist es auch; aber nicht nur und nicht einmal in erster Linie.

Das Gedächtnis bestimmten wir als die Versammlung des Andenkens. Wenn wir diese Bestimmung bedenken, bleiben wir schon nicht mehr bei ihr und vor ihr nur stehen. Wir folgen dem, wohin sie uns weist. Die Versammlung des Andenkens gründet nicht in einem Vermögen des Menschen, gar in dem des Erinnerns und Behaltens. Alles Andenken an das Gedenkbare wohnt selber bereits in jener Versammlung, durch die im voraus alles geborgen und verborgen ist, was zu bedenken bleibt.

Das Bergende und Verbergende hat sein Wesen im Be-wahren, im Ver-wahren, eigentlich im Wahrenden. Die Wahr, das Wahrende, bedeutet anfänglich die Hut, das Hütende.

Das Gedächtnis im Sinne des menschlichen Andenkens wohnt in dem, was alles, das zu denken gibt, verwahrt. Wir nennen es die Verwahrnis. Sie verbirgt und birgt das, was uns zu denken gibt. Die Verwahrnis allein *gibt* das zu-Bedenkende, das Bedenklichste, *als Gabe* frei. Die Verwahrnis ist jedoch nichts neben und außer dem Bedenklichsten. Sie ist dieses selber, ist seine Weise, aus der es und in der es gibt, nämlich sich, das selbst je und je zu denken gibt. Das Gedächtnis beruht als das menschliche Andenken an das zu-Bedenkende in der Verwahrnis des Bedenklichsten. Sie ist der Wesensgrund des Gedächtnisses.

Unser Vorstellen bleibt zu früh und zu ausschließlich bei einem zunächst Gegebenen stehen, wenn es das Gedächtnis nur als eine Fähigkeit des Behaltens zu erklären sucht. Das Gedächtnis gehört nicht bloß zum Denkvermögen, worin es stattfindet, sondern alles Denken und jedes Erscheinen des zu-Denkenden finden das Offene, in das sie an- und zusammenkommen, nur dort, wo die Verwahrnis des Bedenklichsten sich ereignet. Der Mensch *be-wohnt* nur die Verwahrnis dessen, was ihm zu denken gibt. Der Mensch erzeugt die Verwahrnis nicht.

Nur das Verwahrende kann bewahren – nämlich das zu-Bedenkende. Das Verwahrende bewahrt, indem es birgt und zugleich vor Gefahr schützt. Wovor bewahrt die Verwahrnis des zu-Bedenkenden? Vor der Vergessenheit. Allein das Verwahrende *muß* nicht in dieser Weise bewahren. Es kann die Vergessenheit des Bedenklichsten zulassen. Wodurch ist uns dies bezeugt? Dadurch, daß das Bedenklichste, das, was einsther und einsthin zu denken gibt, anfänglich in die Vergessenheit zurückgenommen bleibt.

Heidegger, Denken 7

97

Für

Paul Celan

zur Erinnerung

an den Besuch auf der Hütte

am 25. Juli 1967

Martin Heidegger

jenes »Andere« zu, das es sich als erreichbar, als freizusetzen, als vakant vielleicht, und dabei ihm, dem Gedicht — sagen wir: wie Lucile — zugewandt denkt.

Gewiß, das Gedicht — das Gedicht heute — zeigt, und das hat, glaube ich, denn doch nur mittelbar mit den — nicht zu unterschätzenden — Schwierigkeiten der Wortwahl, dem rapideren Gefälle der Syntax oder dem wacheren Sinn für die Ellipse zu tun, — das Gedicht zeigt, das ist unverkennbar, eine starke Neigung zum Verstummen.
Es behauptet sich — erlauben Sie mir, nach so vielen extremen Formulierungen, nun auch diese —, das Gedicht behauptet sich am Rande seiner selbst; es ruft und holt sich, um bestehen zu können, unausgesetzt aus seinem Schon-nicht-mehr in sein Immer-noch zurück.

Dieses Immer-noch kann doch wohl nur ein Sprechen sein. Also nicht Sprache schlechthin und vermutlich auch nicht erst vom Wort her »Entsprechung«. x)
Sondern aktualisierte Sprache, freigesetzt unter dem Zeichen einer zwar radikalen, aber gleichzeitig auch der ihr von der Sprache gezogenen Grenzen, der ihr von der Sprache erschlossenen Möglichkeiten eingedenk bleibenden Individuation.
Dieses Immer-noch des Gedichts kann ja wohl nur in dem Gedicht dessen zu finden sein, der nicht vergißt, daß er unter dem Neigungswinkel seines Daseins, dem Neigungswinkel seiner Kreatürlichkeit spricht. xx
Dann wäre das Gedicht — deutlicher noch als bisher — gestaltgewordene Sprache eines Einzelnen, — und seinem innersten Wesen nach Gegenwart und Präsenz.

x [illegible handwritten note] 1959
xx [illegible handwritten note] 1958 [illegible]
[illegible] S. 334

Index des noms

Table

Cet ouvrage a été composé en Garamond
par In Folio, Paris

Achevé d´imprimer par Mateu Cromo
(Espagne) en janvier 2004

35-10-1975-8/01
dépot légal : janvier 2004
ISBN : 2 213 61775 9
nº d´édition : 41639